Bernhard Barth

Schellings
Philosophie der Kunst

Göttliche Imagination
und ästhetische Einbildungskraft

VERLAG KARL ALBER FREIBURG/MÜNCHE

Das vorliegende Buch ist die überarbeitete Fassung
der Dissertation, mit der ich am 4. Juli 1986 an der
Albert-Ludwigs-Universität zu Freiburg i. Br. promoviert wurde.
Mein besonderer Dank gilt meinem Lehrer
Professor Dr. Werner Beierwaltes, der die Entstehung
dieses Buchs durch Rat und Kritik sehr gefördert hat.
Zu danken habe ich auch der Bischöflichen Studienförderung
Cusanuswerk für ein Promotionsstipendium.
Schließlich danke ich Professor Dr. Robert Spaemann
für die Aufnahme dieser Arbeit in die Reihe „Symposion"
und nicht zuletzt Herrn Dr. Meinolf Wewel
vom Verlag Karl Alber für die freundliche
verlegerische Betreuung dieses Buchs.

D 25

Die Deutsche Bibliothek – CIP-Einheitsaufnahme

Barth, Bernhard:
Schellings Philosophie der Kunst: göttliche Imagination
und ästhetische Einbildungskraft / Bernhard Barth. –
Freiburg (Breisgau); München: Alber, 1991
  (Symposion; 92)
  Zugl.: Freiburg (Breisgau), Univ., Diss., 1986
  ISBN 3-495-47716-0
NE: GT

Symposion 92

Gedruckt auf alterungsbeständigem Papier
Printed on acid-free paper
Alle Rechte vorbehalten – Printed in Germany
© Verlag Karl Alber GmbH Freiburg/München 1991
Satz: Michael Bauer, München
Druck: Offsetdruckerei J. Krause, Freiburg i. Br.
ISBN 3-495-47716-0

Inhalt

I. Einleitung

Philosophische Ästhetik fragt nach der Kunst so, daß sie diese gleichermaßen in ihrer Selbständigkeit wie auch in ihrem wesentlichen Verhältnis zur Philosophie zu denken sucht: Was ist das eigentümliche Wesen der Kunst und wie bestimmt sich ihre Leistung für die philosophische Reflexion? Diese Fragen führen jedoch leicht zu der Lösung, Kunst in Philosophie aufheben zu wollen, oder zu jener, in ihr die Vollendung und Aufhebung des begrifflichen Denkens zu sehen.

Schellings *Philosophie der Kunst* ist in der intensiven Auseinandersetzung mit diesen Fragen entstanden, und ihre Bedeutung liegt nicht zuletzt darin, wie sie sich gleichsam in der Mitte zwischen jenen Möglichkeiten entfaltet und alle Anstrengung des Begriffs aufbietet, Kunst und Philosophie in ihrer Eigenidentität *und* in ihrer wesentlichen Beziehung aufeinander zu denken. Sie vermag dies im Horizont einer Metaphysik, die in der Dialektik von Anschauung und Reflexion, von Denken und Darstellung die Struktur entwickelt, in welcher Kunst in ihrer höchsten Möglichkeit und in ihrer absoluten philosophischen Relevanz gewürdigt wird. Allein diese Leistung würde ihren Anspruch rechtfertigen, auch jenseits der Prämissen des ‚Idealismus‘ als ein gültiges Modell philosophischer Ästhetik zu gelten.

Die Rezeption von Schellings *Philosophie der Kunst* steht im allgemeinen immer noch hinter der weitreichenden Diskussion von Hegels *Ästhetik* zurück. Ein Grund mag sein, daß Hegel als der ‚modernere‘ Kunstphilosoph angesehen wurde und wird; Indiz dieser Modernität ist vor allem seine These vom „Ende der Kunst", die er seinerseits auch gegen Schellings frühere Konzeption von der Kunst als der Aufhebung der Philosophie entwickelt hat. Für Hegel ist die Kunst nur ein Moment in der Entfaltung des Geistes, der als absolute Idee einzig in der Philosophie zu seiner Vollendung gelangt. Was den Begriff der Kunst selbst anbelangt, so täuscht Hegels implizite Polemik gegen Schelling tatsächlich eine größere Differenz vor, als sie von der Sache her gegeben ist. Seine Definition des „Scheinens der Idee" ist mit Schellings Vorstellung von der Kunst als der „Enthüllerin der Ideen" durchaus kompatibel, nur daß dieser in der ästhetischen Anschauung ein der Philosophie allerdings gleichewiges und notwendiges Korrelat sieht, durch das die Kunst sich als „Gegenbild" der Philosophie in ihrer unverzichtbaren Bedeutung für jene etabliert.

Sollte nicht gerade heute, wo Hegels These, die Reflexion habe die Kunst überflügelt, an Überzeugungskraft eingebüßt hat, Schellings in dieser Hinsicht ‚optimistischere' Ästhetik[1] an Interesse gewinnen, bietet sie doch die Möglichkeit, die spezifische Wahrheitsfähigkeit der Kunst ihrerseits für das Denken fruchtbar zu machen?

Schelling hat das Verhältnis von Philosophie und Kunst in den verschiedenen Phasen seines Denkens in unterschiedlicher Weise bestimmt, dabei aber immer den zentralen Gedanken festgehalten, daß beide in einer wesentlichen Relation der wechselseitigen Ergänzung zu sehen seien. Bei aller Priorität der Philosophie hat das die Konsequenz, daß das philosophische Denken immer ein unverzichtbares Interesse an der Kunst zu hegen habe, ist ihm doch hier sein Gegenstand in der unmittelbarsten Form zugänglich. Kunst ist der Philosophie gerade darin notwendig, als sie als deren Gegenbild

---

[1] Obwohl Schelling den Titel einer ‚Ästhetik', verstanden im Sinne der durch Baumgarten begründeten Tradition, für seine *Philosophie der Kunst* ablehnt (vgl. PhdK, 361 f.*), scheint er mir nach seiner Rehabilitierung durch Hegels Werk und weil er „einstweilen so in die gemeine Sprache übergegangen ist" (G. W. F. Hegel, Werke in zwanzig Bänden, hrsg. v. E. Moldenhauer und K. M. Michel, Frankfurt a. M. 1970, Bd. 13, S. 13), als Hinweis auf die besondere Intention dieser Philosophie auch für Schelling in Anspruch genommen werden zu dürfen. Ebenso soll dieser Begriff in einem weiteren Sinn auch für die nur mittelbar auf Kunst zielende Philosophie des Schönen in der Antike und im Mittelalter stehen. Schelling selbst verwendet den Terminus ‚Ästhetik' für seine Vorlesung über *Philosophie der Kunst* in einem Brief an A.W. Schlegel vom 3. Sept. 1802 (G. L. Plitt (Hrsg.), Aus Schellings Leben. In Briefen, Bd. 1, Leipzig 1869, S. 397).

* Die Werke Schellings werden, wo nicht anders vermerkt, zitiert nach: F.W. J. Schelling, Sämtliche Werke, hrsg. v. K. F. A. Schelling, 14 Bde., Stuttgart/Augsburg: Cotta 1856-1861 (= Kurztitel der Schrift (vgl. dazu unten S. 245), nebst Band- und Seitenangabe); der Text der *Philosophie der Kunst* (= PhdK) nach Band V dieser Ausgabe, S. 355-736. (Hervorhebungen werden nur zum Teil wiedergegeben.)

das genuine Medium ihrer Selbstvergewisserung und gleichsam den Quell ihrer Inspiration darstellt. Auch in den Momenten der Ungewißheit *hat* die Philosophie ihren Gegenstand in der ästhetischen Anschauung – und in dieser die Möglichkeit der Selbstbespiegelung und der Selbstkorrektur.

Wo immer das Denken sich um Konkretheit und um ‚positive' Qualität der Erkenntnis bemüht – und dies ist sicher das durchgängigste Motiv der gesamten Philosophie Schellings – wird es auf diese Funktion der Kunst nicht verzichten können.

Dieses allgemeine Interesse für die Kunst verschränkt sich bei Schelling aufs engste mit der Aufmerksamkeit, die er der Kunst seiner Gegenwart und der Situation der ‚Moderne' schenkt. In der Misere der zeitgenössischen Kunstpraxis und -theorie erkennt er vor allem den Mangel an philosophischer Orientierung: an einer Philosophie der Kunst, die in der Lage wäre, „die für die Produktion großentheils versiegten Urquellen der Kunst für die Reflexion wieder [zu] öffnen. Nur durch Philosophie können wir hoffen, eine wahre Wissenschaft der Kunst zu erlangen, nicht als ob die Philosophie den Sinn geben könnte, den nur ein Gott geben kann, nicht als ob sie das Urtheil demjenigen verleihen könnte, dem es die Natur versagt hat, sondern daß sie auf eine unveränderliche Weise in Ideen ausspricht, was der wahre Kunstsinn im Concreten anschaut, und wodurch das ächte Urtheil bestimmt wird."[2] Allein durch die Vermittlung einer philosophischen Kunsttheorie könnte, so glaubt Schelling, der künstlerischen Produktion und dem allgemeinen Geschmack jene Kraft zuwachsen, welche sie befähigte, eine neue Epoche der Kunst einzuleiten und damit jene ästhetische Erneuerung zu bewirken, die Klassik und Romantik als die bedeutendste Aufgabe der aktuellen Kunst und Kritik ansahen.

Eine solche Philosophie der Kunst müßte es leisten, die fundamentalen Gesetze der ästhetischen Darstellung und Beurteilung, die nicht zu trennen sind von der Lehre der ästhetischen Inhalte, aus allgemeinen Prinzipien zu entwickeln und ihnen damit eine universelle Gültigkeit und Objektivität für den gesamten Bereich der Kunst zu verleihen. Dies wiederum aber kann nur gelingen, wenn Kunst selbst aus einem wesentlichen Bezug zur Philosophie verstan-

---

[2] PhdK, 361

den und mit dieser gemeinsam aus einem absoluten Prinzip begründet wird. Gefordert ist für eine so verstandene Ästhetik somit zunächst ein absoluter Begriff der Kunst, der als allgemeine intelligible Struktur aller differenzierten Analyse der Kunst zu Grunde liegen kann und deren Sinn und wesentliche Identität garantiert.

Für die Philosophie Schellings steht in den Jahren nach 1800 das Problem der Identität von Sein und Denken, von Realität und Idealität, und damit die Frage nach dem Absoluten selbst im Zentrum seines Interesses. Gott oder das Absolute ist der erste Gegenstand und der Identitätspunkt dieser Philosophie, und die als unzureichend erkannte Begründung absoluter Erkenntnis aus der transzendentalen Subjektivität soll nun neu geleistet werden im Horizont einer allgemeinen Metaphysik. Schelling hat diese Philosophie vor allem in den Schriften *Darstellung meines Systems der Philosophie*, *Bruno oder über das göttliche und natürliche Princip der Dinge*, *Fernere Darstellungen aus dem System der Philosophie*, *Vorlesungen über die Methode des akademischen Studiums*, *System der gesamten Philosophie und der Naturphilosophie insbesondere* und in der *Rede über das Verhältnis der bildenden Künste zu der Natur* ausgearbeitet und darin nicht nur die Prinzipien einer allgemeinen Philosophie des Absoluten und der Vernunft entwickelt, sondern auch die Grundlagen für eine Philosophie der Kunst gelegt, die ihrerseits als eine Entfaltung der gesamten Philosophie verstanden werden soll. Schon in Schellings früherer Philosophie hatte die Frage nach der Einheit von Subjekt und Objekt, nach der Begründung der Erkenntnis aus einem absoluten Prinzip, auf die Frage nach der Kunst geführt. Bereits in dem sogenannten *Ältesten Systemprogramm des Deutschen Idealismus* von 1796/97 und dann besonders im *System des transzendentalen Idealismus* von 1800 erhielt die Kunst eine ausgezeichnete Bedeutung für die Philosophie zugesprochen wegen ihrer einzigartigen Fähigkeit, die Einheit der Gegensätze von realer und idealer Welt, von Endlichkeit und Unendlichkeit in der ästhetischen Anschauung vorzustellen und im Kunstwerk das Absolut-Identische objektiv werden zu lassen. Nachdem die im *Transzendentalsystem* entfaltete „Philosophie der Kunst" dessen Grenzen gleichsam sprengte, bleibt auch für die Identitätsphilosophie die Kunst ein zentraler Gegenstand der Reflexion, und so wird die Ausarbeitung einer metaphysischen Ästhetik zu einer

Notwendigkeit der philosophischen Entwicklung Schellings. Er legt sie in seinen zunächst 1802/03 an der Universität in Jena gehaltenen und dann 1804/05 in Würzburg wiederholten Vorlesungen zur *Philosophie der Kunst* vor.[3]

Unter den Prämissen einer Philosophie der absoluten Identität wird der Kunst nun nicht mehr der Status einer Vollenderin der Philosophie zukommen können, da die Verwirklichung der höchsten Einheit hier in das Organ des absoluten Denkens selbst, die Vernunft, fallen muß. Als eine unmittelbare Offenbarung dieser Identität bleibt die Kunst jedoch von fundamentalem Interesse für die Philosophie, da sie in der Qualität der absoluten Anschauung eine jener analoge Vermittlung von Realität und Idealität leistet und sich damit als das höchste Reflexionsmedium der Vernunft selbst bewährt. Es wird sich hier zeigen, daß Schelling die in seinen früheren ästhetischen Entwürfen gewonnenen Erkenntnisse keineswegs aufgibt, sondern sie unter modifizierten Voraussetzungen weiterdenkt und in eine Metaphysik der Kunst integriert.

Mit seiner Definition des Verhältnisses von Philosophie und Kunst als Ur- und Gegenbild stellt sich Schelling in die Tradition der platonischen und neuplatonischen Ästhetik, welche das Schöne und die Kunst vor allem unter dem Aspekt ihrer anagogischen, das Denken auf die Erkenntnis der übersinnlichen Wahrheit hinlenkenden Funktion verstanden hatte. Indem Schelling die Kunst als Enthüllerin der Ideen anspricht, intendiert er jedoch nicht nur die reflexive Rückführung und Aufhebung der Kunstanschauung in den philosophischen Begriff, sondern zugleich die Würdigung der spezifischen Wahrheitsfähigkeit der Kunst, die gerade in der wesentlichen ontologischen Autonomie der ästhetischen Anschauung liegt. Nach jener Bewertung, die sie in der Transzendentalphilosophie erfahren hat, kann es auch jetzt nicht sein Interesse sein, den Bereich der Kunst als bloße Illustration aufzufassen, sondern es muß

---

[3] Zu Schellings *Philosophie der Kunst* vgl. allgemein: W. Beierwaltes, Einleitung zu: F. W. J. Schelling, Texte zur Philosophie der Kunst, ausgewählt und eingeleitet von W. Beierwaltes, Stuttgart 1982; X. Tilliette, Schelling. Une philosophie en devenir, 2 Bde., Paris 1970 (besonders Bd. 1 das Kapitel ,La philosophie de l'art et la mythologie', S. 439–471); D. Jähnig, Die Kunst in der Philosophie, 2 Bde., Pfullingen 1966/69; L. Sziborsky, Einleitung zu: F. W. J. Schelling, Über das Verhältnis der bildenden Künste zu der Natur, eingeleitet und herausgegeben von L. Sziborsky, Hamburg 1983.

im Sinn der Gegenbildlichkeit darin liegen, den unverzichtbaren Eigenwert der Kunst gegenüber der Philosophie herauszustellen und dieses Verhältnis selbst als ein für die Reflexion konstitutives zu begreifen.

Im Zentrum dieser Theorie der Gegenbildlichkeit der Kunst wird nun die Frage stehen, welches das der philosophischen Vernunft gegenbildliche Vermögen sein könne, dem die Kunst ihre Qualität der ästhetischen Repräsentation des Absoluten verdankt. Dieses Vermögen findet Schelling in der Einbildungskraft. Er nimmt damit einen Begriff auf, der in der Transzendentalphilosophie seit Kant ebenso wie in der traditionellen Ästhetik und Poetik eine wichtige Rolle gespielt hat. Seine konstitutive Bedeutung für die Philosophie der Kunst erhält er dadurch, daß Schelling diese beiden durchaus getrennten Stränge der Bedeutung von Einbildungskraft im Horizont einer Metaphysik der Kunst zusammendenkt. Er interpretiert gleichsam den transzendentalen Sinn von Einbildungskraft als eines Vermögens der Konstitution von Wirklichkeit ontologisch und identifiziert ihn mit dem metaphysischen Begriff der Schöpfung als der absoluten Begründung des Seins, der seinerseits eine traditionelle Affinität zu der ästhetischen Produktion hat.

Das Absolute selbst ist in höchster Weise Produktivität, und diese bestimmt Schelling als göttliche Imagination, deren unmittelbares Produkt die Ideen sind. Als das identische und identifizierende Prinzip der göttlichen Vernunft bezeichnet Einbildungskraft damit vor allem das allgemeine Vermögen der Individuation und des Hervorgehens des Absoluten in die Realität. Diese Selbstaffirmation kann aber ebenso als Moment der absoluten Reflexion verstanden werden, in der das Absolute – als Vernunft – in sich selbst zurückkehrt und in der Vollendung dieser Dialektik sich als absolute Identität begreift. Einbildungskraft in ihrem absoluten Sinn bestimmt sich in diesem Prozeß als ein ihrerseits dialektisches Vermögen – und wird so auch zu dem zentralen Begriff der Beschreibung dieses Prozesses. Mit der Wortbildung der In-eins-Bildung hat Schelling diesen dialektischen Sinn treffend beschrieben.

In diesem Horizont, der am deutlichsten in der alten und auch von Schelling aufgegriffenen Rede von der ,Kunst Gottes' zum Ausdruck kommt, ist nun auch die menschliche Kunst und die Begründung der ästhetischen Einbildungskraft zu verstehen. Die Wahrheit

12

der vollkommenen Kunst liegt darin, die sinnliche Welt so darzustellen, daß dieses Bild die Ideen erkennen läßt und von sich her eine reflexive Tendenz entfaltet. Jedes gelungene Kunstwerk stellt eine Form der Ineinsbildung des Endlichen und des Unendlichen dar und kann so, indem es die Vermittlung von Identität und Differenz in der ästhetischen Anschauung repräsentiert, auch für die Identitätsphilosophie als ein „Dokument" des Absoluten gelten.

Es kann wohl als die besondere Leistung der *Philosophie der Kunst* angesehen werden, diese Leistung der Kunst nicht nur zu postulieren und in ihrem Resultat zu beschreiben, sondern sie in einer konkreten Theorie der ästhetischen Produktion zu explizieren. Hier wird naturgemäß der Einbildungskraft die zentrale Rolle zukommen. Wiewohl am Paradigma der antiken griechischen Kunst entwickelt, verkörpert die Mythologie doch das allgemeine Wesen aller Kunst und die Grundprinzipien der Darstellung des Absoluten in der Endlichkeit ohne Aufhebung seiner Absolutheit. In dieser Auffassung ist die *Philosophie der Kunst* wesentlich K. Ph. Moritz verpflichtet, der in seiner *Götterlehre* den ästhetischen Charakter der Mythologie entwickelt und sie als eine immanente Entfaltung der Gesetze der ästhetischen Anschauung dargestellt hatte. Schellings Theorie der Mythologie, die als das eigentliche Zentrum seiner Kunstphilosophie anzusehen ist, will nicht nur eine Entfaltung des allgemeinen ‚Stoffs' der Kunst sein, sondern intendiert vor allem eine Analyse der Kriterien und Gesetze, die als Maßgabe der vollkommenen ästhetischen Darstellung gelten können; sie ist tatsächlich auch eine Theorie der Kunst in praktischer Rücksicht.

Die Entfaltung dieser Theorie der Mythologie will nicht weniger beweisen, als daß Kunst in der mythologischen Symbolik wirklich eine adäquate Anschauung des Absoluten in der Sinnlichkeit leisten könne. In der Weise, in der die symbolisierende Einbildungskraft über ein bloßes Bedeuten hinausgeht und eine wirkliche Autonomie der Kunst begründet, ist allerdings auch die Reflexion gefordert, diese spezifisch ästhetische Substanz der Kunst-Anschauung zu bedenken und mit dem philosophischen Denken zu vermitteln. Vermittlung kann im Sinn der Gegenbildlichkeit allerdings nicht allegorische Rück-Übersetzung heißen, sondern nur, aus dem Durchdenken der ästhetischen Eigensubstanz das Bild der Kunst als autonomen Ausdruck des Absoluten zu realisieren.

So stellt dieser Kunstbegriff einen Anspruch, dem sich Kunstkritik auch über Schelling hinaus zu stellen hat: die eigene Wahrheitsfähigkeit der Kunst ernstzunehmen und als Provokation der philosophischen Reflexion fruchtbar zu machen.

II. Philosophie und Kunst

A. *Das Absolute im Ur- und Gegenbild*

Es ist Schellings in der Geschichte der Ästhetik besondere und einzigartige Leistung, die Kunst nicht ausschließlich als ein Objekt der philosophischen Reflexion aufzufassen, sondern ihr eine für die gesamte Philosophie selbst konstitutive Funktion zuzuweisen. In seinen Vorlesungen über *Philosophie der Kunst* soll die Kunst in dieser fundamentalen Bedeutung für die umfassende Philosophie der Identität entfaltet werden. Die Analyse des dialektischen Verhältnisses von Kunst und Philosophie impliziert daher zugleich eine Bestimmung des systematischen Ortes der Ästhetik innerhalb der allgemeinen Philosophie des Absoluten. „Philosophie der Kunst ist nothwendiges Ziel des Philosophen, der in dieser das innere Wesen seiner Wissenschaft wie in einem magischen und symbolischen Spiegel schaut; sie ist ihm als Wissenschaft an und für sich wichtig."[1]

Philosophie und Kunst gelten Schelling als ursprüngliche und gleichberechtigte Weisen der Offenbarung des Absoluten, in denen die absolute Reflexion sich in der Darstellung der Identität von Denken und Sein vollendet und die reale Welt in die Idealität des Absoluten zurückführt. Beide vollziehen diesen absoluten Prozeß auf demselben ontologischen Niveau, jedoch in den entgegengesetzten Medien des philosophischen Begriffs und der ästhetischen Anschauung. Schelling begreift dieses Verhältnis von Philosophie und Kunst in seiner höchsten Form als eine wesentliche Bestimmung der Reflexion des Absoluten selbst und versteht Philosophie der Kunst daher auch als die Frage nach der philosophischen Relevanz der

---

[1] Vorlesungen (XIV), V, 351. Eine Anmerkung des Herausgebers der *Philosophie der Kunst* (PhdK, 357) weist darauf hin, daß diese Vorlesung mit dem Anfang der Einleitung zur *Philosophie der Kunst* fast gleichlautend und daher in deren Ausgabe weggefallen sei.

Kunst. Wenn vollendete Kunst eine Manifestation der absoluten Identität von unmittelbarer Evidenz ist, muß Ästhetik zu einer inneren Notwendigkeit der Philosophie werden. Da die Kunst mit der Philosophie in dem Einen Wesen des Absoluten denselben Gegenstand hat, kann sie im Medium der Anschauung zugleich ein reflektierender Spiegel des philosophischen Begriffs sein, und es gilt für die Philosophie der Kunst, diese Funktion ihrerseits auf den Begriff zu bringen.

Die entscheidenden Begriffe, die Schelling in das Zentrum seiner Bestimmung des Wesens der Kunst und ihres Verhältnisses zur Philosophie stellt, sind die des *Urbildes* und des *Gegenbildes*. Programmatisch formuliert die XIV. der *Vorlesungen über die Methode des akademischen Studiums – Über Wissenschaft der Kunst –* die allgemeine philosophische Konzeption, nach welcher dieses Verhältnis entfaltet und analysiert werden soll. „Denn auch angenommen, daß die Kunst aus nichts Höherem begreiflich sey, so ist doch so durchgreifend, so allwaltend das Gesetz des Universum, daß alles, was in ihm begriffen ist, in einem andern sein Vorbild oder Gegenbild habe, so absolut die Form der allgemeinen Entgegenstellung des Realen und Idealen, daß auch auf der letzten Grenze des Unendlichen und Endlichen, da wo die Gegensätze der Erscheinung in die reinste Absolutheit verschwinden, dasselbe Verhältniß seine Rechte behauptet und in der letzten Potenz wiederkehrt. Dieses Verhältniß ist das der Philosophie der Kunst. Die letztere, obgleich ganz absolute, vollkommene Ineinsbildung des Realen und Idealen verhält sich doch selbst wieder zur Philosophie wie Reales zum Idealen. In dieser löst der letzte Gegensatz des Wissens sich in die reine Identität auf, und nichtsdestoweniger bleibt auch sie im Gegensatz gegen die Kunst immer nur ideal. Beide begegnen sich also auf dem letzten Gipfel und sind sich, eben kraft der gemeinschaftlichen Absolutheit, Vorbild und Gegenbild. Dieß ist der Grund, daß in das Innere der Kunst wissenschaftlich kein Sinn, als der der Philosophie, ja daß der Philosoph in dem Wesen der Kunst so gar klarer als der Künstler selbst zu sehen vermag. Insofern des Ideelle immer ein höherer Reflex des Reellen ist, insofern ist sie dem Philosophen nothwendig auch noch ein höherer ideeller Reflex von dem, was in dem Künstler reell ist. Hieraus erhellt nicht nur überhaupt, daß in der Philosophie die Kunst Gegenstand eines Wissens werden könne, sondern auch, daß außerhalb der Philosophie und anders als durch Philosophie von der Kunst nichts auf absolute Art gewußt werden könne."[2]

Der Begriff des *Gegenbildes* soll der Titel sein, unter dem Schelling sowohl die Autonomie der Kunst als auch ihre ontologische Position innerhalb der Gesamtkonzeption der Philosophie des Absoluten bestimmt. Kunst kann also nur Thema der Philosophie sein, indem diese sie aus ihrem absoluten Prinzip heraus begreift, welches zugleich das eigene der Philosophie ist, und in dieser Reflexion ebenso das gemeinschaftlich-Identische wie auch die spezifische Differenz beider Bereiche erfaßt. Philosophie der Kunst ist daher als eine untrennbare Einheit von philosophischer Behandlung eines der Philosophie differenten Seinsbereichs – der ästhetischen Anschauung – und von Selbstreflexion der Philosophie zu verstehen; gerade in dieser Verschmelzung beider Perspektiven, in der die doppelte Bestimmung der Kunst als das ‚Dokument und Organon' der Philosophie aus dem *Transzendentalsystem*[3] in modifizierter Form weitergedacht ist, liegt die besondere Bedeutung der Kunst als Gegenstand der Philosophie. An sich ist sie „selbst ein Ausfluß des Absoluten"[4] wie jene, jedoch manifestiert sie sich nicht in der Idealität des Denkens, sondern ist als Phänomen der sinnlichen Welt reales Objekt der Philosophie, das es durch Reflexion auf den Begriff zu bringen gilt.

Der Gedanke der Gegenbildlichkeit begründet zugleich die wesentliche Autonomie der Kunst, insofern sie unmittelbare und nicht durch Philosophie erst vermittelte Offenbarung des Absoluten ist, aber auch ihr Verwiesen- und Angewiesensein auf die Reflexion, welche allererst ihre ontologische Qualität zu formulieren vermag. Die systematische Konsequenz, die sich hieraus für die Philosophie ergibt, ist die Notwendigkeit, sich selbst in diesem wesensgleichen Gegenstand zu entfalten und dabei die formale Differenz beider Bereiche in eine höhere Identität aufzuheben; so ist, in Relation zum gesamten System der Philosophie, „die Philosophie der Kunst nur die Wiederholung desselben in der höchsten Potenz"[5]. In der Thematisierung der Kunst ist auf Grund deren ontologischer

---

[2] ebd. 348
[3] vgl. dazu unten S. 80, 130, 135, 160
[4] PhdK, 363
[5] ebd.

Gleichrangigkeit eine Wiederholung der Philosophie möglich, da sie dort ihre eigene Struktur und ihr Verhältnis zum Absoluten in ‚symbolischer' und anschaulicher Spiegelung wiederfindet.

Philosophie verläßt hier also keineswegs ihr eigentliches Terrain – etwa, daß sie sich in Kunst auflöste –, sondern reflektiert als Philosophie der Kunst ihr eigenes Wesen und ihren Anspruch auf Universalität des Begriffs in einem besonderen Bereich des Seins, dem der Kunst. „Der Zusatz Kunst in ‚Philosophie der Kunst' beschränkt bloß den allgemeinen Begriff der Philosophie, aber hebt ihn nicht auf. Unsere Wissenschaft soll Philosophie sein. ... Philosophie ist schlechthin und wesentlich eins; sie kann also nicht getheilt werden; was also überhaupt Philosophie ist, ist es ganz und ungetheilt."[6] Daher ist für die Philosophie auch nicht zunächst die empirische und extensive Seite der künstlerischen Produktion von Interesse, sondern allein deren wesentliche Qualität als Offenbarung des Absoluten in der ästhetischen Anschauung, und ihre Absicht ist „nur die ganz speculative..., welche nicht auf Ausbildung der empirischen, sonder der intellektuellen Anschauung der Kunst gerichtet"[7] ist. Nicht die sinnlich-konkrete Erscheinung der Kunst, nicht ihre Wirkung auf die Empfindung des Rezipienten oder der Aspekt des Geschmacksurteils sind für Schelling in der Distanzierung von jeder empirischen und psychologischen Ästhetik Gegenstand der Philosophie, sondern allein die intellektuelle Anschauung der Kunst, welche die ästhetische Anschauung von ihrem ontologischen Ursprung und Prinzip her begreift und darin in ihrer wesentlichen Identität mit der Philosophie zu verstehen sucht.

„Ich rede von jener heiligeren Kunst, derjenigen, welche, nach den Ausdrücken der Alten, ein Werkzeug der Götter, eine Verkünderin göttlicher Geheimnisse, eine Enthüllerin der Ideen ist, von der ungebornen Schönheit, deren unentweihter Strahl nur reine Seelen inwohnend erleuchtet, und deren Gestalt dem sinnlichen Auge ebenso verborgen und unzugänglich ist als die der gleichen Wahrheit. Nichts von dem, was der gemeine Sinn Kunst nennt, kann den Philosophen beschäftigen: sie ist ihm eine nothwendige, aus dem

---

[6] ebd. 365
[7] Vorlesungen (XIV), V, 344 f.

18

Absoluten unmittelbar ausfließende Erscheinung, und nur sofern sie als solche dargethan und bewiesen werden kann, hat sie Realität für ihn."[8] Indem Schelling an diese antike Auffassung der Kunst[9] anknüpft, macht er den Begriff der Idee zum zentralen Hermeneutikum der Kunst und bestimmt damit den Horizont, in dem eine Vermittlung von Philosophie und Kunst geleistet werden kann. Idee ist in einem ontologischen und erkenntnistheoretischen Sinn als das absolute Paradigma der Vermittlung von Identität und Differenz, von Denken und Anschauen zu verstehen, insofern dieser Prozeß als die Selbstreflexion des Absoluten in der Vernunft begründet wird.

In Bezug auf diese Struktur bestimmen Kunst und Philosophie ihre wesentliche Position für eine übergreifende philosophische Systematik; vom Begriff der Idee her zeigt sich sowohl ihre absolute Identität wie auch die spezifische Differenz zwischen ihren Formen der Darstellung der Ideen, welche die eine im Medium des philosophischen Begriffs, die andere in der ästhetischen Anschauung repräsentiert.[10] Idee ist in diesem Sinne der Selbstdarstellung des Absoluten und der perspektivischen Spiegelung des Universums der höchste und allen Kunstwerken identische Gehalt, als das reflexive Prinzip der Differenzierung und Selbstbegrenzung in relativer Endlichkeit zugleich die allgemeine Struktur aller ästhetischen Form. Diese aus der Idee begründete Einheit von Form und Inhalt in der ästhetischen Anschauung bildet für Schelling die wesentliche ontologische Substanz aller wahren Kunst, aus der die Reflexion auf die Produktion, Wirkung und ästhetische Qualität der Kunst ihre Maßgabe erhalten.

In Bezug auf diese immanente Dialektik der Idee erläutert sich weiter das Verhältnis von Ur- und Gegenbildlichkeit zwischen Philosophie und Kunst. Während jene durch ihre Teilhabe an der absoluten Vernunft die Ideen in ihrer urbildlichen Wahrheit zu fassen vermag, ist die Kunst auf deren gegenbildliche Anschauung in der Schönheit der Erscheinung verwiesen. Ebenso wie die Wahrheit gründet auch die Schönheit als die erscheinende Einheit von Idealem und Realem im Absoluten als dem identischen Ursprungsort der

---

[8] ebd.
[9] vgl. dazu unten S. 33 f., 35
[10] vgl. W. Beierwaltes, Einleitung, a. a. O. S. 22 f.

Ideen; es ist jedoch die Philosophie allein, die den Begriff der Idee in der ihr eigentümlichen reflexiven Funktion und damit auch den Begriff der Schönheit als eine ontologische Qualität des Seienden zu begreifen vermag. Damit steht die vom Begriff der Idee geleitete Analyse der Kunst immer im Horizont der Philosophie. „Die Philosophie, die ganz allein mit Ideen sich beschäftigt, hat in Ansehung des Empirischen der Kunst nur die allgemeinen Gesetze der Erscheinung, und auch diese nur in der Form der Ideen aufzuzeigen; denn die Formen der Kunst sind die Formen der Dinge an sich und wie sie in den Urbildern sind."[11] Die Reflexion darf sich daher nicht zunächst auf die schönen Formen als materielle Qualitäten richten, worin sie nur zusammenhanglose Mannigfaltigkeit fände, sondern muß das in ihnen „wirkende Prinzip"[12] eruieren, aus dem erst der metaphysische Sinn und die Einheit des Schönen eingesehen werden kann. Vom Begriff der Idee her hat Philosophie also die wesentliche Identität aller ästhetischen Erscheinungen in einem absoluten Begriff der Kunst zu postulieren; aus diesem wird sich die Kunst als die gegenbildliche Darstellung und Offenbarung des Absoluten legitimieren und in diesem Kontext wird auch Schellings Gedanke zu verstehen sein, daß es eigentlich nur *Ein* Kunstwerk gebe, das sich in verschiedenen Ausformungen manifestiere.[13]

Jener inneren Identität aller Kunst gilt das Interesse der Philosophie, da die Vereinigung des Idealen und des Realen, wie sie der Idee zugrunde liegt, zwar in der schönen Kunst als Realität repräsentiert wird, diese Anschauung jedoch nur in der Idealität der Philosophie in ihrer ontologischen Substanz begriffen und als das allgemeine Wesen der Kunst begründet zu werden vermag. „Jeder sieht ein, daß in dem Begriff einer Philosophie der Kunst Entgegengesetztes verbunden werde. Die Kunst ist das Reale, Objektive, die Philosophie das Ideale, Subjektive. Man könnte also die Aufgabe der Philosophie der Kunst zum voraus schon so bestimmen: das Reale, welches in der Kunst ist, im Idealen darzustellen."[14] Darstellung des Realen im Idealen, im Medium des Begriffs, ist das Wesen der Philosophie:

---

[11] Vorlesungen (XIV), V, 350
[12] Rede, V, 352
[13] vgl. dazu unten S. 79, 136
[14] PhdK, 364

Aufweis der Idee als die wesentliche Struktur des realen Seienden und zugleich dessen Rückführung in die begründende Einheit des absoluten Begriffs. Auch für die *Philosophie der Kunst* ist die Wahrheit des Begriffs – das eigentlich philosophische Element – gegenüber der Schönheit das übergeordnete Moment, jedoch erst indem sie die Einheit beider im Absoluten demonstriert, hat die Philosophie auch die gleichsam reale Seite der Wahrheit, die schöne Kunst in ihrer Konkretion, eingeholt und sich damit als der konkrete Begriff ihres Gegenstandes erwiesen. So ist umgekehrt auch die Kunst, um zum wahren Bewußtsein ihrer selbst zu gelangen, auf die Philosophie verwiesen und wird zu einem wesentlichen Moment in deren Selbstreflexion, die sich erst in der Durchdringung ihres höchsten Gegenbildes vollenden kann. Erst in der Schönheit der Kunst findet die urbildliche Wahrheit ihr adäquates Reflexionsmedium, und es „ist ohne alle Kunst und Erkenntniß der Schönheit Philosophie undenkbar"[15].

B. Die philosophische Konstruktion der Kunst

Da Schelling so der Kunst vorweg schon eine eminent philosophische Rolle zugesprochen und sie damit in die allernächste Nähe zur Philosophie selbst gerückt hat, ist es einleuchtend, daß die Frage nach dem Wesen der Kunst ganz im Zentrum der Philosophie zu stellen sein wird. Eine adäquate Darstellung der Kunst kann Philosophie nur leisten, indem sie jene nach ihrer höchsten Idee aus dem Absoluten selbst, das das gemeinsame Prinzip von Anschauung und Begriff ist, entfaltet; „wir werden das Unendliche als das unbedingte Princip der Kunst darthun müssen."[16]

Philosophie hat die im Begriff des Absoluten postulierte Einheit von Denken und Sein als die Struktur der absoluten Reflexion zu ihrer Voraussetzung und realisiert sich als deren Explikation und damit in ihrer absoluten Bestimmung als die Reflexion des Absoluten selbst. Als die dialektische Entfaltung dieser Struktur in der absoluten Vermittlung des Idealen und Realen impliziert sie alle Be-

---

[15] ebd. 383
[16] ebd. 370

reiche des Seins und hat diese als Momente der absoluten Identität darzustellen. Mit dem Ziel der intellektuellen Anschauung der Kunst kann sie daher nicht bei dem empirischen Phänomen beginnen, sondern muß das Wesen der ästhetischen Anschauung analog zu ihrem eigenen Selbstverständnis unmittelbar aus dem Absoluten entwickeln. Indem sie zur Darstellung der Kunst damit notwendig ihre gesamte eigene Struktur als absolute Reflexion zu explizieren hat, wird die Philosophie der Kunst notwendig zu einer ,Wiederholung' des gesamten Systems der Philosophie. Umgekehrt kann die *Philosophie der Kunst* daher beanspruchen, als „Darstellung der absoluten Welt in der Form der Kunst"[17] zugleich eine allgemeine Entfaltung der gesamten Philosophie zu sein. Die Realität der ästhetischen Anschauung wird der philosophischen Reflexion zum Medium und zur Form ihrer spiegelbildlichen Selbsterkenntnis; als Realität ist sie zugleich Aufgabe der Philosophie, die sie in ihr begründendes Prinzip zurückdenken und darin in die reflexive Identität der Philosophie aufzuheben hat. Da „Darstellung im Idealen überhaupt = Construiren, auch Philosophie der Kunst = Construktion der Kunst seyn soll, so wird diese Untersuchung nothwendig zugleich in das Wesen der Construktion tiefer eindringen müssen"[18].

Konstruktion ist für Schelling die der Identitätphilosophie angemessene Denkform, durch welche alle Bereiche des realen Seins mit ihrem absoluten Ursprung vermittelt werden und darin Philosophie sich als das Medium der Selbstreflexion des Absoluten legitimiert. Sie ist so nicht eine der Sache selbst äußerliche ,Methode' der Philosophie, sondern Realisierung ihres metaphysischen Anspruchs.

Wenn hier die Kunst in ihrem wesentlichen Verhältnis zum Absoluten und darin in ihrer Gemeinsamkeit und spezifischen Differenz zur Philosophie begriffen werden soll, kann dies nur geschehen, indem sie zum Gegenstand der Konstruktion gemacht wird. „Objekt der Construktion und dadurch der Philosophie ist überhaupt nur, was fähig ist, als Besonderes das Unendliche in sich aufzunehmen. Die Kunst, um Objekt der Philosophie zu seyn, muß also überhaupt

---

[17] Vorlesungen (XIV), V, 350
[18] PhdK, 364 f.; vgl.: „Construktion überhaupt ist Darstellung des Realen im Idealen, des Besonderen im schlechthin Allgemeinen, der Idee. Alles Besondere als solches ist Form, von allen Formen aber ist die nothwendige, ewige und absolute Form der Quell und Ursprung." (Vorlesungen (XIV), V, 325)

das Unendliche in sich als Besonderem entweder wirklich darstellen oder es wenigstens darstellen können. Aber nicht nur findet dieses in Ansehung der Kunst statt, sondern sie steht auch als Darstellung des Unendlichen auf der gleichen Höhe mit der Philosophie: – wie diese das Absolute im *Urbild*, so jene das Absolute im *Gegenbild* darstellend."[19] Auf die Kunst angewendet, erscheint die philosophische Konstruktion daher nicht als ein jener Äußerliches, sondern ist die ihr adäquate Denkform, die in der ästhetischen Anschauung nur jene Strukturen der vernünftigen Vermittlung des Besonderen mit dem Allgemeinen eruiert, denen sie ja selbst – gemeinsam mit der Kunst – ihre Legitimität verdankt. Dies heißt, daß die Konstruktion auch der Kunst die allgemeine Struktur des Seins nachvollzieht und dabei die Kunst als ihren besonderen Gegenstand auf jeder dieser Stufen durchdringt; ihr Ziel ist es, einen vollkommenen und universellen Begriff der Kunst zu erhalten und darin zugleich ein vollkommenes Abbild der Philosophie zu schaffen.

Gemäß ihrer Bedeutung als ‚Ausfluß des Absoluten' und ‚Enthüllerin der Ideen' kommt der Kunst für die Selbstreflexion der Philosophie eine besondere Bedeutung zu, da sie „uns das Wunder unseres eignen Geistes weit unmittelbarer als die Natur erkennen läßt"[20]. Als die reale Seite der idealen Welt repräsentiert sie in den ästhetischen Anschauungen eine dem Begriff gleichwertige Form der Vermittlung von Realität und Idealität und ist daher für die Philosophie nicht ein Gegenstand unter anderen, in welchem diese sich nur in abgeschatteter Weise gespiegelt sähe, sondern ihr vollkommenes Ebenbild, in dem sie sich in ihrer Totalität wiedererkennt. „Die Philosophie stellt nicht die wirklichen Dinge, sondern ihre Urbilder dar, aber ebenso die Kunst, und dieselben Urbilder, in welchen nach den Beweisen der Philosophie diese (die wirklichen Dinge) nur unvollkommene Abdrücke sind, sind es, die in der Kunst selbst – als Urbilder – demnach in ihrer Vollkommenheit – objektiv werden, und in der reflectirten Welt selbst die Intellektualwelt darstellen."[21] Die Kunst vermag den unendlichen Inhalt der Idee in der endlichen Anschauung gegenwärtig zu machen, indem sie in der symbolischen Begrenzung eine mittelbare Offenbarung des Abso-

---

[19] PhdK, 369
[20] ebd. 357 f.
[21] ebd. 369

luten leistet; und sie steht darin der Erkenntnis näher als alle anderen Bereiche der endlichen Welt.

So wird das Kunstwerk in besonderer Weise zum Anstoß desjenigen Denkens, das aus der Endlichkeit der Erscheinung auf deren absoluten Grund reflektiert. Der Schein der Kunst ist in seiner eigentümlichen Vermittlung von Realität und Idealität reale Erscheinung des Absoluten; er ist darin wesentlich von Geist durchdrungen und somit auch durchsichtig für die Reflexion. Wie die Philosophie im Idealen, hat Kunst im Realen Endlichkeit und Unendlichkeit vermittelt und beansprucht daher eine spezifische Erkenntnisfunktion und Wahrheitsfähigkeit. „Die Philosophie ist die Grundlage von allem und befaßt alles; sie erstreckt ihre Construktion auf alle Potenzen und Gegenstände des Wissens; nur durch sie gelangt man zum Höchsten. Durch die Kunstlehre bildet sich innerhalb der Philosophie selbst ein engerer Kreis, in dem wir unmittelbar das Ewige gleichsam in sichtbarer Gestalt schauen, und so steht diese richtig verstanden mit der Philosophie selbst im vollkommensten Einklang."[22]

Soll nun die Methode der philosophischen Konstruktion auf die Kunst angewendet werden, so heißt dies, daß die Erscheinung der Schönheit analog zu der Entfaltung der Wahrheit ebenfalls in einem systematischen Zusammenhang zu begreifen ist. Gemäß dem universellen Anspruch der Methode muß sich die philosophische Wahrheit in ihrer konstruktiven Explikation, in welcher sie die Totalität allen Seins umfaßt, auch als die Wahrheit der Kunst erweisen. „Ich construire demnach in der Philosophie der Kunst zunächst nicht die Kunst als Kunst, als dieses *Besondere*, sondern ich construire das Universum in der Gestalt der Kunst, und Philosophie der Kunst ist Wissenschaft des All in der Form oder Potenz der Kunst."[23] Die Philosophie, welche die Reflexion des Seins im Idealen leistet, erweist damit zunächst ihre Priorität gegenüber der Kunst; Kunst ist in ihrer originären Qualität als die anschauliche Erscheinung des Absoluten dadurch jedoch nicht im Sinne einer Negation aufgehoben, sondern in ihrer eigenen ontologischen Voraussetzung, der Vorgängigkeit der Idee gegenüber der Erscheinung, reflektiert.

---

[22] ebd. 364
[23] ebd. 368, vgl. 373

Es ist die systematische Voraussetzung der Konstruktion und zugleich die Erfüllung ihres metaphysischen Anspruchs, die Formen der Kunst rein deduktiv aus dem allgemeinen System der Philosophie ableiten zu können. Will sie beweisen, daß „die Kunst der Philosophie so genau entspricht, und selbst nur ihr vollkommenster objektiver Reflex ist, so muß sie auch durchaus alle Potenzen durchlaufen, welche die Philosophie im Idealen durchläuft, und dieses Eine reicht hin, uns über die nothwendige Methode unserer Wissenschaft außer Zweifel zu setzen"[24].

Um die Vielfalt der einzelnen Phänomene der Kunst in ihrer Verschiedenheit und zugleich in ihrer Beziehung auf den einen Begriff der Kunst verstehen zu können, gilt es zunächst, ihr absolutes Prinzip zu erfassen und aus dieser inneren Einheit heraus ihre Gesamtheit als eine intelligible Struktur zu entfalten. Das Ziel, „über Kunst Wissenschaft zu haben", erfordert die „Fähigkeit, die Idee oder das Ganze so wie die wechselseitigen Beziehungen der Theile aufeinander und auf das Ganze und hinwiederum die des Ganzen auf die Theile aufzufassen, in sich ausgebildet zu haben. Aber dieses ist nicht möglich anders als durch Wissenschaft und insbesondere durch Philosophie."[25]

Gemäß der allgemeinen philosophischen Dialektik des Idealen und des Realen ist es nun die erste Aufgabe der Konstruktion der Kunst, deduktiv eine universelle Struktur zu entwickeln, in welche sich alle Erscheinungen der Kunst einordnen lassen. Da die Kunst der idealen Welt angehört, dort aber gegenüber der Philosophie deren reale Seite repräsentiert und die Vermittlung von Realität und Idealität nicht unmittelbar im Denken, sondern im Medium der Anschauung leistet, muß sich die allgemeinste und wesentliche Bestimmung der Kunst wiederum in ihrer realer Potenz finden. Diese Seite der Realität thematisiert Schelling nun unter dem Titel des ‚Stoffs der Kunst' und als diesen Stoff exponiert er die *Mythologie*, wo er in prinzipieller und für alle mögliche Kunst gültiger Weise die Voraussetzungen gleichsam objektiviert findet, unter denen das Absolute in der ästhetischen Anschauung erscheinen kann. „Die Kunst ist nämlich dargethan als reale Darstellung der Formen der Dinge, wie

---

[24] ebd. 369
[25] ebd. 359

sie an sich sind – der Formen der Urbilder also... Ist nämlich die Kunst Darstellung der Formen der Dinge, wie sie an sich sind, so ist der allgemeine Stoff der Kunst in den Urbildern selbst."[26]

Eine Theorie der Mythologie soll also zeigen, wie die Weise, in der sich das Absolute in den Ideen mit der Realität vermittelt, ihrerseits für die ästhetische Anschauung dargestellt zu werden vermag, und entfaltet diesen Prozeß in der ästhetischen Dialektik der symbolischen Repräsentation. Als die Welt der symbolisierten Ideen impliziert Mythologie zugleich den Kanon der ästhetischen Gesetze, die für alle reale und gegenbildliche Vergegenwärtigung des Absoluten gelten sollen, und konstituiert damit die ursprüngliche Identität von Inhalt und Form der Kunst.

Da die schöne Erscheinung der Kunst Darstellung der Wahrheit der Ideen sein soll, muß sie die Struktur der Vermittlung von Allgemeinheit und Besonderheit selbst auf eine ästhetische Weise anschaulich machen. Diese innerhalb der Kunst ideale und gleichsam reflexive Seite thematisiert Schelling unter dem Titel der ‚Form der Kunst'. Unter diesem Aspekt sollen die subjektiven Bedingungen, unter denen der allgemeine Stoff in unterschiedlichen Weisen erscheinen kann, bestimmt und damit zugleich geklärt werden, wie diese verschiedenen Formen der immanenten Reflexivität der Kunst für die philosophische Reflexion als Ausdruck des Einen und absoluten Wesens der ästhetischen Anschauung zu erkennen sind. In die ‚Form der Kunst' fällt also ebenso die Frage nach der subjektiven Produktion der Kunst durch das künstlerische *Genie* wie auch die nach der Rezeption der individuellen Werke durch die *Kunstkritik*. Beide müssen im Horizont der Reflexion als Fragen nach den Bedingungen der Möglichkeit, die wesentliche Einheit aller Kunst zu erkennen, verstanden werden. Die so definierte Kritik der Kunst setzt daher immer schon den philosophischen Begriff und die entfaltete Systematik der Kunst voraus, welche sie gleichsam am Beispiel der Werke nachvollzieht und daher im besonderen als die Explikation der Gegenbildlichkeit der Kunst zur Philosophie gelten kann. In der Auseinandersetzung mit den besonderen Kunstwerken verifiziert sie so die allgemeinen ästhetischen Gesetze der Mythologie und demonstriert darin zugleich, wie „nöthig gerade eine streng wissen-

---

[26] ebd. 387

schaftliche Ansicht der Kunst zur Ausbildung des intellektuellen Anschauens der Kunstwerke sowie vorzüglich zur Bildung des Urtheils über dieselbe sey"[27].

C. Schönheit und Wahrheit

Gemäß der allgemeinen Dialektik des Idealen und des Realen bestimmt die *Philosophie der Kunst* das Verhältnis von Kunst und Philosophie mit den Begriffen des Gegenbildes und des Urbildes. Das Absolute offenbart sich in den unterschiedlichen Medien von Philosophie und Kunst in den verschiedenen Formen des Begriffs oder der Anschauung und erscheint darin in den Qualitäten der Wahrheit oder der Schönheit. „In der allgemeinen Philosophie freuen wir uns, das strenge Antlitz der Wahrheit an und für sich selbst zu sehen, in dieser besondern Sphäre der Philosophie, welche die Philosophie der Kunst begrenzt, gelangen wir zur Anschauung der ewigen Schönheit und der Urbilder alles Schönen."[28] Wie Philosophie und Kunst verhalten sich Wahrheit und Schönheit zueinander wie Ideales und Reales und bezeichnen in diesen verschiedenen Potenzen die Qualität des jeweils höchsten Grades der geleisteten Vermittlung von Identität und Differenz in der Repräsentation des Absoluten. Gegenbildlichkeit der Kunst bedeutet daher Gegenbildlichkeit der Schönheit in ihrem Verhältnis zur urbildlichen Wahrheit der Ideen. In der vollendeten Erkenntnis der Wahrheit ist das Reale ganz aus der Idealität heraus begriffen und in diese zurückgenommen, im symbolischen Kunstwerk dagegen ist die Idee in die reale Begrenzung der schönen Gestalt eingegangen, in welcher sie für die Anschauung erscheint. Das Wesen dieser Erscheinung des Absoluten für die Anschauung ist im Begriff der Schönheit gefaßt.[29]

Kunst ist Kunst in ihrer höchsten Bestimmung durch die Qualität der Schönheit, und in dieser liegt ihre ontologische Substanz und ihr wesentlicher Inhalt. Sie ist nicht Qualität der Form allein, sondern, wie die Idee als urbildliche Manifestation des Absoluten die

---

[27] ebd. 359; zum Verhältnis von Mythologie und Kritik vgl. unten S. 139 ff.
[28] PhdK, 364
[29] zum Begriff der Schönheit vgl. auch unten S. 81–87, 142, 172 f.

untrennbare Einheit des Wesens mit der Form bezeichnet, ist auch die sinnliche Schönheit eine Erscheinung dieser Einheit von Form und Inhalt selbst. Als ihr wesentliches Kriterium wird sich die Grenze der Form zeigen, die den unendlichen Gehalt des rein Idealen und Übersinnlichen in der Realität und damit für die Anschauung erscheinen läßt; das Prinzip der Form geht aus der Idee selbst hervor und muß als eine ihr immanente Struktur verstanden werden. Diese enge Bindung der Schönheit an den Gehalt der Kunst und der ästhetischen Anschauung an die Wahrheit der Ideen ist von ganz entscheidender Bedeutung für Schelling *Philosophie der Kunst* und zeigt sich deutlich darin, daß er die Gesetze der Anschauung und der schönen Erscheinung der Kunst im Kontext der Mythologie und unter dem Titel des ‚Stoffs der Kunst' entwickelt und darstellt.[30] „Schönheit ist da gesetzt, wo das Besondere (Reale) seinem Begriff so angemessen ist, daß dieser selbst, als Unendliches, eintritt in das Endliche und in concreto angeschaut wird. Hierdurch ist das Reale, in dem er (der Begriff) erscheint, dem Urbild, der Idee wahrhaft ähnlich und gleich, wo eben dieses Allgemeine und Besondere in absoluter Identität ist. Das Rationale wird als Rationales zugleich ein Erscheinendes, Sinnliches."[31] Die Verhältnisse der Wahrheit und der Schönheit zum Absoluten sind daher von gleicher Unmittelbarkeit; aus der Perspektive der Reflexion betrachtet jedoch verweist die Schönheit in der ihr eigenen ‚Durchsichtigkeit' auf die in ihr präsente Idee. Sie wird damit zum Anstoß der philosophischen Reflexion, die die immanente Intelligibilität der schönen Erscheinung der Kunst expliziert und darin auf die Wahrheit des philosophischen Begriffs bezieht.

In dieser ihrer wesentlichen Intention, der ontologischen Grundlegung der Kunst, die Schönheit und Wahrheit als Strukturen des absoluten Prinzips entfaltet und darin die Erscheinung und besondere Qualität der Kunst in einer ursprünglichen Analogie mit dem intelligiblen Wesen des Seins begründet, stellt sich die *Philosophie der Kunst* in die Tradition der *platonisch – neuplatonischen Metaphysik*. Daß Schönheit die Erscheinung der Wahrheit und damit ein zentraler Gegenstand der Reflexion sei, der zur Erkenntnis

---

[30] vgl. dazu unten Kap. V, bes. S. 154 ff.
[31] PhdK, 382

28

des Absoluten führe, daß Schöpfung als die ursprüngliche Vermittlung von Unendlichkeit und Endlichkeit die absolute Voraussetzung allen Seins und Erkennens sei und darin als das Paradigma aller Kunst gelten könne und daß die ‚Kunst' des Gottes auch dem Bereich der sinnlichen Erscheinung und der endlichen ästhetischen Produktivität eine ontologische Dignität verleihe, die eine relative Autonomie der Kunst begründe, dies sind Elemente einer metaphysischen Ästhetik, die die Kunst in ihren ontologisch-theologischen Voraussetzungen zu verstehen sucht; es sind Grundgedanken, die auch für Schelling eine ungebrochene Relevanz besitzen und in der *Philosophie der Kunst* in modifizierter und eigentümlicher Form aktualisiert werden.

Dies scheint zu rechtfertigen, Schellings Philosophie nach 1800, die allgemein von der Frage nach dem Absoluten und der Vermittlung von Idealität und Realität in einem Begriff absoluter Identität geprägt ist, und im besonderen seiner Ästhetik, die diese Problematik unter dem zentralen Aspekt des Verhältnisses von Anschauung und Erkenntnis kristallisiert, in den Kontext dieser Metaphysik des Platonismus zu stellen.[32] Ein Aufriß dieses Horizonts ist allein schon gefordert durch Schellings explizite Aufnahme genuin neuplatonischer Elemente, wie sie am deutlichsten das Gespräch *Bruno oder über das göttliche und natürliche Princip der Dinge* von 1802 dokumentiert, wie sie aber auch die *Philosophie der Kunst* mitprägen.[33] Wichtiger aber noch ist die allgemeine strukturelle Affinität seiner Philosophie und Ästhetik zu dieser Tradition, und so ist der Blick hier nicht nur auf die Geschichte und Wirkung zentraler Gedanken des Platonismus, sondern vor allem auf deren sachliche Intensität zu richten.

Diese Tradition, die nicht primär die Kunst in ästhetischer Autonomie, sondern die Schönheit als eine allgemeine Qualität des Seins und als Paradigma der Idee in den Mittelpunkt ihrer Reflexion stellt, hat ihre sachliche Relevanz für das Verständnis der identitätsphilosophischen Kunstphilosophie Schellings darin, daß hier deut-

---

[32] vgl. W. Beierwaltes, Einleitung, a. a. O. S. 5, 8, 23; allgemein zu dem Problemhorizont der Analogie Schellingscher Denkstrukturen zum Platonismus: Ders., Platonismus und Idealismus, Frankfurt a. M. 1972, S. 100–144.
[33] vgl. W. Beierwaltes, Absolute Identität. Neuplatonische Implikationen in Schellings Bruno, in: Ders., Identität und Differenz, Frankfurt a. M. 1980, S. 204–240.

lich werden kann, wie auch diese Konzeption der Kunst in ihrer Erkenntnisfunktion und Wahrheitsfähigkeit wesentlich auf dem metaphysischen Verständnis der Schönheit als einer ausgezeichneten Erscheinungsform des Absoluten beruht. Der platonische Grundgedanke, daß Schönheit eine der Wahrheit ontologisch zugeordnete und mit dieser durch ein gemeinsames Prinzip begründete Idee sei, zugleich in ihrer Erscheinung die vernunfthafte und wahre Struktur des Seienden sinnlich darstelle und darin zum Anstoß und gleichsam Leitfaden des erkennenden Aufstiegs von der Welt der Erscheinung zu der der Ideen werde, hat besonders in der Philosophie Plotins und in der platonischen Tradition des mittelalterlichen Denkens die Gestalt einer positiven und in die allgemeine Metaphysik integrierten Ästhetik erhalten.

Dieser ästhetische Zug der Philosophie ist für die genannte Tradition der Metaphysik kein akzidenteller, sondern resultiert wesentlich aus ihrem Grundanliegen, die erscheinende Welt aus idealen und ewigen Strukturen, welche selbst in einem höchsten und absoluten Prinzip gründen, zu begreifen. Da dieses Prinzip auch der ontologische Grund der realen Welt ist und diese nach vernünftigen Strukturen hervorgebracht hat, läßt die sinnliche Wirklichkeit sich umgekehrt als ein – wenn auch unvollkommenes – Abbild der idealen Welt begreifen. Schönheit ist daher nicht zunächst eine Qualität der Kunst, sondern eine Grundstruktur des Seienden im allgemeinen, insofern es als ein Bild des Absoluten aufgefaßt wird. Ästhetik als Reflexion auf die erscheinende Schönheit der Welt und, davon ausgehend, auf die übersinnliche Vollkommenheit des Prinzips muß daher im Zentrum der Ontologie und Erkenntnistheorie dieser Philosophie stehen. Eine Theorie der Kunst im besonderen kann sich in diesem Horizont so nur in Analogie zu der allgemeinen Metaphysik formulieren und wird den Anspruch auf relative Eigenständigkeit der künstlerischen Darstellung immer in Bezug auf den Prioritätsanspruch der Philosophie relativieren müssen.

1. Die platonische Metaphysik des Schönen

Es soll hier nur verkürzt und modellhaft auf einige Formen dieser Grundstruktur metaphysischer Ästhetik hingewiesen werden. Von Interesse ist in diesem Zusammenhang nicht so sehr ihr historisches

Verhältnis untereinander – ebensowenig unmittelbar jenes zur Philosophie Schellings –, sondern vor allem die hier entfaltete Denkform der Relation von Wahrheit und Schönheit, wie sie in der Tradition der platonischen Metaphysik verstanden wird. Deutlich kann dadurch die innere Notwendigkeit dieser Struktur werden; eine Notwendigkeit, die Schellings Philosophie betrifft und die er selbst in seinen Referenzen auf Plato und den Neuplatonismus als eine strukturelle Affinität herausstellt.

Die zentrale Voraussetzung einer metaphysischen Ästhetik ist ursprünglich in dem Gedanken *Platos* formuliert, daß das Schöne eine innere Wesensbestimmung des Guten, der höchsten und prinziphaften Idee, sei und zugleich seine reale Manifestation. Es ist daher nur im Zusammenhang mit dem Guten, als der zentralen Kategorie des Seins überhaupt, zu begreifen als seine Entäußerung in die Sinnlichkeit und als Zeichen der Teilhabe und relativen Vollendung des Seienden in bezug auf das höchste und absolute Gute. So wird über das Schöne als Idee im *Symposion* zunächst nur ausgesagt, was über andere Ideen im allgemeinen auch ausgesagt werden könnte; ihrer Funktion nach ist die Idee des Schönen jedoch Paradigma der Idee überhaupt, gerade weil sie die Grundstruktur der platonischen Erkenntnistheorie, die im Eros symbolisierte unmittelbare Verbindung von Erscheinung und Idee, von Anschauung und Reflexion als solche deutlich macht. Die erscheinende Schönheit ist zwar nur als unvollkommenes Abbild der wahrhaft idealen Schönheit zu denken, dabei aber doch zu durchschauen als das sinnenfällige Bild der in der Idee begründeten Intelligibilität des Seienden, und so in einen unmittelbaren Bezug zur Wahrheit der Idee gestellt.

Schönheit ist gesetzt, wo im Ungeordneten die Ordnungskraft der Idee erscheint, und durch die Grenze, welche selbst notwendig vernunfthaft ist und das Seiende zur Identität und zum Bild der Idee bestimmt.[34] Als Qualität der Erscheinung hat sie damit auch die Funktion, die Struktur der Teilhabe, durch welche das Seiende in der Idee gründet, gleichsam sinnenfällig zu demonstrieren. Damit ist die ästhetische Erscheinung in der sinnlichen Welt auch für Plato gleichsam das ‚Dokument‘ der Wahrheit, welches die Prämisse der Philosophie, die Teilhabe alles differenten Seienden an der Einheit

---

[34] Phileb. 26 b

der Idee, belegt. In dieser Struktur bereitet Plato, trotz seiner prinzipiell eher negativen und kritischen Haltung gegenüber der Kunst, den Gedanken der anagogischen Funktion des Schönen und der Kunstanschauung vor. Die Erkenntnis als die vom Eros angeregte Wiedererinnerung der Ideen hat der Struktur der Teilhabe zu folgen und von den schönen Sinnesdingen zu der Idee der Schönheit fortzuschreiten.[35] Da die höchste Schönheit wesentlich mit den Ideen der Wahrheit und des Guten identisch ist, realisiert sich in ihrer Erkenntnis die allgemeine Vervollkommnung des Denkens. Durch die Vermittlung der Schönheit vollendet sich die Philosophie, indem sie deren ontologische Voraussetzung in der Durchdringung der Abbildlichkeit des Seienden reflektiert und darin zu der Erkenntnis der durch die Ideen gestifteten intelligiblen Ordnung des Universums gelangt. Im *Symposion* formuliert Plato so exemplarisch den Gedanken der anagogischen Funktion des Schönen und der Kunst, wie er in modifizierter Form die ganze Tradition der metaphysischen Ästhetik bis zum Deutschen Idealismus bestimmen wird.

Die gleichsam ontologische Basis dieser Vermittlung von Wahrheit und Schönheit erhellt aus dem *Timaios*, wo die Struktur der Teilhabe, welche zugleich die leitende Grundlage aller Erkenntnis ist, als das ordnende Werk des Demiurgen, als formende Schöpfung gefaßt wird. Da der Schöpfer selbst in höchster Weise gut ist, kann er nur das Gute, welches zugleich das Vernünftige, Geordnete und mit sich selbst Identische ist, schaffen und ist damit als das Prinzip vernunfthafter Ordnung auch das Prinzip der Schönheit.[36] Durch Teilhabe ist die Welt der Erscheinungen auf sein Werk, den Ideenkosmos als das Prinzip der intelligiblen Ordnung des Universums, hin ausgerichtet und verweist daher für die von der sinnlichen Welt aufsteigende Reflexion auf ihren Ursprung im Prinzip des Guten. Teilhabe ist somit die ontologische Basis der anagogischen Funktion des Schönen und der Verknüpfung von Philosophie und ästhetischer Anschauung. Das ‚schön' Erscheinende regt die Erkenntniskräfte an und verweist die Reflexion zurück auf seinen Ursprung in der intelligiblen Ordnung der Ideen. Trotz seiner prinzipiellen Ablehnung einer bloß nachahmenden und gerade darin täuschenden

---

[35] Symp. 211 c; vgl. Pol. 514 ff.
[36] Tim. 29 a ff.

Kunst[37], die als Nachahmung der sinnlichen Erscheinung kein unmittelbares Bild der Wahrheit hervorbringen kann – sie wird von Schelling einschränkend als „Polemik gegen den poetischen Realismus" interpretiert[38] –, kennt Plato auch die Vorstellung einer Kunst, welche Ausdruck der Ideen sein kann; er sieht sie in den Idealbildern der alten ägyptischen Kunst verkörpert.[39] Aus diesem Lob einer sakralen Kunst, die nicht mit der Absicht der Nachahmung der sinnlichen Wirklichkeit, sondern der Ordnung des Kosmos, der Darstellung ewiger Werte der Religion und Geschichte entstanden ist, ergibt sich so auch bereits hier die Möglichkeit einer positiven Einschätzung der Kunst, wie sie sich in metaphorischer Weise auch in der Bestimmung des Staates als höchstes Kunstwerk äußert.[40]

Den entscheidenden Schritt zur Begründung einer metaphysischen Ästhetik tut nun *Plotin*, indem er die zentrale Funktion der Schönheit im Horizont der Konzeption einer absoluten Reflexion mit der Philosophie vermittelt und darin vor allem die Voraussetzungen einer positiven Bestimmung der Kunst entwickelt.[41] Für Plotin, der sich auch in der Ästhetik als dessen Interpret erweist, sind vor allem zwei Gedanken Platos entscheidend: die ontologische Grundlegung der Ästhetik im *Timaios*, wo das Schaffen des Schönen als ein ordnendes und vernünftiges Formen der Materie mit dem Blick auf die Idee aufgefaßt wurde, und ihre subjektiv-erkenntnistheoretische Begründung im *Symposion*, das ästhetische Anschauung und philosophische Erkenntnis in einen wesentlichen Zusammenhang rückt. Plotin verknüpft beide Aspekte zu einem systematischen Zusammenhang, in welchem Sein als der durch Teilhabe vermittelte Ursprung alles Seienden und Reflexion als das dynamische Prinzip des Kosmos und als der Grund der Möglichkeit allen Erkennens miteinander verbunden und in einem gemeinsamen absoluten Prinzip begründet werden. Das Prinzip der Ideen, der Nus,

---

[37] Krat. 430 d; Pol. 377 c ff., 597 a-e, 598 b, 602 a, 602 c ff.
[38] Vorlesungen (XIV), V, 346
[39] Nom. 656 d–657 a
[40] Nom. 817 b
[41] Wichtig für Plotins Ästhetik sind vor allem die Enneaden I 6 (Über das Schöne) und V 8 (Über die intelligible Schönheit); vgl. dazu W. Beierwaltes, Marsilio Ficinos Theorie des Schönen im Kontext des Platonismus, Sitzungsberichte der Heidelberger Akademie der Wissenschaften, Philosophisch-Historische Klasse, Jg. 1980, Abh. 11, S. 18 ff.

wird als absolutes Denken und höchste Reflexivität gefaßt, welche sich durch alle Stufen des Seins vermittelt und damit auch das Denken des Menschen und die Vermögen der Seele mit in diese universelle Reflexionsbewegung einbezieht; innerhalb dieser Konzeption kann nun auch die Kunst als ein Moment dieses Kreises eine sinnvolle, wenn nicht notwendige Funktion erhalten.

Das Prinzip der Schönheit ist eine Qualität des Nus selbst, der das Differente des Kosmos zur Einheit ordnet und in dieser vernünftigen Ordnung die Schönheit der Ideen begründet, die damit auch als identifizierendes Prinzip des Seienden wirken, durch welches dies in der Übereinstimmung mit der Idee als ‚schön‘ erscheint. Das Wesen der Schönheit der Ideen ist ihre Intelligibilität, und von ihnen geht der ‚Glanz‘ aus, der auch der sinnlichen Erscheinung ihre abgeleitete Schönheit verleiht[42]; insofern die Idee das eigentliche Wesen alles Seienden ist, erscheint in dieser Ähnlichkeit die Schönheit als *anschaubare* Präsenz der Idee in der sinnlichen Welt. Innerhalb dieser Dialektik von absoluter und endlicher Reflexion erhält die Kunst ihre Funktion; sie beruht auf der ontologischen Struktur der Schönheit, welche sie durch Erkenntnis in der erscheinenden Wirklichkeit erfaßt und durch Umformung intensiviert, um dadurch die immanente Intelligibilität des Einzelnen für die Anschauung zu verdeutlichen.

---

[42] Enn. V 8, 10, 25. Bereits *Aristoteles' Poetik* hatte den Begriff der Mimesis gegenüber Platos Verdikt rehabilitiert, indem er der Kunst eine eigene, gerade in ihrer Scheinhaftigkeit liegende Realität zubilligte, aus welcher heraus sie auf das allgemeine Wesen der Wirklichkeit verweist und darin eine spezifische Erkenntnisfunktion besitzt. Zentrum dieser relativen Autonomie der Kunst ist der universelle Zusammenhang des Mythos, welcher nicht Abbild der realen äußeren Wirklichkeit, sondern der Horizont aller möglichen Kunstgegenstände und der allgemeine Rahmen ihres Sinns und ihrer Wahrheit ist. Nicht die einfache Nachahmung der Wirklichkeit, sondern reflektierte Einsicht in das Wesen der Realität mit dem Blick auf die Darstellung des Wahrscheinlichen und Möglichen ist daher die Aufgabe des Künstlers. Die Dialektik der Mimesis liegt darin, das Individuelle und Einzelne der Realität in der Darstellung so umzuformen, daß in ihr das allgemeine Wesen aufscheint. So kann Aristoteles der Kunst, welche sich ebenso wie die Metaphysik auf das allgemeine Wesen des Seins bezieht, einen eigener Erkenntnis- und Wahrheitswert zusprechen, der sie in ein positives Verhältnis zur Philosophie stellt. Auf der Seite der Wirkung der Kunst ist für ihn nicht so sehr die ontologische Qualität des Schönen, sondern der Effekt des Sichselbst-Wiedererkennens des Menschen im Kunstprodukt und die durch die Katharsis bewirkte Transzendierung des individuellen Bewußtseins auf das Allgemeine der menschlichen Natur hin von entscheidender Bedeutung; auch darin ist die Kunst in einer wesentlichen Affinität zur Reflexion gesehen.

Unter dieser Prämisse kann Kunst nun nicht mehr als notwendig von der Idee entfernte und unähnliche Abbildung eines Abbildes der Idee gelten, sondern im Gegensatz dazu gerade als eine Vervollkommnung der Natur[43], da sie in dem reflektierten Bewußtsein der Idee die reale Erscheinung gleichsam potenziert und durch die künstlerische Darstellung schöner und der Idee ähnlicher macht.

Hieraus entfaltet sich das Phänomen eines relativ autonomen ästhetischen Scheins, durch dessen Qualität die Kunst der realen Wirklichkeit gegenübersteht, indem sie ein deutlicheres Abbild der idealen Welt für die Anschauung bietet, worin sich der Erkenntniswert und die philosophische Relevanz der Kunst begründet. Da nicht die Nachahmung der sinnlichen Erscheinung, sondern die in der Erkenntnis begründete Nachahmung der Urbilder selbst für Plotin der wesentliche Grund der Kunst ist, ist für ihn auch eine gleichsam symbolische Kunst denkbar, welche fähig wäre, Gegenstände und Inhalte der übersinnlichen Welt zu thematisieren und in ihrer die Realität übersteigenden Idealität für die sinnliche Anschauung darzustellen.[44]

Diese intelligible Funktion der Kunst muß nun auch zur Grundlage einer neuen Bestimmung der ästhetischen Produktion und Rezeption werden; wenn Kunst als Vollendung der Natur in geistiger Schönheit angesehen wird, der Geist aber das Sein und Erkenntnis begründende Prinzip ist, dann kann auch die künstlerische Kreativität nur in dieser Analogie des Formens und Erkennens verstanden werden. Künstlerische Gestaltung der Materie nach dem inneren Bild der Idee ist untrennbar mit der erkennenden Reflexion und der Rückwendung der Seele auf ihren geistigen Ursprung verbunden; Reflexion der Seele auf ihr Prinzip ist der Ausgangspunkt des Schaffens und ist als diese Rückwendung aus der Differenz der Erscheinung in die Identität der Ideen im Kunstwerk gespiegelt und anschaubar. In dieser Qualität liegt die Funktion der Kunst für ihren Betrachter und ihre Bedeutung als Anregung der Selbstreflexion; aus der Anschauung heraus verweist sie auf die geistige Erkenntnis der Natur und des Kosmos und über diese hinaus auf die wesentliche

---

[43] Enn. V. 8, 1, 35 ff.; vgl. Aristoteles, Phys. 199 a 15–17
[44] vgl. das Beispiel der Zeus-Statue des Phidias, Enn. V. 8, 1, 38 ff.; dazu: W. Beierwaltes, Denken des Einen. Studien zur neuplatonischen Philosophie und ihrer Wirkungsgeschichte, Frankfurt a.M. 1985, S. 92 f.

Einheit des menschlichen Geistes mit seinem absoluten Prinzip, dem Nus (und darüber hinaus dem Hen, und auf sein höchstes Ziel, die Einswerdung mit diesem).[45]

Die Schönheit ist innerhalb der Erscheinung der vorzügliche Ausgangspunkt aller Erkenntnis, welche auf die Identität hinzielt, da sie die vernunfthaften Strukturen des Seienden anschaulich repräsentiert.[46] Die Seele, die zwischen Geist und Sinnlichkeit steht, urteilt über die äußere Schönheit, indem sie sich auf die Idee besinnt und darin zugleich zum Bewußtsein ihrer eigenen inneren Schönheit, ihrer Selbstübereinstimmung und wesentlichen Identität mit ihrem Prinzip gelangt. Schönheit ist bei Plotin wesentlich vom Aspekt der Reflexivität der Seele her gefaßt; nicht eigentlich die sinnliche Erscheinung als solche kann als ‚schön' erkannt werden, sondern erst ihre in der Reflexion aktualisierte Intelligibilität und vernunfthafte Verbindung mit ihrem Prinzip, in welchem die Seele ihr eigenes Prinzip wiedererkennt, verleiht ihr diese Qualität. Anschauung, welche den Bereich der Sinnlichkeit transzendiert, und Erkenntnis bilden so für Plotins Ästhetik einen notwendigen Zusammenhang, der in der Kunst als einer bereits auf Reflexion gegründeten Anschauung in besonderer Weise aktualisiert wird.

Der in der Ästhetik Plotins vorbereitete Gedanken der anagogischen Funktion und der Wahrheitsfähigkeit der Kunst findet in der christlichen und mittelalterlichen Metaphysik seinen deutlichsten Ausdruck bei Augustinus und in der Philosophie Eriugenas. *Augustinus* stellt seine Reflexion über Ästhetik in den theologisch begründeten Horizont einer Theorie der Schöpfung. Obwohl auch seine Ästhetik wesentlich auf der ontologischen Voraussetzung der Verweisungsfunktion des Schönen beruht, bietet sie doch zugleich die Grundlage dafür, die relative Autonomie der Kunst in ihrer eigenen und darin der Philosophie analogen Erkenntnisfunktion zu begreifen.

Im Zentrum dieser Theorie der Kunst muß die Voraussetzung stehen, daß die menschliche Kunst aus ihrer Analogie zur göttlichen Schöpferkraft zu verstehen sei, in welcher Vernünftigkeit und autonome Kreativität zusammengedacht werden. Da die Schöpfung

---

[45] Enn. I 6, 8; I 6, 9
[46] Enn. I 6, 2, 13; V 8, 1, 14

durch die göttliche Weisheit selbst intelligibel und worthaft verfaßt ist, kann sie durch die menschliche Vernunft ausgelegt und philosophisch begriffen werden; unter dieser Prämisse der absoluten Rationalität der Welt bestimmt Augustinus auch den Ort der Kunst.[47] Erkenntnis besitzt bei Augustinus einen gleichsam ästhetischen Zug darin, daß sie in der Tradition Plotins und Platos als Angleichung des Abbildes, welches die Seele ist, an das Urbild der göttlichen Weisheit verstanden wird.[48]

Durch ihre Schönheit verkündet die Schöpfung ihren Schöpfer[49]; die erscheinende Schönheit des Geschaffenen ist Verweis auf die göttliche Harmonie und Ordnung der Schöpfung, wie sie in der ewigen Weisheit gedacht wird und wie sie am Ende der erlösten Rückkehr alles Seienden in seinen Ursprung sich in universeller Präsenz entfalten wird. Dieser transzendierende Verweis alles Geschaffenen auf seinen Grund ist durch Erkenntnis zu realisieren. So ist auch das ästhetische Urteil, die Reflexion auf die Schönheit der Kunst, seiner Voraussetzung und Konsequenz nach untrennbar mit der allgemeinen philosophischen Erkenntnis des Kosmos und seines Prinzips in Gott verbunden. Die Vernunft urteilt nicht nur über die sinnlichen Objekte, sondern geht von diesen zur Beurteilung der Sinne selbst, der Vermögen der Hervorbringung des Schönen und schließlich zu der Idee der Kunst selbst weiter, in welcher sie das produktive und vernünftige Prinzip aller erscheinenden Schönheit findet.[50]

Wie das Bild nur durch das Urbild erkannt werden kann, so ist die Schönheit ein reflektierender Spiegel der Vernunft, in dem sie das Verhältnis der Teilhabe und der Dialektik von Endlichkeit und Idee repräsentiert, und zugleich das Ziel der Erkenntnis, die Einheit

---

[47] vgl. W. Beierwaltes, Creatio als Setzen von Differenz, in: Identität und Differenz, a. a. O. S. 75–96, und Ders., Augustins Interpretation von Sapientia 11, 21, in: Revue des Etudes Augustiniennes 15 (1969) S. 51–61
[48] Insofern es die zahlhafte Strukturiertheit ist, welche das Wesen der Schönheit ausmacht, kann diese weiter in den Begriffen der Übereinstimmung, der Ähnlichkeit und Gleichheit präzisiert werden, welche das Verhältnis der Differenz des Seienden zu seinem Prinzip und seinen dialektischen Bezug zu der begründenden Identität reflektieren. Vgl. W. Beierwaltes, Aequalitas numerosa. Zu Augustins Begriff des Schönen, in: Wissenschaft und Weisheit 38 (1975) S. 140–157
[49] Conf. XIII, 28
[50] De ver. rel. XI, 21; XXII, 42; XXXIX, 53; vgl. XXX, 55; XXXIII, 62

des Differenten in der göttlichen Identität, anschaulich vergegenwärtigt.

Die Frage nach der Schönheit wird auch von Augustinus zunächst als die allgemein ontologische Frage nach einer fundamentalen Qualität des Seins gestellt, welche im Bereich der erscheinenden Welt keinen Unterschied zwischen der Schönheit der Natur und der der Kunst macht. Ihrem Gegenstand nach bezieht sie sich somit in aller Allgemeinheit auf die Naturschönheit; unter der Perspektive der idealistischen Unterscheidung zwischen Kunst- und Naturschönheit betrachtet, hat sie ihre Analogie zu jener jedoch darin, daß sie das schöne Seiende nicht zunächst als einen objektiven Gegenstand des Urteils, sondern immer auch als das Produkt eines Schöpfers auffaßt. Die Schönheit des Geschaffenen ist das aus der Einheit von höchster Vernunft und Kreativität entstandene ‚Werk‘ der ewigen Kunst Gottes.[51] Die Metapher des Künstlers für den schaffenden Gott leistet gleichsam auf ihrer Rückseite zugleich die ontologische und theologische Legitimation der menschlichen Kunst, indem diese ihrerseits aus der Analogie zur göttlichen Schöpfung begriffen wird.[52] Auch Augustinus entwickelt seine Theorie der Kunst zwar wesentlich aus der allgemeinen Anagogik des Schönen heraus, legt darin jedoch auch bereits die Grundlage dafür, die künstlerische Kreativität selbst aus ihrer wesentlichen Vernünftigkeit und Subjektivität heraus zu verstehen und die Kunst in ihrer eigenen und der Philosophie analogen Erkenntnisleistung zu würdigen.

Aus dem christlichen Begriff der Schöpfung, welche nicht nur wie in der Tradition des *Timaios* als ein vernünftiges Ordnen des Kosmos aufgefaßt wird, sondern als eine das gesamte Sein allererst aus dem Nichts hervorbringende Setzung, kann hier auch der Begriff der ästhetischen Produktion neu verstanden werden. Schöpfung setzt Urbild und Abbild in ein gegenüber der Antike neues und dynamisches Verhältnis zueinander; das Geschaffene ist durch das göttliche Wort aus dem Nicht-Sein ins Sein übergegangen und trägt seinem ganzen Wesen nach – sinnenfällig in seiner Schönheit – die

---

[51] De lib. arb. XX, 54; De ver. rel. XXXI, 57; XXXIX, 72; De civ. Dei (ed. Thimme, 1978) Bd. II, 782, 789, 796, 830
[52] De lib. arb. XVI, 42; vgl. VIII, 21; X, 29; XI, 31

Spur seines Schöpfers eingeprägt.[53] Die abbildliche Schöpfung verweist damit nicht nur für die Reflexion auf ihr intelligibles Prinzip, welches sie in dem Verhältnis des Abbildes zu seinem Urbild dokumentiert, sondern ermöglicht die Einsicht in das produktive Prinzip selbst, aus welchem dieses Verhältnis hervorgegangen ist; durch das ewige Wort geschaffen, verweist die Schöpfung wesenhaft ‚rufend‘ auf ihren Schöpfer zurück.[54] Indem der Künstler sich zur Erkenntnis dieser Prinzipien erhebt, vermag er in Analogie zu der göttlichen Schöpfung durch eigene kreative Setzung eine eigene abbildliche Welt hervorzubringen. Da dieses Bild die Reflexion auf die vernünftigen Strukturen des Seienden selbst widerspiegelt, ist es nicht nur schön in der Weise der Naturdinge, sondern in einem höheren und potenzierten Sinn, da es die Erkenntnisleistung des Künstlers selbst mit zur Darstellung bringt.[55] Die Schönheit der Schöpfung ist Anlaß der Reflexion des Künstlers; die Schönheit der Kunst ist bereits Produkt dieser Reflexion. Da sie der Erkenntnis entspringt und diese in der sinnlichen Anschauung repräsentiert, intensiviert sie den Verweisungscharakter alles Seienden und hebt darin die Schöpfung allgemein auf eine höhere Stufe der Intelligibilität.

Ihren deutlichsten Ausdruck findet diese bei Augustin vorbereitete Ästhetik, welche Kunst und Philosophie in ihrer wesentlichen Beziehung aus der untrennbaren Einheit von Kreativität und Reflexion begründet, in der Philosophie des Johannes Scotus *Eriugena*.[56] Eriugena ist es, der mit dem Begriff der Theophanie dem Gedanken der Schöpfung selbst einen wesentlich ästhetischen Charakter abgewinnt und diesen in der Auffassung als Symbol – der allgemeinen Symbolik alles Seienden – intensiviert. Seine Philosophie zeigt auch am deutlichsten, wie der christliche Platonismus, insofern er alles Seiende als Zeichen einer transzendenten Welt auffaßt, eine wesentliche Affinität zur Kunst entfalten kann.

Den allgemeinen Horizont der ästhetischen Reflexion Eriugenas bildet sein Grundgedanke, daß die Welt in ihrer Totalität Theo-

---

53 De ver. rel. L, XL, 75
54 Conf. XI, 242; De ver. rel. XX, 39
55 De lib. arb. II, XVI, 42
56 vgl. W. Beierwaltes, Negati Affirmatio: Welt als Metapher: Zur Grundlegung einer mittelalterlichen Ästhetik durch Johannes Scotus Eriugena, in: Philosophisches Jahrbuch 83 (1976) 2. Halbband, S. 237–265

phanie sei; alles Seiende ist gemäß seiner Geschaffenheit durch Gott als dessen Erscheinung und Offenbarung zu verstehen.[57]

Indem Gott denkend die Ideen als die intelligiblen Strukturen des Seins schafft, schafft er sich selbst als das Medium und den Gegenstand seiner Selbstreflexion. So ist das göttliche Wesen an sich selbst und in seiner Beziehung auf die als Theophanie geschaffene Welt nur aus dieser Einheit von Denken und Schaffen, aus der absoluten Identität von Kreativität und Reflexion heraus zu verstehen. Alles Geschaffene, dies verdeutliche die Metapher des Lichts mit ihrer Dialektik von erscheinenden, abgeschatteten Lichtern und der reinen Quelle des Lichts, ist in seiner Differenz und Negativität die Offenbarung seines Grundes und verweist auf Gott als den Ursprung seines Seins zurück.

Da die Wahrheit an sich selbst für das endliche Denken unerreichbare Identität ist, kann sie nur in ihren geschaffenen Manifestationen erfaßt werden. Als Symbol ist alles Seiende zugleich ähnliches und unähnliches Bild des Urbildes; nicht die Wahrheit selbst, sondern, in der schönen Gestalt, Theophanie der Wahrheit,[58] und aus dieser Dialektik der Erscheinung gerade resultiert der wesentlich ästhetischer Zug dieser Philosophie.

Diese Spannung von Immanenz und Transzendenz hat die endliche menschliche Vernunft auszutragen, indem sie die Welt als ‚göttliche Metapher' auffaßt[59] und darin sowohl die Qualität der Selbstoffenbarung Gottes als auch das Moment der Nicht-Adäquatheit und Negativität der Erscheinung gegenüber dem Prinzip reflektiert. Das aus der Differenz zur Identität aufsteigende Denken hat sich diese Dialektik immer bewußt zu halten und dem Prinzip der negativen Theologie gemäß zu bedenken, daß alles affirmative Sprechen Gott seinem eigentlichen Wesen nach nicht erreicht. In dieser auf Pseudo-Dionysius Areopagita zurückgehenden und gegenüber Augustinus weit größeren Skepsis gegenüber der Vernunft und ihrem Vermögen zur Wahrheit und Erkenntnis Gottes, kann der Möglichkeit einer metaphorischen und gleichsam

---

[57] Eriugena, Periphyseon oder De Divisione Naturae (= DN); Buch I und II nach der Ausgabe von I.P. Sheldon-Williams, Dublin 1968/72; Bücher III–V nach Johannis Scoti Opera, hrsg. v. H. J. Floss, Paris 1853 PL 122; vgl. DN III, 633 AB.
[58] vgl. DN I, 200, 28 f.
[59] vgl. DN I, 62, 13

ästhetischen Erkenntnis ein größeres Gewicht zukommen. Damit ist der Raum vollständig geöffnet, an dem eine Theorie der Kunst in der Metapysik ihren genuinen Platz finden kann. Wenn das Schaffen Gottes selbst als die eigentliche Kunst und die Welt als sein Kunstwerk verstanden werden, ist es möglich, auch der menschlichen Kunst eine ontologische und erkenntnistheoretisch aufgewertete Bedeutung zuzusprechen.

Die Schönheit des Seienden im Gesamten kann in diesem Kontext als Zeichen der Selbstexplikation Gottes verstanden werden und als Symbol der an sich transzendenten und unerreichbaren Wahrheit. Durchaus mehr und intensiver als die schönen Naturdinge repräsentiert Kunst bereits eine Stufe der Vermittlung von sinnlicher Anschauung und Reflexion; als von Denken geleitetes Schaffen intensiviert sie die immanente Reflexivität des Seienden, seine Schönheit, und spiegelt sie in einer für die Erkenntnis deutlicheren, weil geistigeren und damit wahreren Form wider. Durch diese spezifische Art der Reflexivität kann die Kunst eine relative Autonomie und einen Status beanspruchen, der über die bloße Anagogik des Schönen hinausgeht. Sie ist nicht nur Ansatzpunkt des Aufstiegs der Erkenntnis des Seienden, sondern zugleich Medium seiner Vollendung in der durch das menschliche Schaffen vermittelten Rückkehr allen Seins in die göttliche Identität.[60]

Damit ist der eigentlich entscheidende Schritt zur Emanzipation der Kunstschönheit von der Naturschönheit vollzogen. Der Künstler ist in seinem Schaffen nicht so sehr Nachahmer der erscheinenden Natur, als Nachahmer der göttlichen, aus der Einheit von Denken und Schaffen erwachsenen Kunst selbst. Er besitzt die Freiheit, sich über die Erscheinung zu erheben und sie in einer zweiten Welt von Symbolen der Ideen neu zu schaffen. In hervorragender Weise realisiert er also das, was jede reflektierende Anschauung in der Struktur des Seienden zu eruieren sucht: seine verweisende Bildhaftigkeit und seine symbolische Qualität. Im Vergleich mit den natürlichen Abbildern der Ideen sind Kunstwerke ‚Bilder‘ in einem höheren Sinn, da sie die Reflexion auf die geistige Struktur der naturhaften Theophanien bereits implizieren und selbst mit zur Darstellung bringen. Damit ist die Grundlage formuliert, auf der die Kunst in

---

[60] DN V, 965 B

ihrer eigenen Erkenntnisfunktion legitimiert ist und in dem intelligiblen Kreis der absoluten Reflexion eine der Philosophie und Theologie wenn auch untergeordnete, so doch analoge Funktion erhält.

Als eine kongeniale Erfüllung dieser allgemeinen Ästhetik und reale Anwendung ihrer Implikationen auf die Kunst kann das Werk des Abtes *Suger von St. Denis* angesehen werden.[61] Mit dem Bau der ersten gotischen Kathedrale, welchen er in seinen Schriften kommentiert, zieht er gleichsam die Konsequenz aus der mittelalterlichen Philosophie des Schönen. Er dokumentiert damit nicht nur dessen allgemeine ontologische Funktion, sondern weist darin auch der Kunst ihre in der Philosophie bereits vorbereitete Rolle einer höchsten Vermittlung von Anschauung und Reflexion zu. „Das edle Werk leuchtet, aber das Werk, das edel leuchtet, soll die Geister erleuchten, daß sie hingehen durch wahre Lichter zum wahren Licht, wo Christus die wahre Tür ist. Wie sehr (das wahre Licht) in diesen Lichtern ist, zeigt das goldene Tor: der stumpfe Geist hebt sich zum Wahren durchs Stoffliche, vormals versenkt, steht er jetzt auf im Anblick dieses Lichts."[62] Damit tritt die Kunst nun erstmalig eigentlich in die Funktion, in welcher sie der Gegenstand der Ästhetik über die Renaissance bis hin zu Schelling sein wird.

Durch diesen Blick auf die Geschichte der neuplatonisch-mittelalterlichen Ästhetik, die, basierend auf dem Axiom der Identität von Denken und Sein, als eine Entfaltung des platonischen Gedankens der ursprünglichen Analogie von Wahrheit und Schönheit verstanden werden kann, sollte deutlich werden, wie Schellings Identitätsphilosophie die dort entwickelten Grundgedanken in ihrer sachlichen Intention weiterdenkt und seinerseits mit dem Ziel einer absoluten Theorie der Kunst intensiviert. Es sind die zentralen Elemente dieser metaphysischen Tradition – Theophanie und symbolische Repräsentation des Absoluten in der sinnlichen Erscheinung, Idee

---

[61] vgl. Beierwaltes, Negati Affirmatio, a. a. O. S. 237 f.; E. Panofsky, Zur Philosophie des Abtes Suger von St. Denis, in: Platonismus in der Philosophie des Mittelalters, hrsg. v. W. Beierwaltes, Darmstadt 1969, S. 109–120; O. v. Simson, Die gotische Kathedrale, Darmstadt ⁴1972, S. 93 ff.

[62] De administratione 46, 27–48, 4; die Schriften Sugers sind ediert von E. Panofsky, Abbot Suger, On the Abbey Church of St.-Denis and its Treasures (Princeton 1946); (Übersetzung von W. Beierwaltes, Negati Affirmatio, a. a. O. S. 238)

als der höchste Bezugspunkt der reflektierenden Erkenntnis und der ästhetischen Kreativität, die anagogische Funktion des Schönen und die ontologische Identität von Wahrheit und Schönheit –, die in Schellings Ästhetik als die Basis einer Philosophie der Kunst synthetisiert werden. Und es ist diese Synthese, durch welche hier der Kunst eine in der Geschichte der Philosophie einmalige philosophische Relevanz zugewiesen wird.

2. Die philosophische Relevanz der Kunst
Schelling und Hegel

„Wie für die Philosophie das Absolute das Urbild der Wahrheit – so für die Kunst das Urbild der Schönheit. Wir werden daher zeigen müssen, daß Wahrheit und Schönheit nur zwei verschiedene Betrachtungsweisen des Einen Absoluten sind."[63] Schellings Identitätsphilosophie gelten Wahrheit und Schönheit als gleichwesentliche Erscheinungsweisen des Absoluten, in welchen es sich in den unterschiedlichen Medien der Kunst und Philosophie offenbart. Mit dem Blick auf das Absolute denkt sie beide in ihrer wesentlichen Einheit, für die endliche Reflexion erscheinen sie als der ideale und reale Pol in dem dialektischen Prozeß der Selbstdarstellung der absoluten Identität. Dieser Aspekt der Vermittlung des Absoluten an das endliche Denken durch die Schönheit hatte für die Transzendentalphilosophie selbstverständlich im Zentrum ihrer Kunstauffassung gestanden. Auch für die *Philosophie der Kunst*, welche ein Denken anzielt, das in der Vernunft und jenseits der Grenzen endlicher Reflexion das Absolute zu treffen vermag, muß diese Vermittlung des Unendlichen an das Endliche, die das Wesen der Schönheit ausmacht, gerade für die Bestimmung der Gegenbildlichkeit der Kunst immer mitgedacht werden. Der ästhetische Schein und die erscheinende Schönheit sind immer schon eine spezifische Synthese der Idee mit der Realität, der unendlichen Identität von Sein und Denken mit endlichem Anschauen und Denken.

Kunstanschauung geht ein auf die Endlichkeit der menschlichen Vermögen und bietet ihnen – im Gegenbild – die Möglichkeit, ihre Grenzen in der Reflexion auf diese Anschauung zu transzendieren.

---

[63] PhdK, 370

Gegenbildlichkeit und ‚Funktionalität' der Kunst in ihrem Verhältnis zur Philosophie sind jedoch nicht so zu verstehen, als ob die Kunst damit in ein Verhältnis der Unterordnung und Abhängigkeit gerückt wäre. Ihre wesentliche Bestimmung gerade in ihrer Bedeutung als Gegenbild der Philosophie ist die Freiheit. Schönheit ist ebenso wie Wahrheit Indifferenz des Idealen und des Realen, im Unterschied zu jener mit einem Übergewicht des Realen, weshalb in ihr nicht Geist und Reflexion, sondern Anschauung und Objektivität die Medien der Erscheinung des Absoluten sind. Als Offenbarung des Absoluten erhält die Kunst ihre Maßgabe nicht aus der Reflexion der Philosophie, sondern gleichsam unmittelbar von der absoluten Vernunft, welche sie in ästhetische Anschauung übersetzt. Diese Unmittelbarkeit der Kunst kristallisiert sich im Begriff der Genies, für das nicht primär intelektuelle Absicht, sondern allein seine absolute Freiheit und Unmittelbarkeit gegenüber dem Absoluten der Grund der Kreativität sind. Die Dialektik von wechselseitiger Ergänzung von Kunst und Philosophie spiegelt sich so wider in dem Verhältnis zwischen dem Philosophen und dem Genie; während das Genie sich objektiv verhält, indem es aus einer unmittelbaren Erkenntnis der Ideen deren reale Anschauung hervorbringt, verhält der Philosoph sich dagegen subjektiv, wenn er die Realität des Seienden durch Reflexion auf ihren begründenden Ursprung zurückführt.[64]

Als allgemeine Vermittlung von Realität und Idealität aufgefaßt, zeigt sich, daß diese Dialektik genau dem Verhältnis von Produktion und Reflexion der Kunst entspricht, wie es in den Begriffen der Mythologie und der Kritik der Kunst thematisch ist. Der Philosoph ist damit auch der ideale Kritiker, indem er in dem realen Vollzug der Kunst deren ideale Struktur erkennt und die Gesetzmäßigkeit und Notwendigkeit, die der ästhetischen Produktion zugrunde liegen, als eine zentrale Struktur der absoluten Reflexion selbst zu demonstrieren vermag. Indem die Philosophie so das ‚Unbewußte' und Notwendige der Genialität – ein dem *Transzendentalssystem* ganz analoger Gedanke – zum Bewußtsein erhebt, vollendet sie die Kunst und hat dabei zugleich ihre eigene Struktur in der Analyse ihres Gegenbildes erhellt. Der Philosoph „übt also denselben Got-

---

[64] vgl. Vorlesungen (XIV), V, 349

tesdienst innerlich aus, den der Hervorbringende äußerlich übt, ohne es zu wissen"[65].

Die Gegenbildlichkeit zum philosophischen Begriff beruht auf der Autonomie der Kunst und der Unmittelbarkeit der Schönheit gegenüber dem Absoluten und bestimmt das Kunstwerk so gerade in seiner wesentlichen Zweckfreiheit. Kunst hat keinen Zweck außerhalb ihrer selbst, denn gegenbildliche Darstellung der Idee in der Schönheit des ästhetischen Scheins ist als ihr höchster, von der Philosophie der Kunst zu begreifender Zweck zugleich ihr eigentliches und absolutes Wesen. Diese Bestimmung der Kunst durch Autonomie und Zweckfreiheit ist von Kants Auffassung des Schönen inspiriert,[66] wenngleich jener seine Definition gerade im Kontext der Analyse der subjektiven Vermögen und der Urteilskraft fand, während Schelling daran interessiert ist, die Objektivität und spekulative Allgemeingültigkeit der Kunst durch ihre Bestimmung als Gegenbild der Philosophie zu erweisen. Auch für ihn ist es daher entscheidend, die Kunst und ihre Beurteilung von ihr äußerlichen Interessen freizuhalten und ihre Einbindung in rein rationale ebenso wie in rein subjektiv-psychologische Funktionszusammenhänge abzuwehren.

Freiheit und Funktionslosigkeit der Kunst in einem zweckhaften Sinn meint jedoch nicht ihre inhaltliche Indifferenz oder Wirkungslosigkeit. Ihre höchste Wirkung entfaltet sie gerade in der Gegenbildlichkeit zur Philosophie; indem die Schönheit die Wahrheit symbolisiert, ist sie weit mehr als deren bloße Illustration: Sie ist objektive Anschauung dessen, was die Philosophie nur ideal und spekulativ zu entfalten vermag. In diesem Sinn der symbolischen Repräsentation geht Schellings Auffassung der Gegenbildlichkeit der Kunst über die in der Tradition des *Symposion* entwickelte Bestimmung von deren anagogischer Funktion hinaus, impliziert sie jedoch. Nicht als höchste Bestimmung symbolischer Kunst, wohl aber als eine ihrer wesentlichen ontologischen Voraussetzungen, gilt auch für seine Ästhetik der platonische Satz, daß die Reflexion von der Anschauung der sinnlichen Schönheit zu der geistigen aufsteige und darin sich von der Welt der Abbilder auf die vernunfthafte Erkenntnis der Urbilder hin transzendiere. „Diese, welche die Schön-

---

[65] Bruno, IV, 231
[66] zu Kants *Kritik der Urteilskraft* vg. unten S. 86 f., 121–128

heit an und für sich selbst gesehen haben, sind auch gewohnt, unge-
stört von den Mängeln, welche der widerstrebenden Natur durch
den Zwang der Ursachen aufgedrungen sind, in dem unvollkom-
menen Abdrucke das Urbild zu sehen, alles aber zu lieben, was sie
an die vormalige Seligkeit des Anschauens erinnert… Wenn du also
ein Werk oder Ding schön nennest, so ist nur dieses Werk entstanden, die Schönheit aber nicht, welche ihrer Natur nach, also mitten
in der Zeit, ewig ist. Indem wir also unsere Schlüsse überrechnen, so
findet sich, nicht nur daß die ewigen Begriffe vortrefflicher und
schöner seyen als die Dinge selbst, sondern vielmehr, daß sie auch
allein schön, ja daß der ewige Begriff eines Dinges nothwendig
schön sey."[67]

Das spezifische Wesen von Schellings Konzeption der Gegenbildlichkeit der Kunst gegenüber der Philosophie und der relativen Absolutheit, welche der Schönheit gegenüber der Wahrheit zukommt, kann sich auch deutlicher zeigen durch eine Kontrastierung
mit der *Ästhetik Hegels.* Auch für Hegel ist Schönheit eine unmittelbare Qualität des absoluten Begriffs, insofern er in sich selbst
konkret wird und sich in der Kunst die ihm adäquate Erscheinung
schafft. Dieser dialektische Bezug von Wahrheit und Schönheit zeigt
sich in Hegels Verständnis der Kunst als ,Scheinen der Idee'[68]; die
Selbstentäußerung der Idee in ihr Anderes, den Schein, ist
immanente Notwendigkeit und Bedingung ihrer Selbstreflexion,
stellt sie aber auch immer unter eine bestimmte Negation, in welcher
sie nicht die Totalität selbst repräsentiert. Als solche ist sie Substanz
und Gegenstand der Philosophie, in ihrer Negativität das Prinzip
der Kunst. Die Wahrheit der Kunst liegt in dem notwendigen Aus-
sich-Heraustreten der Idee in den schönen Schein, der aber auch das
Moment der Endlichkeit und der relativen Unwahrheit gegenüber
dem Begriff impliziert. Aus dieser Negativität des Scheins resultiert
für Hegel die Notwendigkeit, die Kunst nicht als eine ihrerseits
ewige und unmittelbar absolute Erscheinung der Idee anzusehen,
sondern zu fordern, daß sie in Philosophie und damit in ihr eigentliches Wesen aufgehoben werden müsse. Die Idee geht in ihrer
Selbstreflexion durch das Medium der Kunst und durch die

---

[67] Bruno, IV, 225
[68] vgl. Hegel, Ästhetik, a. a. O., z. B. S. 17, 21 f., 128, 151, 157

Negativität des Scheins hindurch, um dann in der Philosophie in ihre eigentliche Wahrheit zu kommen.

Insofern die Idee als der sich selbst begreifende Begriff bei Hegel aber auch in einer prozessualen Dimension und damit in einer historischen Dialektik gedacht ist, wird auch die Kunst wesentlich in diese geschichtliche Dynamik des Geistes einbezogen. Das ‚Scheinen der Idee' kann für ihn daher nicht wie für Schelling eine ewige Bestimmung und zeitlose Notwendigkeit des Absoluten darstellen, sondern in seiner Negativität nur eine aufzuhebende Stufe des zu sich selbst kommenden Geistes.

Es ist für das Gesamtbild von Schellings *Philosophie der Kunst* aufschlußreich, sein Verständnis von systematischer und historischer Konstruktion im Vergleich mit jener Einschätzung der Geschichtlichkeit der Kunst zu sehen, welche Hegels *Ästhetik* zugrunde liegt. Auch für Hegel geht die Kunst aus der absoluten Idee hervor und ist damit sinnliche Darstellung des absoluten Geistes. Jedoch ist für ihn Geist selbst ein im historischen Sinn wesentlich dialektischer Begriff, der erst in und durch die geschichtliche Reflexion zu sich selbst kommt. So werden Religion, Kunst und Philosophie ihrem Wesen nach zu je verschiedenen historischen Stufen des sich entwickelnden Geistes und sind damit dessen Geschichtlichkeit unterworfen. Religion und Kunst können in dieser nur je bestimmte Momente bilden, welche den absoluten Geist nicht in seiner wesentlichen Totalität repräsentieren, sondern nur in einer notwendigen Stufe seines Zu-sich-selbst-Kommens. Der Kunst fällt in dieser Konzeption die Stufe der Negativität zu, auf welcher die Idee sich entäußert und in einer gegenüber der Natur bereits reflektierten Form in der sinnlichen Welt erscheint. Sie ist als solche zwar notwendig, jedoch notwendig in ihrer gleichsam vergänglichen Bedeutung, aus welcher sie durch die Dynamik des sich selbst begreifenden Geistes in einen höheren Zustand aufgehoben werden soll. Nur auf jener historischen Stufe, wo Selbstentäußerung die Notwendigkeit der Entfaltung des Geistes selbst ist, kann die Kunst ihren Kairos haben – Hegel sieht ihn in der klassischen griechischen Kunst – und als adäquate Erscheinung der Idee gelten.

In diesem Horizont ist Kunst als solche als ein wesentlich geschichtliches Phänomen begriffen, das seine Legitimität aus der Geschichtlichkeit des Geistes erhält, darin zugleich jedoch auch sei-

ne Relativität, indem die Reflexion der Idee über die Kunst hinausgeht und in der Philosophie eine höhere und adäquatere Form der
Selbstdarstellung findet. Für den Standpunkt der eigenen Gegenwart, auf der ‚idealistischen‘ Stufe des Bewußtseins, welche die der
Philosophie als der zu sich selbst gekommenen Idee ist, hat die Kunst
ihre wesentliche Bedeutung verloren und ist zu einem ‚Moment‘ in
der Geschichte des Geistes geworden. Als solches Moment bleibt
sie, die ihre wesentliche Bedeutung für das Ganze gerade in ihrer
geschichtlichen und logischen Negativität entfaltet hat, durch die
Philosophie in die Totalität der Idee aufgehoben. Jenes Prinzip, das
Schelling als das Absolute faßt, erscheint als vollendete Identität für
Hegel nicht in der Kunst, sondern in der absoluten Idee und ist diese;
der sich selbst begreifende Begriff hat alle Gegensätze, die für sich als
Momente erscheinen können, versöhnend in sich aufgehoben.

Die Epoche der Philosophie muß damit für Hegel notwendig das
‚Ende der Kunst‘ mit sich bringen, da diese aufgehört hat, die höch-
ste Repräsentanz des Geistes zu sein.[69] Dagegen ist es für Schellings
Philosophie der Kunst bezeichnend, daß hier die historische Kon-
struktion, also eine philosophische Theorie der Geschichte der
Kunst, keinen eigenen systematischen Ort besitzt. Der Begriff der
Kunst wurde als ein ewiger definiert, als Offenbarung des Absoluten, welche zwar in der Entwicklung der Geschichte je verschiedene
Formen annehmen kann, darin aber immer nur ein perspektivisches
Bild des identischen Wesens der Kunst zeichnet. Die Differenz der
historischen Manifestationen der Kunst ist so nicht als eine aus der
Dynamik und Dialektik des Absoluten selbst resultierende zu sehen, sondern als in der Endlichkeit des Menschen begründete und als
solche auch unvollkommene Darstellung des Absoluten. Die historische Konstruktion hat die Aufgabe, die Vielheit der konkreten
historischen Kunstwerke als Entfaltungen des Einen, in der Idee
begründeten Kunstwerks zu erweisen und sie darin alle in die im
Begriff der Kunst postulierte Identität zurückzuführen. So sind
auch die kunsthistorischen Kategorien Schellings, deren Paradigma
der Gegensatz von ‚Antik‘ und ‚Modern‘ bildet, Ausdruck der allgemeinen Dialektik des Realen und des Idealen, als welche sie
deduktiv in der systematischen Konstruktion der Kunst entwickelt

---

[69] vgl. ebd. S. 24 f., 141 f.

werden. Die Geschichte der Kunst als eine Geschichte der Formen, in welchen sich das Absolute manifestiert, wird in der historischen Anaylse als eine Geschichte der unterschiedlichen Strukturen der Verweisung konstruiert, in denen die Reflexion aus der Anschauung die sich durchhaltende Idee der Kunst als Totalität begreift. Mit dieser Rückführung der historischen Mannigfaltigkeit der Kunst in die Einheit ihres Begriffs kann die Konstruktion der Gegenbildlichkeit der Kunst gegenüber der Philosophie als abgeschlossen gelten; sie hat darin ihren Selbstbeweis geführt, indem sie ihren Ausgang von dem philosophischen Begriff der Kunst legitimiert und auch in der Vermittlung mit der Subjektivität und der Geschichte bestätigt.

Obwohl Schelling sich in seiner Interpretation konkreter geschichtlicher Kunstwerke weitgehend von der Vorgabe der deduktiv-systematisch gewonnenen Begrifflichkeit der allgemeinen Konstruktion der Kunst leiten läßt und dadurch das einzelne Kunstwerk immer dem systematischen Zusammenhang unterordnet, gewinnt er gerade dadurch eine größere Freiheit als Hegel in der unabhängigen Bewertung der antiken und der modernen Kunst. Da für ihn die Geschichte nicht einer unmittelbar aus der Bewegung des Geistes resultierenden Wertung unterliegt, können ihm Antike und Moderne als wesentlich verschiedene, darin aber primär gleichwertige Offenbarungen des Absoluten gelten, welche sich zu einer Gesamtheit ergänzen. Er ist dadurch in der Lage, vor allem auch die spezifischen Qualitäten der modernen christlichen Kunst zu würdigen, wie sich dies besonders in der ausführlichen Analyse der Malerei zeigt, und darin zu einem positiven Urteil zu kommen, welches auch eine Perspektive auf die Zukunft der Kunst impliziert.

In der prinzipiellen historischen Relativität der Kunst liegt Hegels entscheidender Gegensatz zu Schellings Konzeption der Gegenbildlichkeit der Schönheit gegenüber der Wahrheit; für diesen ist das ,Scheinen der Idee' in der Kunst eine selbst unmittelbare und absolute Offenbarung der Identität und darin eine ewige und notwendige Form ihrer Präsenz. Kunst kann und soll in Philosophie der Kunst aufgehoben werden, gerade darin jedoch behauptet die Anschauung der Schönheit ihren gegenbildlich-wesentlichen Platz. Hegels These vom ,Ende der Kunst' ist so auch als eine polemische Auseinandersetzung mit Schellings Kunstphilosophie zu lesen.[70] Für ihn kann in der Gegenwart, wo die Geschichte des Geistes sich in der Philosophie als seinem absoluten Selbstbewußtsein vollendet hat, nur noch diese selbst, aber nicht mehr die Kunst das Medium der adäquaten Explikation des absoluten Geistes sein.

Schellings für die Reflexion ewig und notwendig getrennte Sphären des Idealen und des Realen sind bei Hegel in die historische Dynamik des zu-sich-selbst-kommenden Begriffs einbezogen und müssen so in ihrer wesentlichen Eigenständigkeit durch dessen Geschichte überholt werden. Wenn allein die Philosophie die Wahrheit der Kunst zu repräsentieren vermag, kann diese in der reinen Anschauung kein Gegenbild des philosophischen Begriffs mehr vorstellen und hat damit ihre autonome Wahrheitsfähigkeit verloren. Der Begriff hat das Bild ‚überflügelt' und ihm aus seiner Negativität zu seiner Wahrheit als vollendeter Reflexivität, welche der Begriff selbst ist, verholfen. Damit muß die Kunst, insofern sie das absolute Selbstbewußtsein auf einer niedrigeren Stufe repräsentiert, ihren höchsten Anspruch verlieren; sie wird zum Dokument der Geschichte des Geistes und für die Gegenwart gleichsam zu einer Propädeutik der Philosophie.

Unter dem Aspekt einer historischen Dynamik des Verhältnisses von Kunst und Philosophie betrachtet, weist auch die *Philosophie der Kunst*, wenn auch an periphärer Stelle, noch einen Reflex der Hegels Intention diametral entgegengesetzten Konzeption des *Transzendentalsystems* auf, nach welcher die Wissenschaft „nach ihrer Vollendung ... in den allgemeinen Ozean der Poesie zurückfließen"[71] und das Medium dieser Vermittlung von Kunst und Philosophie eine noch zukünftig ausstehende „neue Mythologie"[72] sein solle. Wie jedoch dieser bereits im *Ältesten Systemprogramm* angedeutete Gedanke auch hier unter dem Aspekt der Vollendung der Geschichte insgesamt gedacht wird, so ist auch in der Identitätsphilosophie die ‚neue Mythologie' nicht als ein Postulat der systematischen Philosophie der Kunst, sondern nur im Rahmen einer explizit geschichtsphilosophischen Reflexion zu verstehen. Eine Kunst und Philosophie umgreifende universelle Mythologie kann nicht gedacht werden „bis zu dem in noch unbestimmbarer Ferne

---

[70] vgl. W. Beierwaltes, Einleitung, a. a. O. S. 20 f.
[71] System, III, 629
[72] ebd.

liegenden Punkt, wo der Weltgeist das große Gedicht, auf das er sinnt, selbst vollendet haben, und das Nacheinander der modernen Welt sich in ein *Zumal* verwandelt haben wird"[73]. Wie der Begriff des ‚Weltgeistes' deutlich macht, den Schelling immer dann einführt, wenn eine globale Vorstellung von Epochenwandel in der Geschichte entwickelt werden soll[74], ist hier weder eine *in* der Ästhetik zu leistende, noch eine diese als solche transzendierende Vermittlung von Philosophie und Kunst intendiert, sondern die utopisch-eschatologische Vision eines fundamentalen Umschlags der gesamten, Subjektivität und Objektivität umgreifenden Geschichte angedeutet, die Züge der theologischen Erlösungsvorstellung trägt. In diesem geschichtsphilosophischen Verständnis kann die ‚neue Mythologie' auch nicht eine Alternative zu der im Mittelpunkt der *Philosophie der Kunst* stehenden Bestimmung des Verhältnisses von Philosophie und Kunst als Ur- und Gegenbild sein, die unter den Prämissen der philosophischen Reflexion als die gültige spekulative Lösung zu gelten hat.

Für Schelling liegt die notwendige philosophische Relevanz der Kunst in ihrer Gegenbildlichkeit, welche in der ontologischen Autonomie und Absolutheit der Anschauung und der Schönheit gründet. Umgekehrt kann allein von der Philosophie und ihrem reflektierten Begriff der Wahrheit eine begriffliche Bestimmung der Kunst und damit des ‚Inhalts' der Schönheit kommen. Im Sinne dieser inneren Identität von Kunst und Philosophie ließe sich bei Schelling ebenso von einer Reflexionsbedürftigkeit der Kunst gegenüber der philosophischen Vernunft wie auch von einer Illustrationsbedürftigkeit der Philosophie gegenüber der ästhetischen Anschauung sprechen. Kunst und Philosophie befinden sich in der Bestimmung als Ur- und Gegenbild in einem Verhältnis der Wechselwirkung, welches in ihrer gemeinschaftlichen Bezogenheit auf das Absolute gründet und durch welche beide Medien wechselseitig sich ergänzen und potenzieren.[75]

---

[73] PhdK, 445; vgl.: W. Beierwaltes, Einleitung, a. a. O. S. 27 f. und 42 f., Anm. 80 u. 82
[74] zum Begriff des ‚Weltgeistes' bei Schelling vgl. auch: PhdK, 444 und 448; Vorlesungen (IX), V, 301; Vorlesungen (X), V, 309
[75] Ein Reflex der metaphysischen Tradition der anagogischen Funktion der Kunst und ihrer darin postulierten philosophischen Relevanz findet sich noch – bei aller Differenz der Voraussetzungen – in der Kunstphilosophie *Adornos*. In seiner *‚Ästhetischen Theorie'* (Th. W. Adorno, Gesammelte Schriften, hg. v. G. Adorno und

R.Tiedemann, Bd. 7, Frankfurt a.M. 1974) bestimmt er die Funktion der Kunst in ihrem dialektischen Verhältnis zum philosophischen Begriff gerade mit dem Ziel, die künstlerische Darstellung und die Möglichkeit der Kunstanschauung als eine positive Alternative zu der unter dem ‚Identitätszwang' des Begriffs stehenden Philosophie zu erweisen. Unter dem Aspekt der Gegenbildlichkeit von Kunst und Philosophie betrachtet, zeigt sich so, daß auch Adorno, obwohl – oder gerade weil – er kein gemeinsames Prinzip benennt, in welchem beide kongruieren würden, der Kunst eine wesentliche Wahrheits- und Erkenntnisfunktion zuspricht, in welcher sie aus der bestehenden Unwahrheit negativ auf eine mögliche Wahrheit verweist (vgl. ÄT, S. 199). Gerade in der Weise, in der sie dem Begriff nicht verpflichtet ist, kann sie die ‚Epiphanie des verborgenen Wesens' (vgl. ÄT, S. 384, 125, 159) der Realität entfalten, welches der Philosophie notwendig verborgen ist; gerade in ihrer seit der Ästhetik des Idealismus postulierten radikalen Subjektivität, die durchaus nicht im Gegensatz zu Schellings Bestimmung einer ontologisch absoluten Kunst stehen muß, verweist sie auf einen Zustand der Vollkommenheit, der in der geschichtlichen Wirklichkeit nicht möglich ist. Die Kunst wird darin zum Medium einer säkularisierten Offenbarung (vgl. ÄT, S. 162), welches in der Negativität des Scheins den äußersten und einzig möglichen Eindruck von jener Vorstellung zu geben vermag, welche die Welt im Zustand der Erlösung zum Gegenstand hat. Adorno faßt diese Funktion der Kunst, darin Walter Benjamin folgend, als Allegorie auf (vgl. ÄT, S. 108, 131, 197); nicht wie das Symbol (vgl. ÄT, S. 159) vermag die Kunst unter den gegebenen Umständen das Absolute selbst zu enthalten und vorzustellen, sondern nur einen Verweis auf jenes Andere zu realisieren, indem sie das Bestehende verneint (vgl. G. Kaiser, Benjamin. Adorno. Zwei Studien, Frankfurt a.M. 1974, S. 113 ff.). So entfaltet die Kunst in der Dialektik des Scheins eine Anagogik, die nicht der Identität des Begriffs unterworfen ist, sich daher auch nicht unmittelbar in Philosophie übersetzen läßt, sondern im Schein auf einen Zustand der Übereinstimmung des Besonderen und des Allgemeinen verweist, welcher des Scheins nicht mehr bedürfte. Kunst kann daher für Adorno nicht positiver Reflex oder Gegenbild der Philosophie im Sinn einer wechselseitigen Ergänzung sein, sondern ist deren Gegen-Bild in dem polemischen Verhältnis einer permanenten Infragestellung und Kritik der Philosophie und des von ihr affirmierten unwahren Zustands der Realität. Hieraus ergibt sich für ihn eher die Forderung, daß die Philosophie Ästhetik werden müsse, um in der Kunst jenes Anderen ansichtig zu werden, welches der Begriff notwendig unterdrückt und wessen sie daher in ihrem eigenen Medium sich nicht vergewissern kann. „Kunst komplettiert Erkenntnis um das von ihr Ausgeschlossene und beeinträchtigt dadurch wiederum den Erkenntnischarakter, ihre Eindeutigkeit." (ÄT, S. 87) Jenseits von Adornos negativem Verhältnis zur Metaphysik und gerade in seiner stärkeren Betonung des oppositionellen Verhältnisses von Kunst und Philosophie basiert auch sein Verständnis der Kunst – und darin mit Schellings Konzeption der Gegenbildlichkeit übereinstimmend – auf der Voraussetzung, daß die Kunst gerade in der Differenz von Anschauung und Begriff eine wesentliche Bedeutung für die philosophische Reflexion besitze. „Philosophie und Kunst konvergieren in deren Wahrheitsgehalt: die fortschreitend sich entfaltende Wahrheit des Kunstwerks ist keine andere als die des philosophischen Begriffs." (ÄT, S. 197; weiter: „Der Idealismus hat seinen eigenen Wahrheitsbegriff historisch, in Schelling, von der Kunst mit Grund abgezogen.") Indem die Ästhetik diesen Anspruch der Kunst ernst nimmt und in seiner Dialektik zur Philosophie austrägt, leistet sie selbst den Verweis auf einen Zustand von Leben und Denken, in welchem eine neue Harmonie von Kunst und Philosophie möglich wäre.

III. Die Einbildungskraft in der Kunst

A. Göttliche Imagination und Ineinsbildung der Vernunft
Die dialektische Struktur der Einbildungskraft

Philosophie und Kunst haben das Eine Wesen Gottes und des Universums zu ihrem Gegenstand, welches – der Verschiedenheit ihrer Medien gemäß – die eine im Urbild darstellt, die andere im Gegenbild spiegelt; sie befinden sich dadurch in einem Wechselverhältnis, das in ihrer gemeinsamen Bezogenheit auf das Absolute gründet. Da die *Philosophie der Kunst* ihrem allgemeinen Anspruch nach zugleich eine Entfaltung der gesamten Philosophie sein will, kann sie sich in dieser Intention nicht auf ein außerhalb ihrer liegendes Prinzip berufen, sondern muß dieses Prinzip ihrer absoluten Begründung selbst in der Reflexion ihres Gegenstandes entwickeln und als ihren allgemeinen metaphysischen Horizont entfalten.

Wie die allgemeine Philosophie in der Methode der Konstruktion ihren Anfang bei dem Begriff des Absoluten als der absoluten Identität nimmt, muß auch die Philosophie der Kunst denselben Weg beschreiten, um in diesem Horizont den spezifischen Ort ihres Gegenstandes darstellen und die absolute Bestimmung der Kunst entwickeln zu können – und um sich darin zugleich als eine notwendige und ihrerseits absolute Form der Philosophie zu bewähren.

Diese Aufgabe soll der *Allgemeine Teil* der *Philosophie der Kunst*, die „Construction der Kunst überhaupt und im Allgemeinen"[1], leisten; und so kann nicht zunächst das empirische Phänomen der Kunst am Anfang der philosophischen Konstruktion stehen, sondern nur der Begriff der absoluten Identität (als der allgemeine Beginn aller philosophischen Reflexion) kann das ontologische Prin-

---

[1] PhdK, 373

zip sein, in dessen Explikation Kunst als eine wesentliche Struktur des Absoluten selbst dargestellt zu werden vermag.

Diese für die *Philosophie der Kunst* postulierte Begründung ihres Gegenstandes unmittelbar aus dem Absoluten ist in dem Gedanken der *göttlichen Imagination* intendiert. Nur eine Theorie der Schöpfung kann die Grundlage einer Ästhetik bilden, welche die ontologische und erkenntnistheoretische Leistung der Kunst aus dem metaphysischen Prinzip der Welt überhaupt begründen will, indem sie in dem Begriff der göttlichen Schöpfung des Universums der Reflexion auf die menschliche Kunst ihren absoluten Bezugspunkt vorgibt. Insofern der Mensch Teil dieser Schöpfung und als Genie in exemplarischer Weise Abbild des Schöpfer-Gottes ist, erweist sich die ,Kunst' des Gottes als der ontologische Möglichkeitsgrund der endlichen Kreativität, welche in Nachahmung der idealen Welt die ästhetische als deren reflektiertes Abbild hervorbringt.[2]

Das Absolute ist der Anfang aller Philosophie; Philosophie hat sich als die Explikation des Absoluten zu begreifen, und, indem sie dieses als das identische Prinzip von Sein und Denken demonstriert, darin ihren eigenen Selbstbeweis zu liefern. Schellings Identitätsphilosophie versteht sich so auch als Reflexion auf jenes transzendentale Vermögen der Subjektivität, welches die Identität des Absoluten zu erfahren und zu erkennen vermag. Als dieses Vermögen wird sich die intellektuelle Anschauung erweisen, in der das Subjekt sich selbst in seiner wesentlichen Identität mit dem Absoluten begreift, und welche ihrerseits als eine Struktur der absoluten Vernunft verstanden werden muß.[3] Hier soll zunächst nur darauf hingewiesen werden, daß mit der Vernunft dem Absoluten ein Vermögen der Reflexion zugesprochen ist – und zugleich der Philosophie ein umgreifender Horizont der Identität gegeben, innerhalb dessen sie ihren Gegenstand berühren, wenn nicht gar mit ihm eins werden kann. Nur im Horizont einer solchen absoluten Reflexion der Vernunft scheint eine metaphysische Grundlegung der Philosophie ebenso wie ihres Gegenbildes, der Kunst, möglich.

---

[2] vgl. PhdK, 393, 406, 631. Die *Philosophie der Kunst* verbindet in der Rede von der göttlichen Imagination diesen Komplex deutlich mit dem Begriff des künstlerischen Genies, wie es in der Konstruktion der ,Form der Kunst' ausgeführt werden wird. Vgl. dazu unten S. 205 ff., 209 ff.

[3] vgl.: W. Beierwaltes, Absolute Identität, a. a. O. S. 220

Um über dieses Postulat hinaus zu ihrem konkreten Begriff zu gelangen, muß das Absolute als absolute Identität sich als begrifflich differenzierbar zeigen; in der Vermittlung dieser Differenz gelangt die Philosophie zu einem reflektierten Verständnis des Absoluten als ihres eigenen Prinzips. Sie postuliert daher eine Dialektik des Absoluten, welche diesem insofern als wesentlich und immanent gesetzt sein muß, als Philosophie sich nur dann als das Sich-selbst-Begreifen des Absoluten verstehen kann, wenn die Mittel dieses Begreifens seinem absoluten Gegenstand im Sinne seiner eigenen Selbstdifferenzierung entspringen. Auf der anderen Seite ist Schelling bis zur Uneindeutigkeit äußerst behutsam darin, diese Dialektik des Absoluten nur nicht als Negation dessen absoluter Identität erscheinen zu lassen, da die Voraussetzung eines absolut identischen Prinzips von Sein und Denken durch eine solche wesentliche Dualität nicht erfüllt würde.

Die philosophische Anstrengung muß also darauf gehen, in einer doppelten Perspektive das Absolute immer als Identität zu denken, die von keiner Differenz der Reflexion affiziert ist, zugleich jedoch auch in einer reflexiven Dialektik zu entfalten, welche wiederum nicht allein in der Diskursivität des Verstandes begründet sein kann, sondern in einer dem Absoluten selbst entspringenden Struktur angelegt sein muß. Die Identitätsphilosophie versucht dieses Problem zu lösen, indem sie das Absolute näher in dem vermittelnden Begriff der absoluten Vernunft bestimmt. Sie ist absolutes Denken des Seins als ewiger und von aller endlichen Diskursivität freier Akt: als absolutes Denken selbst ohne alle Differenz, aber Prinzip aller differenzierten Entfaltung. Insofern das Absolute sich selbst in der Vernunft reflektiert, entfaltet es sich in eine dialektische Struktur; es setzt sich selbst als die besonderen Formen des Denkens und des Seins, als absolutes Prinzip der Idealität der Realität, welche jedoch nur der in dieser Setzung begründeten Form nach different, dem Wesen nach aber als unmittelbar und ewig identisch zu denken sind.

Schelling expliziert nun diesen Prozeß der absoluten Selbstreflexion mit dem Terminus der Selbstaffirmation des Absoluten.[4] Das

---

[4] Obwohl Schelling den Begriff der absoluten Reflexion nicht kennt, scheint er doch in diesem Zusammenhang sinnvoll und notwendig zur Differenzierung dessen, was absolute Affirmation und Vernunft als das Denken des Absoluten meinen. Reflexion in diesem Sinn bezeichnet den Aspekt des Absoluten, in dem es als Selbsterkenntnis

Absolute differenziert sich in Affirmierendes und Affirmiertes, nicht jedoch im Sinn einer Negation des subjektiv-Absoluten in einem Objekt, sondern gerade mit dem Ziel, in der vernunfthaften Reflexion dieser Differenz eine bewußte Identifizierung zu erreichen und so sich selbst als absolute Identität zu bejahen.

Mit dem Postulat der Dialektik des Absoluten, welche als absolute Selbstaffirmation und Selbstreflexion Welt und Subjektivität, Realität und Idealität auf einen konkreten Begriff der Identität hin miteinander vermitteln soll, ist die zentrale Aufgabe der Identitätsphilosophie bestimmt. Soll sie gelöst werden, muß eine begriffliche Möglichkeit gefunden werden, die Vermittlung von Identität und Differenz so zu leisten, daß diese Dialektik zugleich als dynamischer Prozeß begriffen werden kann, welcher die Totalität des Seins ebenso einschließt wie die endliche Philosophie, ohne daß dabei die

---

und Selbstbejahung, als Sich-selbst-Begreifen in der Totalität des Seins zu verstehen ist. Dieser Komplex unterliegt in Schellings eigener Artikulation zweifellos einer systematischen Unschärfe; dennoch kommt auch er nicht umhin, wenn er in diesem reflexiven Sinn von Selbstaffirmation spricht, den Unterschied zwischen Subjekt und Objekt, zwischen Affirmierendem und Affirmiertem zu machen – wenn auch in der geringstmöglichen Form der Markierung der Differenz.

Zur Explikation dieses positiv verstandenen Reflexionsbegriffs kann durchaus auf die große sachliche Nähe dieses Gedankens zur Philosophie Hegels verwiesen werden; mit dem Vorbehalt allerdings, daß Schelling alle zeitlich-prozessualen Implikationen im Sinn einer Geschichte des Geistes für die Reflexion des Absoluten ablehnen würde. Diesen vergleichbaren Begriff der Selbstvermittlung des Subjekts durch das Andere der Objektivität und in der Aufhebung des Gegensatzes bestimmt die „Phänomenologie" als „die Bewegung des Sichselbstsetzens, oder die Vermittlung des Sichandersdwerdens mit sich selbst … Nur diese sich wiederherstellende Gleichheit oder die Reflexion im Anderssein in sich selbst – nicht eine ursprüngliche Einheit als solche, oder unmittelbare als solche – ist das Wahre. Es ist das Werden seiner selbst, der Kreis, der sein Ende als seinen Zweck voraussetzt und zum Anfang hat und nur durch die Ausführung und sein Ende wirklich ist." (Hegel, Phänomenologie, hg. v. J. Hoffmeister, Hamburg 1952, S. 20) Das Resultat dieser Reflexion ist eine Wahrheit – von der in diesem Sinn gesagt werden kann, sie sei das Ganze -, die Objektivität und Subjektivität in sich aufgehoben hat und durchaus Schellings Begriff der absoluten Vernunft oder der absolute Selbstaffirmation analog ist. Indem absolute Reflexion hier so gebraucht werden soll, kann sie kaum dem Verdacht unterliegen, mit jenem Begriff der Reflexion identisch zu sein, den Schelling in dem polemischen Begriff der „Reflexionsphilosophie" attackiert. Daß er später auch seine eigene Philosophie einschließlich der Identitätsphilosophie als solche verurteilt, ist im Zusammenhang der selbstkritischen Auseinandersetzung mit der idealistischen Philosophie überhaupt und dem intensiven Bemühen zu verstehen, zu einem neuen Begriff der ‚Positivität' philosophischer Aussagen zu gelangen.

absolute Voraussetzung der Identität vernichtet würde. Damit ist die Struktur umrissen, die einem zu postulierenden Vermögen seine Funktion zuweist; es hat zweierlei zu leisten: Differenzierung des Absoluten umwillen seiner Beziehung auf das Seiende und Identifikation des Differenten im Dienst der reflexiven Wiederherstellung der Identität.

In diesem Komplex von absoluter Produktion und Reflexion, der den Kernpunkt der gesamten Identitätsphilosophie bezeichnet, führt Schelling nun den Begriff der *Einbildungskraft* in seiner umfassenden metaphysischen Bedeutung ein, und hier erhält er seine konstitutive Funktion für die Entfaltung der Gesamtkonzeption der *Philosophie der Kunst*. Einbildungskraft soll derjenige Begriff sein, durch den sich die dialektische Struktur des Absoluten im Hinblick auf die Dialektik des Idealen und Realen explizieren läßt. Und er muß damit zum Angelpunkt einer Philosophie des Absoluten werden, die beansprucht, die absolute Identität in ihrem wesentlichen Bezug auf Welt und menschliche Erkenntnis darzustellen. „Die Natur des Absoluten ist: als das absolut Ideale auch das absolut Reale zu seyn. In dieser Bestimmung liegen die zwei Möglichkeiten, daß es als Ideales seine Wesenheit in die Form, als das Reale, bildet, und daß es, weil diese in ihm nur eine absolute seyn kann, auf ewig gleiche Weise auch die Form wieder in das Wesen auflöst, so daß es Wesen und Form in vollkommener Durchdringung ist. In diesen zwei Möglichkeiten besteht die Eine Handlung des Urwissens; da es aber schlechthin untheilbar, also ganz und durchaus Realität und Idealität ist, so muß von dieser untrennbaren Duplicität auch in jedem Akt des absoluten Wissens ein Ausdruck und in dem, was im Ganzen als das Reale, wie in dem, was als das Ideale erscheint, beides in Eins gebildet seyn."[5]

Die Dialektik von Produktivität und Reflexivität des Absoluten wird durch die Einführung des Begriffs der Einbildungskraft in zwei dialektische Momente der Einbildung differenziert; sie entfaltet sich

---

[5] Vorlesungen (I), V, 219; vgl.: „Durch diese beiden Einheiten, in deren einer durch die Aufnahme der Unendlichkeit in die Endlichkeit das Wesen [zugleich] in die Form, in der andern durch Aufnahme der Endlichkeit in die Unendlichkeit die Form [das Besondere] in das Wesen gebildet wird, werden (in der ideellen Entgegensetzung) zwei verschiedene Potenzen bestimmt, an sich aber sind beide die völlig gleichen Wurzeln des Absoluten." (Fernere Darstellungen, IV, 416.)

in die Einbildung des Idealen in das Reale, des absoluten Wesens in die besondere Form, und in die Einbildung des Realen in das Ideale, in welcher die besondere Form in das allgemeine Wesen aufgehoben wird. Einbildungskraft ist also als ein Vermögen bestimmt, das gleichsam in einer doppelten Richtung aktiv ist und damit die Struktur der absoluten Reflexion auf der Ebene ihrer Dynamik und ihres Vollzugs zu beschreiben vermag. Im Sinn dieser Dialektik kann ‚Einbildung' sowohl für die Seite der aktiven Mitteilung des Absoluten an die Welt – als Offenbarung im Sein oder als Affirmation – stehen, als auch für den Vollzug der Reflexion durch Vernunft und Philosophie. Einbildung meint jeweils die Mitteilung oder Vermittlung einer Qualität in ein Anderes, dem jene ‚eingebildet' wird; umgekehrt ist die Einbildung der Reflexion als eine Rückführung von differenten Qualitäten in die Einheit zu verstehen. In diesem Zusammenhang wird sich auch Schellings etymologisierende Wortschöpfung der In-Eins-Bildung erklären.[6]

In dem ersten Akt der göttlichen Einbildungskraft, welcher als absolute Produktion die Einheit an die Vielheit vermittelt und – im Sinn der Metaphysik gesprochen – als *Schöpfung* das Universum des Seins begründet, dominiert somit die Seite der Objektivität des Seins und damit für die Philosophie eine ontologische Bedeutung. In der zweiten Einbildung, die als Reflexion die relative Differenz und Vielheit des Seins mit der begründenden Einheit vermittelt, entfaltet

---

[6] Der Begriff der Einbildung ist bei Schelling das Zentrum eines ausgedehnten Wortfeldes, das, zahlreiche Abwandlungen und metaphorische Formen einschließend, die gleichsam dynamische Seite des Absoluten bezeichnet; für ‚Einbildung', ‚Einbildungskraft', ‚einbilden' oder ‚eingebildet sein' können auch die Ausdrücke ‚bilden', ‚gestalten', ‚gebären', ‚abbilden', ‚übergehen', ‚eintreten', ‚pflanzen', ‚auflösen', ‚begriffen sein', ‚eingeboren sein', ‚sich expandieren', ‚verwandeln' oder ‚Hineinbildung' und ‚Wiedereinbildung' stehen. (Zum Begriff der ‚In-eins-Bildung' vgl. unten S. 88 ff., 92 f.) ‚Einbildung' und ‚Einbildungskraft' als allgemeine Begriffe haben ihren Ursprung in der philosophischen Anthropologie, Psychologie und besonders in der Ästhetik, wo sie in ihrer generellen Bedeutung die Vorstellung eines abwesenden oder fiktiven Gegenstandes durch die Phantasie oder die geistige Setzung einer Realität aus dem schöpferischen Bewußtsein bezeichnen. Diese ästhetische Grundbedeutung der Imagination, die immer eine Einheit von Kreativität und Reflexion intendiert, mag auch als Hinweis darauf verstanden werden, wie sehr Schellings allgemeine Metaphysik auch in den Jahren nach 1800 von einer ästhetischen Tendenz bestimmt ist und wie – auch ohne die explizite Bedeutung wie im *Transzendentalsystem* – die Kunst einen entscheidenden Einfluß auf die Vorstellung allgemeiner metaphysischer Probleme hat.

sich das Absolute als absolute Vernunft und begründet darin auch die endliche Subjektivität und das erkenntnistheoretische Interesse der Philosophie. „In diesem doppelten Trieb indeß lebt und webt alles, und er selbst ist entsprungen aus der ersten in-eins-Bildung, oder daraus, daß das ungetheilte Wesen des Absoluten im Realen und Idealen gleicherweise ausgeprägt, und daß nur hierin die Substanz ist."[7] In ihrer absoluten Bedeutung aufgefaßt, muß die Dialektik der Einbildungskraft daher immer als der ewige Prozeß von Differenzierung und vermittelnder Identifizierung von Sein und Denken verstanden werden; die absolute Reflexion ist daher, indem sie nur in der Form sich differenziert, das absolute Wesen aber dabei immer die Identität garantiert, wesentlich und ontologisch vorrangig als die Kraft der Ineinsbildung zu verstehen.

Als Konstruktion entfaltet die Philosophie die Totalität des Seins in der Spannung von Besonderheit und Allgemeinheit, Endlichkeit und Unendlichkeit, in einer alle Potenzen durchgreifenden universellen Struktur, die sich in der fundamentalen Dialektik von Idealität und Realität kristallisiert. Diese Struktur nun wird für den reflexiven Nachvollzug dynamisch aufgeschlossen, indem sie als Funktion der Einbildungskraft interpretiert wird. Die Theorie der Einbildungskraft leistet es, das hierarchische Verhältnis der Potenzen in der Konstruktion als einen Prozeß aufzufassen, und erst diese dynamische Betrachtung ermöglicht eine adäquate Bestimmung der konstruktiven Vermittlung von Identität und Differenz.

Die dialektische Analyse des Absoluten hat sich nun zunächst der ontologisch primären Seite ihres Gegenstandes zuzuwenden, auf der dieser als absolute Identität und als absolute Totalität des Seins zu verstehen ist. „Das Absolute oder Gott ist dasjenige, in Ansehung dessen das Seyn oder die Realität *unmittelbar*, d.h. kraft des bloßen Gesetzes der Identität aus der Idee folgt, oder: Gott ist die unmittelbare Affirmation von sich selbst."[8] Um sich selbst als Prinzip des Seins zu begreifen, muß das Absolute seine reine Identität für sich selbst aufschließen und seine absolute Einheit von Wesen und Form sich selbst als besondere Form, als die Idee seiner selbst, vergegenwärtigen. Diese „Idee Gottes", durch welche er sich selbst als be-

---

[7] Fernere Darstellungen, IV, 396
[8] PhdK, 373

sondere Form setzt und in der er sich begreift, ist es, Affirmation seiner selbst zu sein.[9]

Der erste und prinzipielle Akt der göttlichen Selbstaffirmation ist Schöpfung; der ewige Prozeß der Produktion und „der göttlichen Verwandlung der Idealität in die Realität"[10]. Affirmation seiner selbst bezeichnet den gleichsam aktiven und produktiven Aspekt des Absoluten, welches sich selbst in die Realität entäußert; es geht aus sich heraus und bildet das Eine Wesen in differente Formen ein, um sich selbst darin als die absolute Form dieser Formen zu begreifen. „Die erste Einheit in dem absoluten Wesen ist nun allgemein die, wodurch es seine Subjektivität und ewige Einheit in die Objektivität oder Vielheit gebiert, und diese Einheit in ihrer Absolutheit oder als die eine Seite des absoluten Producirens aufgefaßt, ist die ewige Materie oder ewige Natur selbst. Ohne diese würde das Absolute eine in sich selbst verschlossene Subjektivität seyn und bleiben ohne Erkennbarkeit und Unterscheidbarkeit. Nur durch Subjekt-Objektivirung gibt es sich selbst in der Objektivität zu erkennen, und führt sich selbst als Erkanntes aus der Objektivität in sein Selbsterkennen zurück."[11]

Der Kristallisationspunkt von Schellings Theorie der absoluten Einbildung und der göttlichen Imagination ist der Begriff der *Idee*. Die Theorie der Idee beansprucht, die Grundlage aller metaphysischen Philosophie zu beantworten, „wie jenes an sich schlechthin Eine und Einfache in eine Vielheit und Unterscheidbarkeit übergehe"[12], und nur hier kann sich zeigen, „wie sich jene Nacht des Absoluten für die Erkenntniß in Tag verwandele"[13]. Einbildungskraft zeigt sich hier in ihrer primären und wesentlichen Bestimmung als das Vermögen der Produktion der Ideen.

---

[9] ebd. 374; vgl.: Aphorismen I (58), VII, 151
[10] Vorlesungen (1), V, 219; vgl.: „Die Form, die in der Absolutheit mit dem Wesen eines und es selbst war, wird als Form unterschieden. In der ersten als Einbildung der ewigen Einheit in die Vielheit, der Unendlichkeit in die Endlichkeit. Dieses ist die Form der Natur, welche, wie sie erscheint, jederzeit nur ein Moment oder Durchgangspunkt in dem ewigen Akt der Einbildung der Identität in die Differenz ist." (Vorlesungen (VII) V, 282) „Realseyn = Affirmirtseyn. Nun ist Gott nur kraft seiner Idee, d.h. er selbst ist die Affirmation von sich…" (PhdK, 374)
[11] PhdK, 505
[12] ebd. 370
[13] Fernere Darstellungen, IV, 404

Der allgemeinen philosophischen Struktur nach bedeutet dies: Einbildung des Idealen in das Reale, des Wesens in die Form, und Idee ist somit die höchste Potenz der Vermittlung des Absoluten mit dem Sein, des Grundes mit dem Begründeten, wie sie in dem Postulat einer absoluten und ewigen Schöpfung angenommen worden war. „Die Wesenheiten der Dinge als gegründet in der Ewigkeit Gottes = Ideen."[14]

Die Theorie der Idee behandelt damit das spekulative Hauptproblem der Identitätsphilosophie, die Frage nach der Möglichkeit des Besonderen und der Vermittlung der Differenz mit der absoluten Voraussetzung der Identität. In seiner Lösung definiert Schellings Philosophie sich als Metaphysik, die den ontologischen und den erkenntnistheoretischen Aspekt der Idee in einem gemeinschaftlichen Prinzip begründet. „Wichtiger kann wohl keine Untersuchung gedacht werden als die über das Verhältniß der endlichen Existenz zum Unendlichen oder zu Gott. Gibt es auf diese Frage keine durchaus klare und bestimmte Antwort in der Vernunft, so ist das Philosophiren selbst eitel, die Vernunfterkenntniß durchaus unbefriedigend und unbefriedigt."[15]

Dieser Begriff der Idee erhellt weiter aus ihrem Verhältnis zum Absoluten, wie dieses sich unter dem Aspekt der Produktion darstellt. „Aber Leben und Mannichfaltigkeit, oder überhaupt Besonderes ohne Beschränkung des schlechthin Einen, ist ursprünglich und an sich nur durch das Princip der göttlichen Imagination."[16] Die besonderen Formen, welche sich aus dem „wundervollen Chaos in der göttlichen Imagination"[17] als Grund der Realität entfalten und die in sich die relative Identität des Idealen und Realen aufnehmen und darstellen, sind die *Ideen*; als solche besondere Formen der Einheit sind sie selbst auch nur in ihrer Totalität und als die Identität der Form der Formen im Absoluten zu begreifen, als Ideenkosmos oder *ewige Natur*. In der Welt der Ideen wird die sich selbst verschlossene Identität durch die Einbildung des Idealen in das Reale zu einer realen Einheit für sich selbst, da „erst die Ideen das Absolute aufschließen; nur in ihnen ist eine positive, zugleich begrenzte und

---

[14] Gesamte Philosophie, VI, 183
[15] Aphorismen I, VII, 189
[16] PhdK, 393
[17] PhdK, 406

unbegrenzte Anschauung des Absoluten"[18]; so ist die ewige Natur „das erste Gedicht der göttlichen Imagination"[19].

Ewige Natur meint im Unterschied zu der erscheinenden die „Natur an sich"[20] und als natura naturans gerade das selbst nicht erscheinende Prinzip aller endlichen Welt. Als Produkt der ersten Entäußerung des Absoluten ist in den verschiedenen Wesenheiten des absoluten All zwar Differenz gesetzt, jedoch so, daß diese kraft der Einheit der Welt der Ideen an das Absolute und seine Identität zurückgebunden bleibt. „Gott und All sind daher völlig gleiche Ideen, und Gott ist unmittelbar kraft seiner Idee die unendliche Position von sich selbst (von ihm Gleichen) zu seyn, absolutes All."[21] Als Produktion der ewigen Natur oder des Alls ist Schöpfung zugleich ein „Werk der höchsten Entäußerung"[22], muß jedoch im Sinn der absoluten Reflexion auch als dessen ewige Selbstbestimmung und Selbstanschauung verstanden werden.

Ihre Begründung aus der göttlichen Imagination macht deutlich, daß Idee für Schelling keinesfalls als nur erkenntnistheoretischer Begriff, der nur die reflexive Einheit in der Vielheit bezeichnete, sondern zunächst als ontologische Größe angesehen werden muß, die die unendliche Produktion und Affirmation des Absoluten in einem eigenen Sein – als Voraussetzung der absoluten Reflexion – fixiert. Sie kann so nicht ein bloßer ,Modus des Denkens' im Sinn einer endlichen und transzendentalen Reflexionskategorie sein, sondern bezeichnet als vermittelnde Instanz des absoluten Seins „die Urgestalt, das Wesen in den Dingen, gleichsam das Herz der Dinge"[23].

Schelling bezieht sich in dieser primär ontologischen Auffassung der Ideen explizit auf die Philosophie *Platos*. Besonders das Gespräch *Bruno* thematisiert zentral die Frage nach der Idee in dem Versuch, das Verhältnis von Wahrheit und Schönheit zu bestimmen, welche hier, wie auch bei Plato, paradigmatisch für die Ideen über-

---

[18] ebd. 394
[19] ebd. 631
[20] ebd. 378
[21] Aphorismen I (92), VII, 161
[22] Rede, VII, 304
[23] Gesamte Philosophie, VI, 183; „Die Idea kann daher auch beschrieben werden als die Vollkommenheit der Dinge" (Aphorismen I (100), VII, 162)

haupt stehen; es knüpft darin an das platonische Schema von Urbild und Abbild an, das es in einem ontologischen Sinn als ein Verhältnis absoluter Seinsbegründung interpretiert. Es sei ein „Mißverständnis der platonischen Ideenlehre", die Ideen „als bloß logische Abstrakta" oder aber „als wirkliche, physisch-existirende Wesen"[24] zu denken; die Frage nach dem Ursprung der Ideen ist also nicht vom Standpunkt des endlichen Wissens aus zu stellen, sondern vom Absoluten selbst her. Es gilt, die Wesenheiten der Dinge so aufzufassen, „wie sie auch in jenem urbildlichen Verstande vorgebildet sind, von dem wir in dem unsrigen die bloßen Abbilder erblicken"[25]. Bezeichnet Schelling die Ideen als „gleichsam die unmittelbaren Söhne und Kinder Gottes"[26] – eine Metapher, welche zugleich auf neuplatonisch-christliche Theologie und antiken Polytheismus anspielt –, so wird auch hier deren spezifische Vermittlungsfunktion angesprochen, in welcher sie zugleich in einem Verhältnis direkter Abkünftigkeit und Identität und einem relativer Differenz zum Absoluten stehen.

„Jede Idee hat zwei Einheiten, die eine, wodurch sie in sich selbst und absolut ist, die also, wodurch das Absolute in ihr Besonderes gebildet ist, und die, wodurch sie als Besonderes in das Absolute als ihr Centrum aufgenommen wird. Diese gedoppelte Einheit jeder Idee ist eigentlich das Geheimniß, wodurch das Besondere im Absoluten, und gleichwohl wieder als Besonderes begriffen werden kann."[27] Gemäß ihrer Vermittlungsfunktion zwischen Identität und Differenz hat die Idee also einen doppelten Aspekt; sie ist in sich absolut, insofern sie in perspektivischer Weise das Absolute repräsentiert, sie ist jedoch zugleich besondere Form, insofern sie durch

---

[24] Gesamte Philosophie, VI, 185
[25] Aphorismen I, VII, 189
[26] Bruno, IV, 223. Unter dem Schellings Gedanken der Affirmation durchaus vergleichbaren Aspekt der Selbstexplikation tritt bei Plotin der Geist gleichsam an die Stelle des nicht denkenden Einen und produziert in einem höchsten und zeitfreien Akt den Kosmos der Ideen. Der Geist, welcher damit das produktive Prinzip des Einen verkörpert, denkt sich in den Ideen dabei aber immer zugleich als deren reflexive Einheit. Jede Idee ist als sie selbst relative Besonderheit, repräsentiert aber perspektivisch das Ganze; als Totalität sind die Ideen das Sein des Geistes, die Substanz seiner Reflexion, in welcher er sich als die vernunfthafte Einheit von Sein und Denken erweist. Vgl. W. Beierwaltes, Denken des Einen, a. a. O. S. 56 f., 73 ff.
[27] PhdK, 390; vgl.: „Die Idee nach ihren zwei Seiten wiederholt sich im Einzelnen, wie im Ganzen. Auch in der realen Seite, wo sie ihre Subjektivität in eine Objektivität

die Einbildungskraft als das Andere des Absoluten in dessen Selbstaffirmation und Reflexion gesetzt ist. In diesem zweiten Aspekt, in dem die Idee nur eine nicht-absolute Setzung der Einbildungskraft ist, erscheint sie als Relation, welches eine Vielheit von Ideen voraussetzt, die sich wechselseitig begrenzen; diese gegenseitige Einschränkung der Ideen kann aus der Perspektive des Absoluten überhaupt die einzige Erklärung der Grenze in der absoluten Einbildung sein.[28] Nicht die einzelne Idee, welche es ohnehin nur unter dem formellen Aspekt der philosophischen Konstruktion geben kann, vermag die geforderte Vermittlung von Absolutheit und Reflexion, von Endlichkeit und Unendlichkeit zu leisten, sondern nur die Vorstellung einer ihrerseits unendlichen Entfaltung des Absoluten in eine in ihrer Totalität universelle Welt der Ideen.[29]

---

bildet, ist sie Idee, obgleich sie in der Erscheinung nicht als solche, sondern als Seyn erscheint. Die Idee läßt in dem Realen der Erscheinung nur die eine Seite zurück, in dem Idealen der Erscheinung zeigt sie sich als Ideales; aber eben deßwegen nur in der Entgegensetzung gegen das Reale, also als relativ-Ideales. Das An-Sich ist eben das, worin die beiden Seiten eins sind." (ebd. 507)

[28] vgl.: „Die Endlichkeit besteht nur in den Relationen der Wesenheiten aufeinander, die Gott ihnen nicht geben, nicht positiv in ihnen bejahen, aber auch nicht nehmen (wenn schon nicht als nichtig in Bezug auf sich selbst setzen) kann." (Aphorismen I, VII, 190)

[29] Die Totalität der Ideen, wie sie in dem Begriff der ewigen Natur gefaßt ist, soll sich als ein System begreifen lassen, welches deren Relationen und ihre Vermittlungsfunktion zwischen Identität und Differenz entfaltet und philosophisch nachvollzieht. Dieses System entfaltet Schelling in der philosophischen Konstruktion mittels seiner Begriffe der *Potenz* und der *quantitative Differenz*. Als Potenz aufgefaßt erscheint die Idee als dynamische Größe, welche gemäß ihrer Position eine eigene Produktivität entfaltet, in der sich das eine in der Idee bereits differenzierte Wesen weiter mit der Realität vermittelt. „Wir bezeichnen die Einheiten oder die besonderen Folgen der Affirmation Gottes, sofern sie im realen oder idealen All wiederkehren, durch Potenzen." (PhdK, 379) Alles Sein ‚außerhalb' des Absoluten, sofern es unter der Bestimmung der Differenz und „unter der Form der Einbildung der Idealität in die Realität gesetzt ist"(ebd.), wird als Potenz der absoluten Einbildung aufgefaßt. Insofern die Ideen gegenüber anderen differenziert sind und so als formelle Gegensätze verstanden werden, soll in dem Begriff der Potenzen ihre je spezifische Identität, und das heißt das spezifische Verhältnis, in welchem Idealität und Realität jeweils stehen, erfaßbar werden. Die Lehre von den Potenzen intendiert damit die begriffliche Ausfaltung jener ontologischen Ordnung, welche in der absoluten Einbildung der Schöpfung gesetzt wird.
Ein weiterer Begriff Schellings, der im Kontext der Potenzenlehre das Verhältnis von Identität und Differenz zu beschreiben und dabei das Grundproblem der Theorie der absoluten Einbildung zu lösen versucht, mit dieser Beschreibung keine Differenz in das Absolute selbst zu setzen, ist der der quantitativen Differenz. Wie Potenz meint auch quantitative Differenz den relationalen Charakter der Idee, in welchem sie

Die erste und absolute Einbildung des Idealen in das Reale hat durch die Begriffe der Idee und der ewigen Natur eine erste und primär ontologisch gedachte Vermittlung der Identität mit der Differenz geleistet. Nun ist Einbildungskraft ihrem absoluten Wesen nach als das Vermögen der Ineinsbildung bestimmt und impliziert daher einen Begriff von Identität, der für Schelling nur als die Identität von Sein und Denken verstanden werden kann. Die Einbildung der absoluten Affirmation ist also für die Philosophie nicht vollständig begriffen, wenn sie nicht durch eine Bewegung des Denkens ergänzt wird, welche die geleistete absolute Produktion als das tatsächliche Medium der Selbstreflexion des Absoluten begreift und beweist. Affirmation war in ihrer ursprünglichen Annahme immer schon als Reflexion und das Absolute an sich als die Einheit dieser Affirmation und Reflexion verstanden worden. Die Prämisse der absoluten Affirmation für diese Reflexion war, daß das Absolute in der absoluten Schöpfung nicht im Sinn einer wirklichen Selbstentäußerung aus sich herausgehe, sondern sich in der Welt der Ideen als dem ihm relativ Anderen affirmiere, um sich in dieser Setzung selbst zu reflektieren. In der Reflexion auf die absolute Identität muß

---

nicht dem Wesen, sondern nur der Form nach Selbstdifferenzierung des Absoluten im Sinn der Reflexion ist. (Vgl.: „Erklärung von quantitativer Differenz. – Eine Differenz, die nicht dem Wesen nach gesetzt ist (eine solche statuiren wir überhaupt nicht), eine Differenz also, welche bloß auf der Verschiedenheit der Form beruht, und die man deßwegen auch differentia formalis nennen kann." (Darstellung, IV, 127); vgl. Fernere Darstellungen, IV, 379; Gesamte Philosophie, VI, 211.)
Insofern die Einbildung des Absoluten in die Ideen in der Theorie der Potenzen als ein dynamischer Prozeß der Vermittlung verstanden wird, kann hier auch der Bereich der sinnlichen und endlichen Welt thematisch werden. Im Zusammenhang der Diskussion der Welt der Ideen an sich, ihrer idealen Seite, wo sie in ihrer wesentlichen Identität mit dem Absoluten bewiesen werden sollte, war jede Beziehung der Idee auf die Endlichkeit abgewehrt worden; auf ihrer realen Seite jedoch, wie sie sich im System der Potenzen der Natur entfaltet, erscheint sie als natura naturans, wodurch sie auch als das produktive Prinzip der erscheinenden Welt verstanden werden kann. Die dynamische Hierarchie des Potenzensystems muß – dies war das Postulat der philosophischen Konstruktion – die Totalität des Seins umfassen und daher auf ihrer realen Seite bis zu der materiellen Existenz des Einzelnen und Besonderen reichen. Die Einbildung des Idealen in das Reale ist hier zu ihrer absoluten Grenze und Verwirklichung in der äußersten Individualisierung fortgeschritten, so daß in ihrem Produkt das Wesen in seiner letzten Differenzierung sich ganz der Form untergeordnet hat und diese Potenz damit auch ganz unter dem Übergewicht des Realen steht; ihr Resultat ist „ein Gemischtes von Realität und von Negation, es ist ein Limitirtes, ein Etwas, ein Concretes, Einzelnes, oder nach dem gewöhnlichen Sprachgebrauch Wirkliches" (Gesamte Philosophie, VI, 190).

das Wesen des Absoluten – absolut gesprochen – von jeder Differenz und Beziehung auf die endliche Welt freigehalten werden, da es nur so als Prinzip der Identität und als Grund alles Seins gedacht werden kann; nicht-absolut gesprochen soll jedoch Differenz der Ideen und, aus ihnen folgend, der endlichen Welt angenommen werden, da nur durch das Postulat einer Selbstdifferenzierung des Absoluten die konkrete Einheit von Affirmation und Reflexion denkbar wird. Schelling löst diese Aporie nun durch das Postulat eines Vermögens des Absoluten, sich als die Einheit der Einheit und der Differenz zu bestätigen. Dieses Vermögen der positiven Reflexion des Absoluten ist die *Vernunft*.

„Die Form, die in der Absolutheit mit dem Wesen eines und es selbst war, wird als Form unterschieden. In der ersten als Einbildung der ewigen Einheit in die Vielheit, der Unendlichkeit in die Endlichkeit... Die Form der andern Einheit wird als Einbildung der Vielheit in die Einheit, der Endlichkeit in die Unendlichkeit unterschieden und ist die der idealen oder geistigen Welt. Diese rein für sich betrachtet ist die Einheit, wodurch die Dinge in die Identität als ihr Centrum zurückgehen und im Unendlichen sind, wie sie durch die erste in sich selbst sind."[30] So ergibt sich aus der Bestimmung der Vernunft als des Vermögens der absoluten Selbstreflexion das Postulat einer zweiten Einbildung, der des Endlichen in das Unendliche, der Differenz in die Identität; allgemein: des Realen in das Ideale. Indem die Vernunft die erste Einbildung als die Struktur begreift, in der das Absolute sich in relativer Differenz entfaltet, muß sie diese nun durch eine zweite Einbildung auf der Voraussetzung der ersten ergänzen, welche in der entgegengesetzten Form die Differenz wiederum mit der Identität vermittelt. Die absolute Identität wird sich gerade dadurch selbst zum Gegenstand der Reflexion und des Selbstbewußtseins, indem sie sich als das Identische in der Bildung des Anderen erweist, als ihrer sich selbst ansichtige Einheit. „Das Absolute expandirt sich in dem ewigen Erkenntnißakt in das Besondere nur, um in der absoluten Einbildung seiner Unendlichkeit in das Endliche selbst dieses in sich zurückzunehmen, und beides ist in ihm Ein Akt."[31] Schelling hat im Zusammenhang der göttlichen

---

[30] Vorlesungen (VII), V, 282; vgl. PhdK, 506
[31] Ideen, II, 65; vgl. Ferner Darstellungen, IV, 390; Gesamte Philosophie, VI, 171; vgl.: W. Beierwaltes, Platonismus und Idealismus, a. a. O. S. 119

Imagination jede Verendlichung des Absoluten abgewehrt; nun kann er mit dem Begriff der Reflexion das eigentliche Wesen des absoluten Hervorgehens als In-sich-Zurückgehen, als das ewige Denken des Seins in der absoluten Vernunft beschreiben. Wie die Reflexion – als Prozeß der Vernunft, nicht des Absoluten an sich – die absolute Affirmation voraussetzt, so ist umgekehrt Affirmation nur denkbar in dem ewigen Akt der identifizierenden und reflexiven Vermittlung des Affirmierten mit dem Affirmierenden, welche beide in dem konkreten Begriff der absoluten Identität zusammenfallen.

In der Ergänzung der affirmativen Einbildung durch die Einbildung der Reflexion erweist sich die Vernunft als das Vermögen der absoluten *Ineinsbildung*, da sie in ihrer Vollendung die in der ersten Einbildung gesetzte Differenzierung des Idealen und des Realen wiederum aufhebt und in die höhere Einheit vermittelt, in der sich die immer schon vorausgesetzte Identität der Affirmation als dieselbe der Reflexion zeigt und darin erst als positive Selbstbejahung des Absoluten verstanden werden kann. In der Explikation der absoluten Produktion waren Idee und ewige Natur die Begriffe gewesen, welche als Produkte der göttlichen Imagination die Identität in die Differenz entfalteten. Nun im Horizont der Vernunft zeigt sich, daß diese Entfaltung selbst als ein Element der Reflexion verstanden werden muß und daher erst aus der umgekehrten Perspektive vom Realen zum Idealen in ihrer Bedeutung angemessen begriffen ist. Erst für die Vernunft, die alle Differenz nur gesetzt hat, um sie wieder aufzuheben, kann Idee eigentlich zu einer zentralen Kategorie der Vermittlung des Besonderen und Endlichen mit dem Allgemeinen und Unendlichen werden, „denn die Vernunft ist für die abgebildete Welt dieselbe Indifferenz, welche an sich und schlechthin betrachtet das Absolute selbst ist. Nur für die Vernunft ist ein Universum, und etwas vernünftig begreifen heißt: es zunächst als organisches Glied des absoluten Ganzen, im nothwendigen Zusammenhang mit demselben, und dadurch als einen Reflex der absoluten Einheit begreifen"[32].

In dem All der Ideen erkennt die Vernunft deren wesentliche Einheit und Begründung in dem einen Wesen des Absoluten; insofern

---

[32] Fernere Darstellungen, IV, 390

das Absolute sich selbst als Vernunft setzt, reflektiert es sich in dem idealen All und erkennt sich selbst als den begründenden Grund aller Realität der besonderen Formen. „Die Dinge an sich sind also die Ideen in dem ewigen Erkenntnißakt, und da die Ideen in dem Absoluten selbst wieder Eine Idee sind, so sind auch alle Dinge wahrhaft und innerlich Ein Wesen, nämlich das der reinen Absolutheit in der Form der Subjekt-Objektivierung."[33]

Die Vernunft ist bestimmt durch die absolute Indifferenz des Subjektiven, Affirmierenden, und des Objektiven, Affirmierten; ihrem Wesen nach ist sie identisch mit dem Absoluten an-sich, ihrer Form nach ist sie diese Einheit von Subjektivität und Objektivität, welche das Wesen der Selbsterkenntnis ist.[34] Vernunft ist das Organ der absoluten Reflexion als der Selbstreflexion des Absoluten. Als dessen besondere Form der Einbildung des Realen in das Ideale betrachtet, konstituiert sie den intelligiblen Kreis, welcher absolute Affirmation und absolute Reflexion umschließt und in einen konkreten Begriff des Absoluten aufhebt. Nicht im Sinn der Existenz des Besonderen, aber in dessen reflektierter Idealität umgreift sie damit auch die endliche Welt und das endliche Denken.

Dies ist für Schelling die systematische Stelle innerhalb der Explikation der Vernunft, wo sich die *endliche Philosophie* mit der absoluten Reflexion vermittelt und Philosophie als Philosophie der Identität sich begründet und legitimiert. In der Terminologie der Teilhabe gesprochen heißt dies, daß die Philosophie die Struktur, in welcher sich die Vernunft dem Seienden mitteilt und es reflexiv in der Idee begründet, nachzuvollziehen habe und darin zugleich die eigene Begründung und die Teilhabe des endlichen Denkens an dem ewigen der Vernunft verifiziert, denn „überhaupt gibt es nicht eine Vernunft, die wir hätten, sondern nur eine Vernunft, die uns hat"[35].

Vernunft in diesem Verständnis ist nun nicht transzendentalphilosophisch als ein Vermögen der Subjektivität zu verstehen, sondern als der die Möglichkeit von Subjektivität und Objektivität allererst begründende Grund und ontologische Ursprung. Sofern sub-

---

[33] Ideen, II, 65
[34] vgl. Darstellung, IV, 114: „Ich nenne Vernunft die absolute Vernunft, oder die Vernunft, insofern sie als totale Indifferenz des Subjektiven und des Objektiven gedacht wird."
[35] Aphorismen I (46), VII, 149

jektive Erkenntnis diese Identität in der ihr notwendigen diskursiven Form zu realisieren versucht, vermag sie es nur in jenem Begründungsverhältnis und als Organ der ewigen Vernunft.

Hieraus bestimmt sich nun unter den Prämissen der absoluten Reflexion wiederum das Verhältnis von Vernunft und Philosophie; wie Vernunft als das Organ der urbildlichen Reflexion des Absoluten gesetzt wurde ist Philosophie das Organ der abbildlichen Selbstreflexion der Vernunft in der endlichen Welt. „Das lebendige Princip der Philosophie und jedes Vermögens, wodurch das Endliche und Unendliche absolut gleich gesetzt werden, ist das absolute Erkennen selbst, sofern es die Idee und das Wesen der Seele, der ewige Begriff ist, durch den sie im Absoluten ist, und der, weder entstanden noch vergänglich, schlechthin ohne Zeit ewig, das Endliche und Unendliche im Erkennen gleichsetzend, zugleich das absolute Erkennen und das einzig wahre Seyn und die Substanz ist."[36] Schelling macht hierzu die Anmerkung: „Die Philosophie führt eben dadurch, daß sie von jenem absoluten Erkennen ausgeht, zugleich ihren Selbstbeweis (sie kann nur sich selbst beweisen, da absolute Wissenschaft); sie führt uns bis zu dem Punkt, wo jenes absolute Wissen, das = Absolutes selbst, uns eingebildet ist als die Idee und das Wesen unserer Seele."[37] Allein in dieser Annahme einer ursprünglichen Identität von Sein und Denken und einer Teilhabe und wesentlichen Einheit des Ich mit dieser Identität liegt die Möglichkeit einer absoluten Philosophie und die Legitimation ihres Anspruchs, die Standpunkte Kants und Fichtes überwunden zu haben.

Der unmittelbare Reflex der vernunfthaften Einheit von Denken und Sein, Idealität und Realität in der endlichen Philosophie ist die *intellektuelle Anschauung*. Im Sinn der Identitätsphilosophie liegt so die entscheidende Aufgabe der Vermittlung von endlichem Denken und absoluter Erkenntnis darin zu zeigen, daß der Identitätspunkt der Philosophie, die intellektuelle Anschauung, mit der Selbsterkenntnis des Absoluten in der Vernunft selbst zusammenfalle. „Wir vollenden mit wenigen Zügen den Beweis, daß es für das Bewußtseyn selbst einen Punkt gebe, wo das Absolute selbst und das Wissen des Absoluten schlechthin eins ist."[38]

---

[36] Fernere Darstellungen, IV, 370 f.
[37] ebd. 371
[38] ebd. 366

Dieser Punkt im philosophischen und insofern endlichen Wissen, der die intellektuelle Anschauung sein soll, wäre zugleich jener, wo die endliche Reflexion sich auf ihre Einheit mit dem Wissen des Absoluten selbst hin transzendierte. Das Vermögen der unmittelbaren Einsicht in den identischen Grund von Sein und Denken kann daher auch innerhalb des Selbstbewußtseins nicht dem diskursiven Denken angehören, sondern muß eine davon unterschiedene Weise der Erkenntnis darstellen. „Indem die Vernunft aufgefordert wird, das Absolute weder als Denken noch als Seyn und doch zu denken, entsteht für die Reflexion ein Widerspruch, da für diese alles entweder ein Denken oder ein Seyn. Aber eben in diesem Widerspruch tritt die intellektuelle Anschauung ein und producirt das Absolute."[39]

Bereits mit der Wahl des an sich dialektischen Begriffs der intellektuellen Anschauung, welcher die Vereinigung entgegengesetzter Erkenntnisvermögen postuliert, ist angezeigt, daß es sich hier um eine Reflexion und objektive Anschauung, Idealität und Realität vereinigende Erkenntnisweise handeln soll. Der reinen Reflexion würde das Absolute nur als das ideelle Prinzip des Denkens zugänglich sein, nicht aber in seiner ontologischen Präsenz als das Prinzip alles Seins; gefordert ist daher zugleich eine Anschauung, „denn alle Anschauung ist Gleichsetzen von Denken und Seyn, und nur in der Anschauung überhaupt ist Realität"[40]. In diesem Akt der Evidenz bleibt die absolute Identität nicht allein Gegenstand des Denkens, sondern realisiert sich selbst, indem sie ihr Sein gerade in den anschauenden Vollzug der Identität setzt. Die wahre Erkenntnis des Absoluten „ist nur in einer Anschauung, die das Denken und Seyn absolut gleichsetzt, und indem sie das Absolute formell ausdrückt, zugleich Ausdruck seines Wesens wird. Intellektuell nennen wir diese Anschauung, weil sie Vernunft-Anschauung ist und als Erkenntniß zugleich absolut eins mit dem Gegenstand der Erkenntniß."[41]

Der Begriff der intellektuellen Anschauung intendiert die Vermittlung des endlichen Denkens mit der Vernunft; die Philosophie erscheint in ihrem Vollzug selbst als identisch mit der Vernunft und gelangt so zu einer Erkenntnis des Absoluten und zu der Einsicht,

---

[39] ebd. 391
[40] ebd. 368 f.
[41] ebd. 369

daß das Absolute in seiner Identität der absolute Grund aller möglichen Erkenntnis sei.[42] Resultat dieser Identifikation der Philosophie mit der Vernunft ist ein konkreter Begriff des Absoluten, in dem die Philosophie beansprucht, das Absolute zu wissen, wie es sich in seiner Selbstreflexion weiß. „Alles wahre Wissen, d. h. alles Vernunftwissen, ist auch unmittelbar wieder ein Wissen dieses Wissens, und wenn das Absolute der Grund und das Princip aller Wahrheit ist, so weiß ich demnach unmittelbar, indem ich ein wahres Wissen habe, auch, *daß* ich ein solches Wissen habe."[43] Die Vermittlung des endlichen Ich mit dem Absoluten wird in der intellektuellen Anschauung jedoch nicht mehr selbst als eine Leistung der philosophischen Reflexion angesehen, sondern als ein Resultat der absoluten Reflexion der Vernunft, welche das Ich umgreift und auf welche hin das endliche Ich sich transzendiert.

Die intellektuelle Anschauung ist also zugleich als jenes transzendentale Vermögen anzusehen, in welchem sich das endliche Ich der absoluten Erkenntnis vergewissert, gehört aber ihrem Wesen nach nicht mehr eigentlich der endlichen Subjektivität an. Hier begreift sich das Ich als das identische Organ der Vernunft und in dem entsubjektivierenden Vollzug der Evidenz der intellektuellen Anschauung als die Vernunft selbst, welche ihrem Wesen nach über den Gegensätzen von Subjektivität und Objektivität, Ich und Welt, steht. „Die Identification der Form mit dem Wesen in der absoluten intellektuellen Anschauung entreißt dem Dualismus die letzte Entzweiung, in der er sich hält, und gründet, an der Stelle des in der erscheinenden Welt befangenen Idealismus, den absoluten Idealismus."[44]

In der Identität mit der Vernunft kann sich die Philosophie als *absoluter Idealismus* und als Vernunftwissenschaft begreifen; sie ist in dieser Qualität nicht mehr Reflexion in dem aktiven Sinn der Vermittlung des Endlichen mit dem Unendlichen, sondern gleichsam entsubjektivierter Vollzug der absoluten Selbstreflexion, in welcher

---

[42] vgl.: „Wird nun das Absolute als dasjenige aufgefaßt, was an sich reine Identität, aber als diese zugleich das nothwendige Wesen der beiden Einheiten ist, so haben wir damit den absoluten Indifferenzpunkt der Form und des Wesens aufgefaßt, denjenigen, von dem alle Wissenschaft und Erkenntniß ausfließt." (Vorlesungen (VII), V, 281; vgl. auch Gesamte Philosophie, VI, 168 f.)
[43] Gesamte Philosophie, VI, 173; vgl. Bruno, IV, 290
[44] Fernere Darstellungen, IV, 404; vgl. Gesamte Philosophie, VI, 163

die besondere Form der Subjektivität bereits in dem identischen Wesen der Vernunft aufgegangen ist. „Es gibt daher kein Aufsteigen der Erkenntniß zu Gott, sondern nur unmittelbare Erkennung, aber auch keine unmittelbare, die des Menschen wäre, sondern nur des Göttlichen durch das Göttliche."[45]

Die vernunfthafte Einbildung des Realen in das Ideale hat mit ihrem Resultat, das Absolute als den identischen Grund aller Affirmation und Reflexion zu erkennen, auch ihre eigene Voraussetzung, die absolute und ewige Ineinsbildung des Realen und des Idealen, eingeholt. Als Vernunfterkenntnis ist sie der Vollzug der absoluten Ineinsbildung und damit nicht nur die ideelle, sondern auch die reale Einheit von Denken und Sein. Besonderes und Allgemeines, die reelle und die ideelle Einheit selbst sind nur für die Reflexion, insofern sie die intellektuelle Anschauung und das Niveau der vernunfthaften Reflexion des Absoluten noch nicht erreicht hat, notwendig getrennte Bereiche, für die absolute Vernunft aber ist das Sein nur in der Ineinsbildung mit dem Denken des Seins (in der absoluten Reflexion) möglich und damit immer nur unter der Prämisse der ewigen Identität von Produktion und Reflexion. „In dieser Gleichheit oder gleichen Absolutheit der Einheiten, die wir als das Besondere und das Allgemeine unterscheiden, ruht und ist gefunden das innerste Geheimniß der Schöpfung oder der göttlichen Ineinsbildung (Einbildung) des Vorbildlichen und Gegenbildlichen, in welcher jedes Wesen seine wahre Wurzel hat; denn weder das Besondere noch das Allgemeine für sich würde eine Realität haben, wenn nicht im Absoluten beides in eins gebildet, d.h. beides absolut würde."[46] Unter dieser Vorraussetzung der wesentlichen Identität der Philosophie mit der Vernunft und damit der Möglichkeit des endlichen Denkens, sich auf die Ebene der Realität des Gesetzes der Identität zu erheben, kann der Satz gelten: „Betrachtet jenes Gesetz an sich selbst, erkennet den Gehalt, den es hat, und ihr werdet Gott schauen."[47] Dieser Begriff der Identität ist das höchste Resultat der

---

[45] Aphorismen I (51), VII, 150
[46] Fernere Darstellungen, IV, 394
[47] Aphorismen I (40), VII, 148; vgl.: „Das reine Subjekt-Objekt aber, jenes absolute Erkennen, das absolute Ich, die Form aller Formen, ist der dem Absoluten eingeborne Sohn, gleich ewig mit ihm, nicht verschieden von seinem Wesen, sondern eins. Wer also diesen besitzt, besitzt auch den Vater..." (Bruno, IV, 327)

Vernunft, welche ganz im Absoluten aufgegangen ist. Die Dialektik von Affirmation und Reflexion ist in dem Begriff der Einheit aufgehoben, in dem die Formen der Affirmation und Reflexion, Sein und Denken, als begriffene im Sinn der ewigen Ineinsbildung in ihr eines Wesen zurückgeführt worden sind.

Erst in diesem Zusammenhang des vollendeten Begriffs der Vernunft als der absoluten Ineinsbildung des Realen und des Idealen erhält die Schöpfung der produktiven Einbildungskraft ihren vollen Sinn. In ihrer Vernünftigkeit kann die Welt, das Produkt dieser Schöpfung, als Offenbarung Gottes angesprochen werden, denn erst in ihrer begriffenen immanenten Reflexivität ist sie ein wirklicher Spiegel des göttlichen Wesens, und erst in der in der Vernunft aufgehobenen ewigen Natur ist sie absolute Repräsentanz der ewigen Identität von Denken und Sein. Durch den reflexiven Erweis dieser Einheit zeigt aus der Perspektive der Vernunft die Metapher von der ‚Kunst' Gottes ihre eigentliche Bedeutung, insofern Kunst nicht nur objektive, sondern zugleich reflexive Anschauung der symbolischen Ineinsbildung von Idee und Realität meint.[48] „Das Universum ist in Gott als absolutes Kunstwerk und in ewiger Schönheit gebildet. Unter Universum ist nicht das reale oder ideale All, sondern die absolute Identität beider verstanden. Ist nun die Indifferenz des Realen und Idealen im realen oder idealen All Schönheit, und zwar gegenbildliche Schönheit, so ist die absolute Identität des realen und idealen All nothwendig die urbildliche, d.h. absolute Schönheit selbst, und insofern verhält sich auch das Universum, wie es in Gott ist, als absolutes Kunstwerk, in welchem unendliche Absicht mit unendlicher Nothwendigkeit sich durchdringt."[49]

Die Rede von der Schöpfung als absolutem Kunstwerk muß so als Metapher verstanden werden für die in der göttlichen Ineinsbildung verwirklichte Einheit von absoluter Schöpfung und reflektierender Anschauung: die Welt der Ideen ist erste Differenzierung und Selbstdarstellung Gottes in der Vernunft und vermittelt sich für die Reflexion bis in die sinnliche Anschauung; umgekehrt transzendiert sich die endliche Anschauung in der Reflexion auf die intellektuelle Anschauung der Einheit des Universums in Gott. Wie im *Trans-*

---

[48] vgl. W. Beierwaltes, Einleitung, a. a. O. S. 11, 22, 24, und oben S. 38, 41
[49] PhdK, 385

zendentalsytem die ästhetische als die gegenständlich gewordene intellektuelle Anschauung verstanden wurde, kann auch die Metaphorik der göttlichen Kunst von der Seite der Reflexion her in diesem Sinn der Objektivierung und Begründung der intellektuellen Anschauung durch die Vernunft gesehen werden. So überträgt sich der philosophische Status der realen Kunst in Schellings Transzendentalphilosophie auf das Bild von der absoluten Kunst in seiner Identitätsphilosophie. Die Kunst erhielt dort ihre besondere Bedeutung dadurch, daß sie die Einheit der Gegensätze von realer und idealer Welt, von Subjektivität und Objektivität in der Anschauung vorzustellen vermochte; die Identitätsphilosophie symbolisiert diese Leistung, die sie der Vernunft selbst zuspricht, durch die ‚Kunst‘ Gottes, welche ebenfalls die Einheit von Affirmation und Reflexion impliziert, in der das Absolute zu dem konkreten Begriff seiner Identität gelangt. Leitend ist in diesem Verständnis nicht nur, wie in der traditionellen Vorstellung der Metaphorik der göttlichen Kunst, die Vorstellung von der freien Schöpfung nach einer Idee, sondern der Gedanke, daß diese Schöpfung selbst eine wesentliche Funktion der Selbstreflexion sei, welche nicht ohne affirmative Anschauung und reflektierende Identifikation von Sein und Denken möglich ist. „Schönheit und Wahrheit, Einbildungskraft und Vernunft in der reflektirten Welt; absolute Einheit des Endlichen und Unendlichen in der Einbildung der Form in das Wesen und des Wesens in die Form in der absoluten Welt – jedes von diesen begreift in seiner Absolutheit das andere in sich, und ist selbst wieder in ihm begriffen. Das Universum ist im Absoluten als das vollkommenste organische Wesen und als das vollkommenste Kunstwerk gebildet: für die Vernunft, die es in ihm erkennt, in absoluter Wahrheit, für die Einbildungskraft, die es in ihm darstellt, in absoluter Schönheit. Jedes von diesen drückt nur dieselbe Einheit von verschiedenen Seiten aus, und beide fallen in den absoluten Indifferenzpunkt, in dessen Erkenntniß zugleich der Anfang und das Ziel der Wissenschaft ist."[50] In der absoluten Reflexion der Vernunft, in welcher die sinnliche Anschauung der schönen Erscheinung in die übersinnliche Anschauung der Schönheit der Ideen aufgehoben ist, müssen daher auch Schönheit und Wahrheit zusammenfallen. Sie bezeichnen in

---

[50] Fernere Darstellungen, IV, 423

diesem absoluten Verständnis und als Strukturen der Vernunft den-selben Sachverhalt: für die Reflexion ist Wahrheit die Form, in der die Vernunft die Einheit von Sein und Denken realisiert und verge-wissert; Schönheit, als Metapher im Sinn der Vernunft aufgefaßt, meint dieselbe ontologische Einheit, insofern sie von ihrer realen Seite her als Gegenstand der intellektuellen Anschauung gesehen wird. Das Absolute wird sich in seiner Kunst selbst zur höchsten Selbstanschauung, von der die intellektuelle Anschauung gleichsam das philosophische Abbild ist, und vergegenwärtigt sich darin für sich selbst sich als das vernünftige und reale Prinzip der Schöpfung und als die absolute Ineinsbildung beider.

B. Das Vermögen der Gegenbildlichkeit

Mit der Theorie der Gegenbildlichkeit der Kunst gegenüber der Philosophie hat Schelling die Autonomie der Kunst ebenso wie ihre ontologische Position innerhalb des Gesamtkonzepts der Philoso-phie des Absoluten bestimmt. Als „Ausfluß des Absoluten"[51] steht die Kunst in gleicher Unmittelbarkeit zum göttlichen Prinzip von Denken und Sein wie die Philosophie und als dieses Medium der Selbstoffenbarung des Absoluten ist sie Gegenstand der *Philosophie der Kunst*. Wie die Philosophie hat auch die Kunst das Eine Wesen Gottes und des Universums zu ihrem Zentrum, und wie die Philoso-phie, welche sich in ihrer höchsten Bestimmung als die Reflexion der absoluten Vernunft selbst versteht, das Absolute im Urbild reprä-sentiert, leistet dies die Kunst im Medium der gegenbildlichen An-schauung.

Mit der Bestimmung der Kunst als „Enthüllerin der Ideen"[52] ist der ästhetischen Anschauung eine dem begrifflichen Denken gleich-ursprüngliche Wahrheitsfähigkeit und Erkenntnisfunktion zuge-sprochen, mit welcher sie in das Zentrum der spekulativen Philoso-phie gestellt ist. Für die *Philosophie der Kunst* gilt es also, die spezi-fische Qualität der *künstlerischen* Offenbarung und Darstellung der absoluten Identität zu begreifen und mit den allgemeinen Struktu-

---

[51] PhdK, 372
[52] Vorlesungen (XIV), V, 345

ren der Vernunft zu vermitteln. In dieser fundamentalen Bestimmung ist Kunst daher zunächst nicht in ihrer empirischen Erscheinung und unter dem Aspekt der Subjektivität und Individualität ihrer Werke und Schöpfer thematisch, sondern als ein im Absoluten begründeter Bereich des Seins selbst.

Aus dieser Bestimmung der Kunst im Rahmen der allgemeinen metaphysischen Konzeption ergibt sich auch ihre systematische Stellung innerhalb der Konstruktion des Universums durch die Philosophie. In der Struktur des absoluten Universums steht die Kunst, wie auch die Philosophie, gegenüber der Natur, als dem schlechthin Realen, auf der Seite der idealen Welt. Innerhalb der idealen Welt aber stehen sie sich wiederum wie die Potenzen des Realen und Idealen gegenüber; während die Philosophie in urbildlicher Idealität die absolute Reflexion an sich selbst vollzieht, repräsentiert die Kunst sie in der Realität und in dem gegenbildlichen Medium der Anschauung.

Damit sind die Koordinaten des philosophischen Systems, welche die Position der Kunst bestimmen, definiert; gegenüber der Natur ist sie ideell und Teil der geistigen Welt, der Vernunft und dem Begriff aber steht sie als deren reales Komplement gegenüber, indem sie das Absolute in der Form der sinnlichen Anschauung vergegenwärtigt. In dieser Zwischenstellung, welche in einer Hinsicht an der Idealität des Denkens, in der anderen an der Realität des Seins teilhat, liegt für Schelling die besondere Vermittlungsfunktion der Kunst begründet, welche ihr sowohl innerhalb als auch neben der Philosophie zukommen soll.

1. Das Wesen der Kunstanschauung

Mit dem Postulat der Gegenbildlichkeit der Kunst sind aus der Perspektive der idealen Welt deren zentrale Aufgabe und Qualität a priori bestimmt. Was die Philosophie im Medium des Denkens und des Begriffs in rein idealer Weise für die Offenbarung und Reflexion des Absoluten leistet, soll die Kunst in der Realität der Anschauung repräsentieren. Im Horizont der sich entäußernden und reflektierenden Identität bestimmen Kunst und Philosophie ihren absoluten Ort in ihrem gemeinschaftlichen Bezug auf die Idee. Es sind „dieselben Urbilder, ... die in der Kunst selbst – als Urbilder – demnach in ihrer Vollkommenheit – objektiv werden, und in der reflektirten Welt selbst die Intellektualwelt darstellen"[53].

Als reale Potenz der absoluten Offenbarung und Selbstreflexion ist die Kunst wesentlich Anschauung des Absoluten in der Form der Ideen. Wie der Begriff der Idee aus der Perspektive der philosophischen Vernunft die dem Absoluten wesensgleichen Strukturen seiner Selbstoffenbarung und reflexive Vermittlung des Idealen mit dem Realen bezeichnet, so ist er auch für die Ästhetik der zentrale Kristallisationspunkt einer Theorie der Kunst-Anschauung. In den Ideen schließt sich die absolute Identität gleichsam für das Denken auf und stellt sich selbst in relativer Differenz dar; diese in der göttlichen Imagination begründete intelligible Repräsentation ist auch der ermöglichende Grund und absolute Bezugspunkt der künstlerischen Vergegenwärtigung der absoluten Identität des Realen und des Idealen in der ästhetischen Anschauung.

„Das Endliche nur aufgelöst im Unendlichen zu sehen, ist der Geist der Wissenschaft in ihrer Absonderung: das Unendliche in der ganzen Begreiflichkeit des Endlichen in diesem zu schauen, ist der Geist der Kunst."[54] Damit ist auch das Grundgesetz aller künstlerischen Darstellung als die Vergegenwärtigung des Absoluten in der Begrenzung endlicher Anschauung, ohne daß dabei seine Absolutheit aufgehoben würde, bestimmt und die Idee als der allen Kunstwerken gemeinschaftliche und höchste Gehalt, welcher zugleich notwendiges Prinzip ihrer Form ist, postuliert. Wie die Idee in philosophischer Hinsicht als die urbildliche und prinzipielle Vermittlung des Idealen und Realen in der Vernunft anzusehen ist, so garantiert sie in der gegenbildlichen Darstellung der Kunst die Einheit von Form und Inhalt des Werkes und ist damit die allgemeine ontologische Substanz der Kunst, aus der die Reflexion auf deren Produktion, Wirkung und ästhetische Qualität ihre Maßgabe erhalten.

Die immanente Dialektik der Idee, die für das Denken des Absoluten zugleich die erste Setzung von Differenz, darin aber auch die perspektivische Repräsentation von dessen Totalität bedeutet, ist so auch der Grund der wesentlichen Dialektik der Kunstanschauung. Das Absolute und Unendliche soll hier in der endlichen Anschau-

---

[53] PhdK, 369
[54] Aphorismen I (13), VII, 142

ung des Kunstwerks erscheinen und wird darin durch die Realität begrenzt und objektiv; insofern die Kunst an diese Bedingungen der endlichen Anschauung gebunden ist, vermag sie nicht, das Absolute an sich darzustellen, sondern kann nur als der reale Schein und Spiegel des Unendlichen gelten. Insofern das Kunstwerk aber in einzigartiger Weise – und darin von allen anderen Bereichen der Endlichkeit unterschieden – wirklicher Schein des Absoluten zu sein vermag, so, daß dieses in der realen Begrenzung doch in seiner ganzen Absolutheit erkennbar wird, transzendiert es die Grenzen der Endlichkeit und wird darin zur Offenbarung des Absoluten. Der Schein des Absoluten in der Kunst hebt als solcher die Beschränkung der Endlichkeit auf und läßt sie zum Medium der Anschauung und zum Anstoß der Erkenntnis des Unendlichen werden.

Dieser Gedanke, daß die Möglichkeit der realen Anschauung des Absoluten die zentrale Qualität aller Kunst sei und daß darin ihre höchste und absolute Bestimmung liege – er bildet den ontologischen Mittelpunkt von Schellings identitätsphilosophischer Ästhetik –, wurde wesentlich, wenn auch unter anderen Prämissen, bereits in der *Philosophie der Kunst* seines *Transzendentalsystems* vorbereitet.[55] Dort war die ästhetische Anschauung der Kunst aus der Notwendigkeit der Entwicklung des philosophischen Systems heraus gefordert worden als die einzige Weise, wie die intellektuelle Anschauung und der Vollzug der absoluten Identität dem Ich selbst gegenständlich werden könnten. Das Ziel der Transzendentalphilosophie war es, unter der Voraussetzung einer primär erkenntnistheoretischen Fragestellung, die intellektuelle Anschauung, in welcher Konstitution und Selbstvergewisserung des Ich als Einheit vollzogen und verstanden werden, selbst zum Gegenstand des Wissens des Ich zu machen. Die intellektuelle Anschauung wurde als ein im Subjekt sich vollziehender Akt verstanden, in welchem sich das absolute Ich setzt und in diesem Setzen sich seiner selbst als des absoluten Grundes allen Seins bewußt wird, dieses Bewußtsein jedoch

---

[55] Zur Kunstphilosophie des *Transzendentalsystems* allgemein: D. Jähnig, Die Kunst in der Philosophie, a. a. O. Bd.2; W. Beierwaltes, Einleitung, a. a. O. S. 12; X. Tilliette, Schelling. Une Philosophie, a. a. O. S. 185 ff. Jähnig sieht in dem Kunstbegriff des *Systems* eine in der Geschichte der Philosophie einmalige Bestimmung der Kunst, in welcher ein „denkwürdiger und in seiner Art einmaliger Begriff vom Wesen der Kunst enthalten" sei. (Die Kunst in der Philosophie, a. a. O. Bd. 2, S. 12)

nicht zum Gegenstand eines Wissens und damit der reflektierten Selbstvergewisserung zu machen vermag. In dieser Situation erhält nun die ästhetische Anschauung die Aufgabe, diese Identität des absoluten Ich in einem Objekt, dem Kunstwerk, äußerlich faßbar werden zu lassen, gleichsam zu vergegenständlichen und sie so als eine sinnliche Anschauung der Reflexion vorzustellen. Für die Kunst wird postuliert, daß sie die in der intellektuellen Anschauung sich vollziehende Identität in einem Werk objektiv realisiere und in dieser Repräsentanz wiederum dem reflexiven Bewußtsein zugänglich mache. „Das Kunstwerk nur reflektiert mir, was sonst durch nichts reflektiert wird, jenes absolut Identische, was selbst im Ich schon sich getrennt hat; was also der Philosoph schon im ersten Akt des Bewußtseins sich trennen läßt, wird, sonst für jede Anschauung unzugänglich, durch das Wunder der Kunst aus ihren Produkten zurückgestrahlt."[56] Mit diesem Begriff der Kunstanschauung als der objektiven Widerspiegelung der intellektuellen Anschauung wird das Kunstwerk in den Mittelpunkt der philosophischen Ästhetik gestellt, da nur hier die absolute Identität des Idealen und des Realen ihre objektive und dem reflektierenden Subjekt gegenständliche Präsenz besitzt. Aus dieser Konzentration der Ästhetik auf das *Werk*, das auch für die spätere *Philosophie der Kunst* das Zentrum der Reflexion auf das Wesen der Kunst bleiben wird, versteht sich auch der Gedanke, daß es eigentlich nur *eines* wirklichen Kunstwerkes bedürfe, um von der Realität der absoluten Identität zu überzeugen. Aus dem allgemeinen Charakter der Kunst als der Anschauung des Absoluten folgt zugleich, daß ein einziges Kunstwerk genü-

---

[56] System, III, 625. ‚Reflexion' meint hier nicht das Differenz setzende diskursive Denken, sondern gerade die Totalität vergegenwärtigende Spiegel- und Bildfunktion der Kunst. Indem so in der ästhetischen die intellektuelle Anschauung objektiv repräsentiert wird, enthält das Kunstwerk die gesamte Geschichte des Selbstbewußtseins als aufgehobene; die am Beginn der transzendentalen Geschichte des Ich gesetzte, aber selbst nie real gewordene Identität des Ich ist hier in der Anschauung des Kunstwerks wiederhergestellt, gleichsam für das Bewußtsein rekonstruiert und wird dem Ich als die Aufhebung seiner inneren Differenz gegenwärtig. „Dieses Unbekannte aber, was hier die objektive und die bewußte Tätigkeit in unerwartete Harmonie setzt, ist nichts anderes, als jenes Absolute [das Urselbst (Korrektur im Handexemplar)], welches den allgemeinen Grund der prästabilierten Harmonie zwischen dem Bewußten und dem Bewußtlosen enthält." (System, III, 615; System des transzendentalen Idealismus, mit einer Einleitung von W. Schulz, hrsg. von R.-E. Schulz, Hamburg 1957, S. 284, Anm. 3)

ge, um das Postulat der Philosophie zu erfüllen, daß zugleich aber kraft der wesentlichen Identität aller möglichen ästhetischen Anschauungen in dieser Funktion der Offenbarung und Darstellung der absoluten Identität alle Kunstwerke als ein einziges und universelles Werk der Kunst zu verstehen seien.[57]

Mit dieser Bestimmung der ästhetischen Anschauung in ihrer für die Philosophie konstitutiven Funktion wird die Kunst zu deren ‚Organon und Dokument‘, da sie das Absolut-Identische als die Einheit aller Gegensätze objektiv faßbar macht, zugleich aber auch zum Medium der Vollendung der Philosophie, da nur hier das Ich sich seiner selbst als des identischen Grundes von Sein und Denken bewußt zu werden vermag.[58] Mit den Begriffen des ‚Urselbst‘ und des Absoluten hat sich der Charakter der ästhetischen Anschauung und der Kunst bereits innerhalb des *Systems* von der rein transzendentalphilosophischen Problematik der Selbstvergewisserung des Ich zu einer ontologischen Begründung dieses Ich – und damit auch der Kunst – in einer Instanz der absoluten Identität jenseits der Grenzen der transzendentalen Reflexion verschoben. Während der Anspruch der Vollendung der Philosophie in der Kunstanschauung

---

[57] vgl. ebd. 627 und PhdK, 372; dazu auch unten S. 136, 219

[58] In der Kunst ist ein der Reflexion enthobenes Medium angezielt, das zum Dokument der vor-reflexiven Identität des reflektierenden Ich mit seinem absoluten Grund werden kann. „Wenn die ästhetische Anschauung nur die objektiv gewordene transzendentale [intellektuelle (Korrektur)] ist, so versteht sich von selbst, daß die Kunst das einzige wahre und ewige Organon zugleich und Dokument der Philosophie sei, welches immer und fortwährend aufs neue beurkundet, was die Philosophie äußerlich nicht darstellen kann, nämlich das Bewußtlose im Handeln und Produzieren, und seine ursprüngliche Identität mit dem Bewußten." (System, III, 627 (Schulz, System, a. a. O. S. 297, Anm. 1)); vgl. „Der eigentliche Sinn, mit dem diese Art der Philosophie aufgefaßt werden muß, ist also der ästhetische, und eben darum die Philosophie der Kunst das wahre Organon der Philosophie." (ebd. 351)) Mit dem Begriff des ‚Dokuments und Organons‘ – analog dem des Gegenbildes – ist nun die spezifische Funktion, welche das *System* der Kunst zuweist, angezeigt. Als Dokument der Philosophie bewahrt und manifestiert sie die Identität des Endlichen und Unendlichen, der Natur und des Ich, welche in der Geschichte des Selbstbewußtseins durch die Reflexion verloren ging und erst in der ästhetischen Anschauung dem Ich wieder vergegenwärtigt werden kann. Die Kunst ist damit gleichsam Beweis der Philosophie, indem sie in ihrer das System abschließenden Funktion den anschaubaren Nachweis dafür liefert, daß der durch Postulate vorangetriebene Weg der Philosophie tatsächlich der Weg zur Erkenntnis der absoluten Identität war. In der Kunst mündet die transzendentale Reflexion in absolute Anschauung, in welcher die Philosophie ihre eigene absolute Voraussetzung erkennt und die jetzt als unabhängige Form die Philosophie selbst legitimiert.

von der Identitätsphilosophie zurückgenommen wird, indem sie die vollendete Reflexion des Absoluten in der Vernunft selbst zu leisten beansprucht, behält der Gedanke der Analogie und gleichen Absolutheit der intellektuellen und der ästhetischen Anschauung seine Gültigkeit auch für die *Philosophie der Kunst*. Unter dem Titel des Gegenbildes beansprucht die Kunst auch hier die Fähigkeit, das Absolute und die Ideen der Vernunft in der Anschauung zu repräsentieren und darin eine der philosophischen Reflexion analoge Funktion in der Offenbarung des Absoluten zu erfüllen. Eine umfassende metaphysische Grundlegung der Kunst als der Anschauung des Absoluten unter diesen Prämissen ist nun die Aufgabe der *Philosophie der Kunst*. Sie hat ihren ontologischen Ansatzpunkt in der ‚Kunst' des Absoluten selbst, welches durch die göttliche Imagination sich im Universum expliziert und dieses als sein Werk und als theophantische Offenbarung seiner Identität begründet.

2. Der dialektische Charakter der Schönheit
Schelling und Winckelmann

Das Werk des Absoluten, das Universum der Ideen und in dem vermittelten Sinn der Theophanie auch die erscheinende Natur, ist seinem allgemeinen Wesen nach als Ineinsbildung des Idealen und des Realen verstanden worden. Die allgemeine ontologische Qualität, welche jene Ineinsbildung charakterisiert, ist die Idee der *Schönheit*. Als erste Offenbarung des Absoluten sind die Ideen selbst im höchsten Maß als schön anzusehen, da sie die absolute Vermittlung von Realität und Idealität repräsentieren. Wie die Idee der Wahrheit diese Identität unter dem Aspekt der ideellen Vermittlung, wo das Reale aus der Idealität heraus begriffen und in diese zurückgenommen wird, faßt, so bezeichnet die Idee der Schönheit die reale und gleichsam objektive Seite dieser Vermittlung, wo sie sich in der Realität darstellt und für die Anschauung erscheint. Gemäß der abgestuften Differenzierung der Potenzen ist auch Schönheit in den verschiedenen Dimensionen des Seins nach dem jeweiligen Grad der Identität des Realen und Idealen differenziert. So realisiert sie sich in der organischen Natur als die noch ungetrennte Indifferenz des Allgemeinen und Besonderen, weshalb diese Stufe der Vermittlung noch unter dem Gesetz der Notwendigkeit und im

Zeichen der Bewußtlosigkeit steht. Was in der Natur noch unreflektierte Einheit war, tritt mit dem Denken des Menschen und dem Bewußtsein der Freiheit in den Gegensatz des Idealen und des Realen auseinander; die ideale Welt entsteht. Sie ist geprägt von dem Bewußtsein dieses Gegensatzes – dafür steht die gesamte Reflexion der Transzendentalphilosophie – und faßt seine Aufhebung in den Ideen der Wahrheit, der Güte und der Schönheit der Kunst, welche letztere so innerhalb der idealen Welt die Stufe der Indifferenz repräsentiert und darin das höchste Gegenbild der über den Potenzen stehenden Vernunft-Philosophie wird.[59]

Entsprechend der Gegenbildlichkeit von Philosophie und Kunst bildet diese Einheit stiftende Kraft der Schönheit und ihre Analogie zur Wahrheit das substantielle Zentrum von Schellings Theorie der Kunst und der ästhetischen Anschauung. „Wie Gott als Urbild im Gegenbild zur Schönheit wird, so werden die Ideen der Vernunft im Gegenbild angeschaut, zur Schönheit."[60] Aus der ontologischen Gegenbildlichkeit der Schönheit der idealen Welt gegenüber der göttlichen Absolutheit ist nun auch die wesentliche Qualität der endlichen Kunst und die ästhetische Anschauung der Schönheit zu begreifen. „Schönheit ist da gesetzt, wo das Besondere (Reale) seinem Begriff so angemessen ist, daß dieser selbst, als Unendliches, eintritt in das Endliche und in concreto angeschaut wird. Hierdurch wird das Reale, in dem er (der Begriff) erscheint, dem Urbild, der Idee wahrhaft ähnlich und gleich, wo eben dieses Allgemeine und Besondere in absoluter Identität ist. Das Rationale wird als Rationales zugleich ein Erscheinendes, Sinnliches."[61] Soll Schönheit der bestimmende Charakter der Kunst sein, so ist es ihre Aufgabe, die Wahrheit der Ideen in der realen Erscheinung so zu repräsentieren,

---

[59] PhdK, 382 ff.; Schelling faßt hier die Philosophie nicht unter dem Aspekt der Dialektik der idealen Welt als deren ideale Potenz auf (vgl. oben S. 76), sondern als die über deren Gegensatz stehende Dimension des absoluten Wissens. „Wie Gott *über* den Ideen der Wahrheit, der Güte und der Schönheit als ihr Gemeinsames schwebt, so die Philosophie. Die Philosophie behandelt weder allein die Wahrheit, noch bloß die Sittlichkeit, noch bloß die Schönheit, sondern das Gemeinsame aller, und leitet sie aus Einem Urquell her." (ebd.) Die drei Potenzen der realen und der idealen Welt werden hier gemäß den Ideen der Wahrheit, der Güte und Schönheit konstruiert, welchen jeweils Materie und Wissen, Licht und Handeln, Organismus und Kunst entsprechen.
[60] ebd. 386
[61] ebd. 382

daß die ästhetische Anschauung das Absolute in der Begrenzung vergegenwärtigt, ohne daß dadurch seine Absolutheit aufgehoben würde. Schönheit erfordert die Begrenzung des Idealen im Realen und zugleich die Durchsichtigkeit der realen Anschauung auf ihren idealen Gehalt hin. Dies ist geleistet, wenn das Kunstwerk die vollkommene Durchdringung und Indifferenz des Besonderen und Allgemeinen so vorzustellen vermag, daß keine der beiden Seiten einen Mangel oder einen Überschuß an Präsenz genüber der anderen aufzuweisen hat. In der schönen Erscheinung der Kunst tritt die Idee so vollkommen in die sinnliche Realität ein, daß sie im Besonderen des Werks wirklich zur Erscheinung kommt und ganz in dieser aufgeht, wodurch dieses wiederum den negativen Charakter der Differenz zur Idee verliert und selbst zur vollkommenen Repräsentation der Identität wird. Die Kunstanschauung beginnt daher in der Realität der sinnlich erscheinenden Schönheit und transzendiert diese auf ihren idealen Grund hin; jedoch nicht so, daß sie darin die Realität verlassen würde und negierte, wie dies der philosophische Begriff der Wahrheit erfordert, sondern, indem sie sich in der Anschauung in der Schwebe zwischen Erscheinung und Idee hält und so – wie dies nur in dem Phänomen der Schönheit möglich ist – deren Indifferenz realisiert. Realität, und das heißt relative Differenz in der Setzung der Begrenzung des Idealen durch das Reale, ist für die Anschauung der Schönheit ebenso konstitutiv wie für das reflexive Denken der Ideen durch die Philosophie; erst unter dem Gesetz der Grenze kann die Idee in der Kunst erscheinen und in der ästhetischen Anschauung eine spezifische Weise der Vermittlung des Idealen mit dem Realen repräsentieren, da „nämlich das Absolute nur in der Begrenzung, nämlich im Besonderen, angeschaut überhaupt schön ist"[62]. Schönheit ist so für Schelling immer in einem dialektischen Sinn als die Vereinigung des Idealen und des Realen und in der wechselseitigen Bestimmung von Grenze und Unendlichkeit zu

---

[62] ebd. 398. Der dialektische Charakter der Schönheit als die Aufhebung eines Widerspruchs tritt vor allem in der Erscheinung des Erhabenen hervor (vgl. D. Jähnig, Die Kunst in der Philosophie, a. a. O. Bd. 2, S. 226). Jedoch sind für Schelling Schönheit und Erhabenheit nicht wie für Kant, der diese Qualitäten primär von ihrer unterschiedlichen Wirkung auf das Gefühl her denkt, als wesentliche Gegensätze, sondern nur als unterschiedliche Bestimmungen des Verhältnisses des Idealen und des Realen zu verstehen und damit dem universellen Begriff der Schönheit untergeordnet (vgl. PhdK, 468, und System, III, 621).

verstehen; sie wird sich als das Wesen des Symbols und als die fundamentale Qualität der Mythologie erweisen und in diesen Kontexten weiter erläutern.

Deutlich wird der dialektische Charakter der Schönheit auch in Schellings Bezugnahme auf jene klassische Definition, welche das „Adäquate und Vollkommene der Vorstellungen" in jener Qualität sieht, die „Winkelmann die edle Einfalt nennt, sowie jene ruhige Macht, die, um als Macht zu erscheinen, nicht nöthig hat, aus dem Gleichgewicht ihres Daseyns zu weichen, das ist, was Winkelmann als die stille Größe bezeichnet hat"[63]. Winckelmann hat diese für Schelling wie für die gesamte idealistische Ästhetik verpflichtende Bestimmung der Schönheit als einen zentralen Gesichtspunkt seiner *Gedanken über die Nachahmung der griechischen Werke in der Malerey und Bildhauerkunst* von 1755 entwickelt. „Das allgemeine vorzügliche Kennzeichen der griechischen Meisterstücke ist endlich eine edle Einfalt, und eine stille Größe, sowohl in der Stellung als im Ausdrucke. So wie die Tiefe des Meers allezeit ruhig bleibt, die Oberfläche mag noch so wüten, eben so zeiget der Ausdruck in den Figuren der Griechen bey allen Leidenschaften eine große und gesetzte Seele."[64] Es ist für das Verständnis dieser Charakteristik der Schönheit, die am Beispiel der antiken Plastik und im besonderen an dem des Laokoon entwickelt wurde, vor allem wichtig zu sehen, daß es sich bei den Wortpaaren der ‚edlen Einfalt' und der ‚stillen Größe' selbst um die Verbindung von in ihren ursprünglichen Bedeutungen gegensätzlichen Begriffen handelt; Schönheit ist damit nicht als einfache Harmonie, sondern als die Aufhebung eines Widerspruchs definiert und hat in ihrem Resultat die Elemente dieses Gegensatzes in ihrer Versöhnung widerzuspiegeln.[65]

---

[63] Phdk, 557; vgl. zu Winckelmanns Schönheitsbegriff auch: „Die Idee der Schönheit, sagt Winkelmann, ist wie ein aus der Materie durchs Feuer gezogener Geist, welcher sich suchet ein Geschöpf zu zeugen nach dem Ebenbilde der in dem Verstande der Gottheit entworfenen ersten vernünftigen Creatur." (PhdK, 548; und ebd. 551, 556, 568, 611)

[64] J. J. Winckelmann, Gedanken über die Nachahmung der griechischen Werke in der Malerey und Bildhauerkunst, Kunsttheoretische Schriften, Bd. 1, Faksimiledruck der 2. vermehrten Aufl. Dresden 1756 (Baden-Baden 1962) S. 21; vgl.: „Die edle Einfalt und stille Größe der griechischen Statuen ist zugleich das wahre Kennzeichen der griechischen Schriften aus den besten Zeiten." (Ebd. S. 24)

[65] vgl. P. Szondi, Poetik und Geschichtsphilosophie, Frankfurt a. M. 1974., Bd. 1, S. 43 ff.

Mit der Intention einer Überwindung der normativen Ästhetik der Aufklärung und eines neuen aus der Autonomie der Kunstwerke heraus gewonnenen Verständnisses der antiken Kunst, faßt Winckelmann die Schönheit als Idee und damit als den wesentlichen Gehalt aller vollendeten Kunst. Sie bezeichnet den intelligiblen Charakter aller ästhetischen Gegenstände, in deren Nachahmung die künstlerische Produktion ihre absolute Maßgabe besitzt; so in der griechischen Kunst, wo die Künstler begannen, „sich gewisse allgemeine Begriffe von Schönheiten ... zu bilden, die sich über die Natur selbst erheben sollten; ihr Urbild war eine blos im Verstande entworfene geistige Natur"[66]. Mit dem Hinweis auf den Timaios-Kommentar des Proklos folgt Winckelmann hier in seiner Deutung antiker Kunstproduktion ausdrücklich der neuplatonischen Tradition der Ästhetik, welche das Schaffen des Künstlers als ein Hervorbringen gemäß in der Vernunft geschauter Ideen versteht. Nicht das Zufällige der äußeren Natur wird nachgeahmt, sondern deren unter dem Gesetz der Schönheit verstandene intelligible und ideale Natur ist das Vorbild von Kunst, so daß „in ihren Meisterstücken nicht allein die schönste Natur, sondern noch mehr als Natur, das ist, gewisse idealische Schönheiten derselben, die, wie uns ein alter Ausleger des Plato lehrte, von Bildern bloß im Verstande entworfen, gemacht sind"[67], zu finden sind. Ziel dieser Kunst ist es daher, „ähnlich und zu gleicher Zeit schöner zu machen" und in der „Absicht ... auf eine schönere und vollkommenere Natur"[68] in deren idealischer Schönheit ihr ‚göttliches‘ Moment herauszuarbeiten.[69] „Diese Schönheit ist wie eine nicht durch Hilfe der Sinne empfangene Idea"[70], ein durch den dem Wesen des Menschen eingeborenen ‚inneren Sinn‘[71] im „Reich unkörperlicher Ideen"[72] geschautes Urbild, das die ewige Form der Vermittlung eines unendlichen Ge-

[66] Winckelmann, Gedanken, a. a. O. S. 9 f
[67] ebd. S. 4
[68] ebd. S. 11
[69] ebd.
[70] J. J. Winckelmann, Geschichte der Kunst des Altertums, Kunsttheoretische Schriften, Bd. 5, Faksimiledruck der 1. Aufl. Dresden 1764 (Baden-Baden 1966) S. 226
[71] J. J. Winckelmann, Abhandlung von der Fähigkeit der Empfindung des Schönen in der Kunst und dem Unterrichte in derselben; Winckelmanns Werke, ausgew. und eingel. v. H. Holtzhauer, Berlin und Weimar ²1976, S. 146
[72] Winckelmann, Geschichte der Kunst, a. a. O. S. 232

halts mit der Begrenzung der endlichen Anschauung bezeichnet. In diesem ganz neuplatonischer Ästhetik verpflichteten Sinn kann die Idee der Schönheit nur als eine überzeitliche und identische Qualität verstanden werden, welche allen Kunstwerken zugrunde liegt und deren innere Einheit jenseits der Differenzen der Geschichte begründet. „Da aber nur ein einziger Begriff der Schönheit, welcher der höchste und sich immer gleich ist und jenen Künstlern beständig gegenwärtig war, kann gedacht werden, so müssen sich diese Schönheiten allezeit diesem Bilde nähern und sich einander ähnlich und gleichförmig werden."[73] Für Winckelmann besteht dieses Ideal der Schönheit, und hier liegt auch seine für Schellings historische Betrachtung der Kunst bedeutsame Funktion, darin, daß es aus der Kunst der Antike nicht als eine formale Norm, sondern als ein absoluter Anspruch an die Produktion der Kunst im Allgemeinen entwickelt wird und dadurch den Reflexionsbegriff bietet, nach welchem die Geschichte der Kunst als Kontinuität im Horizont eines wesentlich identischen Begriffs der ästhetischen Anschauung gedacht werden kann.

In dieser Verpflichtung Schellings gegenüber Winckelmann und dessen platonisch gedachter Idee der Schönheit zeigt sich auch deutlich seine Differenz zu *Kant* und dessen Subjektivierung der Ästhetik und des Schönheitsbegriffs unter dem transzendentalen Aspekt des Geschmacksurteils. Kant hatte die Qualität der Schönheit nicht in einer ontologischen Struktur der Objekte begründet, weshalb sie auch nicht Gegenstand des Verstandes oder der Vernunft sein kann, sondern ihre Existenz einzig in den Bezug der Gegenstände auf das Gefühl des Subjekts gelegt, welchen das ästhetische Urteil realisiert. Entscheidend für seine Behandlung der Kunst ist allein das Geschmacksurteil als ein kategorial-konstitutiver Akt, welcher zwar notwendig Allgemeinheit beanspruchen muß, diese aber nicht in einer höheren Gewißheit der Erkenntnis begründen kann. Diese Subjektivierung der Kunst wird von Schelling zurückgenommen, indem er, analog zu der Begründung der Kunst in der Idee und gemäß dem Postulat der Gegenbildlichkeit, von der Kritik der Kunst fordert, daß sie die vernünftige Struktur des Werks und seine Be-

---

[73] ebd. S. 229. Vgl. hiermit Schellings Gedanken des Einen Kunstwerks (dazu oben S. 79f. und unten S. 136).

gründung aus dem allgemeinen Wesen der ästhetischen Anschauung als einer Anschauung des Absoluten darzustellen und mit der Philosophie der Vernunft zu vermitteln habe.

Aus dieser von der Schönheit der Idee her argumentierenden Perspektive kann es daher für Schelling auch weder im Universum, noch vom Standpunkt der Kunstanschauung her wirkliche Häßlichkeit geben. Der sichtbare Mangel an Schönheit des erscheinenden Seienden beruht nicht auf seiner wesensmäßigen Verfassung, sondern einzig auf der endlichen Anschauung der Dinge, welche sich nicht auf den Standpunkt der Vernunft oder der ästhetischen Anschauung erhoben hat.[74] Kunst-Anschauung soll die Anschauung des Absoluten in der Begrenzung der sinnlichen Erscheinung sein und ist darin notwendig Anschauung der Schönheit, denn „Schönheit ist das real angeschaute Absolute"[75]. Ästhetische Anschauung ist daher immer und notwendig schön; wenn eine Idee in der Kunst zur Anschauung kommt – wenn das Werk diesen Anspruch überhaupt zu erheben und zu legitimieren vermag –, dann muß dieses auch notwendig schön sein.

Mit dieser Bindung an die Idee ist Schellings Begriff der Schönheit zunächst von der Seite des Gehalts her gedacht; insofern Idee jedoch als solche auch eine je spezifische Weise der Begrenzung impliziert, ist sie zugleich Prinzip der künstlerischen Form und in dieser Einheit der Grund der in der Anschauung der Schönheit vergegenwärtigten Identität von Inhalt und formaler Erscheinung. Schönheit meint in diesem allgemeinen Sinn auch für Schelling nicht eine besondere Qualität eines besonderen Kunstwerks, sondern ist der Index des Wesens der Kunst als der realen Erscheinung des Absoluten. Dies zu erweisen ist die zentrale Aufgabe aller Reflexion auf Kunst und wird damit auch im Zentrum von Schellings Theorie der Kritik der Kunst stehen; Philosophie der Kunst im allgemeinen und Kritik der Kunst in Hinsicht des besonderen Kunstwerks kann sich nicht anders verstehen, als in der Reflexion auf diesen Zusammenhang, die immer zugleich die besondere und spezifische Erscheinungsform der ästhetischen Anschauung und den allgemeinen Begriff des Absoluten und der Ideen im Blick hat.

---

[74] vgl. PhdK, 385 f. und 298
[75] ebd. 398

3. Die ästhetische Einbildungskraft:
   Absolutheit in der Begrenzung

Mit dem Begriff der Gegenbildlichkeit und der Bestimmung der ästhetischen Anschauung als die Repräsentation des Absoluten in der schönen Erscheinung ist Schellings Idee der Kunst in ihrer Allgemeinheit umrissen. Ihr besonderes Wesen liegt gerade darin, daß sie als einziger Bereich der sonst pejorisierten Welt der sinnlichen und materiellen Erscheinung in einem positiven und unmittelbaren Verhältnis zum Absoluten steht. Da die Kunst im Gegensatz zur Philosophie ihrer Realität nach als Teil der endlichen Welt aufgefaßt werden muß, ist nun zu beweisen, *wie* in der Kunst das Absolute sich mit der Endlichkeit verbinden könne, so daß diese in der Gestalt des Kunstwerks wiederum zum Medium der Erscheinung seiner unendlichen Idealität wird. Für die Konstruktion der Kunst ist damit der Aufweis eines Vermögens postuliert, durch welches dieser ideale Begriff der Kunst mit ihrer Realität und materiellen Erscheinung vermittelt zu werden vermag. Es erhält damit die Aufgabe, die Kunst zugleich unter einem ontologischen Aspekt in der absoluten Struktur des Universums und in gleichsam transzendentaler Hinsicht ihre Möglichkeit in der endlichen Subjektivität zu begründen.

Dieses Vermögen, das in Analogie zu der absoluten Schöpfung der ewigen Natur die Welt der Kunst als die reale Anschauung des Absoluten hervorbringt, ist die ästhetische *Einbildungskraft*. „Wie Gott als Urbild im Gegenbild zur Schönheit wird, so werden die Ideen der Vernunft im Gegenbild angeschaut, zur Schönheit; und das Verhältniß der Vernunft zu der Kunst ist daher dasselbe wie das Verhältniß Gottes zu den Ideen. Durch die Kunst wird die göttliche Schöpfung objektiv dargestellt, denn diese beruht auf derselben Einbildung der unendlichen Idealität ins Reale, auf welcher auch jene beruht. Das treffliche deutsche Wort Einbildungskraft bedeutet eigentlich die Kraft der Ineinsbildung, auf welcher in der That alle Schöpfung beruht. Sie ist die Kraft, wodurch ein Ideales zugleich auch ein Reales, die Seele Leib ist, die Kraft der Individuation, welche die eigentlich schöpferische ist."[76] Einbildungskraft ist damit in Analogie zur göttlichen Imagination als das allgemeine Vermögen

---

[76] ebd. 386

der Kunst bestimmt, durch dessen synthetische Kraft die künstlerische Produktion in ihrer Leistung der ästhetischen Anschauung und der in der Schönheit repräsentierten Vereinigung von Idealität und Realität erklärt zu werden vermag.

„Die unmittelbare Ursache aller Kunst ist Gott. – Denn Gott ist durch seine absolute Identität der Quell aller Ineinsbildung des Realen und Idealen, worauf alle Kunst beruht. Oder: Gott ist der Quell der Ideen. Nur in Gott sind ursprünglich die Ideen. Nun ist aber die Kunst Darstellung der Urbilder, also Gott selbst die unmittelbare Ursache, die letzte Möglichkeit aller Kunst, er selbst der Quell aller Schönheit."[77] Wie die Kunst im Allgemeinen in der ‚Kunst' Gottes als dessen schöpferischer Selbstexplikation ontologisch begründet ist, muß auch das spezifisch schöpferische Vermögen der endlichen Kunst, die Einbildungskraft, aus einer Struktur des Absoluten selbst zu begreifen sein; diese ursprünglich kreative Kraft Gottes war in dem Begriff der göttlichen Imagination gefaßt worden und dieser Gedanke der Analogie zwischen göttlicher Imagination und menschlicher Einbildungskraft ist es im besonderen, welcher die metaphysische Grundlegung der endlichen Kunst leistet. Da der Grundgedanke der Identitätsphilosophie impliziert, daß alles Sein in seiner je spezifischen Verfassung hinsichtlich der Dialektik des Idealen und Realen aus der absoluten Identität als dem höchsten Prinzip von Sein und Denken herzuleiten und zu begründen sei, ist unter der Perspektive der *Philosophie der Kunst* die gesamte in dem Begriff der göttlichen Imagination entfaltete Theorie der Schöpfung als die notwendige Voraussetzung einer metaphysischen Theorie der künstlerischen Produktion und damit auch der Reflexion auf Kunst zu verstehen. Insofern gerade die Begriffe der Einbildung und der Einbildungskraft diese ontologische Analogie explizit machen, kommt ihnen auch eine besondere Bedeutung in der Entfaltung des Gedankens der Gegenbildlichkeit der Kunst und der ihr spezifischen Weise, die Identität des Absoluten zu repräsentieren, zu. Für die ästhetische Theorie liegt nun alles daran zu beweisen, *daß* die endliche Kunst in dieser Analogie stehe und die Postulate der Gegenbildlichkeit und der Offenbarung der absoluten Identität in der Leistung der Anschauung wirklich erfülle. Hierfür wird der

---

[77] ebd.

Begriff der Einbildungskraft unter den Titeln der Mythologie und des Genies sowie der Kritik der Kunst leitend sein.[78]

„Alle Kunst ist unmittelbares Nachbild der absoluten Produktion oder der absoluten Selbstaffirmation."[79] Die ‚absolute Kunst' wurde von der Philosophie als die Identität von Produktion und Reflexion, als der Vollzug von Denken und Anschauen in absoluter Einheit verstanden, wie diese sich in der intellektuellen Anschauung vergegenwärtigen. Als erstes Produkt der absoluten Selbstaffirmation und zugleich Kristallisationspunkt der absoluten Selbstreflexion wurde die Welt der Ideen bestimmt, welche als der prinzipielle Ort der Vermittlung von absoluter Identität und relativer Besonderheit durch die Einbildung des Idealen in das Reale aus der göttlichen Imagination hervorgegangen ist. Im Kontext dieses Gedankens nun, wo Gott als der ‚Quell der Ideen' und ‚aller Ineinsbildung des Realen und Idealen' begriffen wurde, kann die ästhetische Einbildungskraft als das prinzipielle Vermögen aller endlichen Kunst eingeführt werden. Kunst soll Gegenbild und Spiegel der absoluten Identität sein und bedarf daher eines der absoluten Einbildungskraft analogen Vermögens, welches die ästhetische Anschauung als die reale Repräsentation der Vermittlung von Idealität und Realität hervorbringt. Die Struktur der Teilhabe, durch welche die gegenbildliche Schönheit der Kunst an der absoluten Schönheit der Ideen partizipiert und dadurch die ästhetische Anschauung unmittelbar mit dem Absoluten verbindet, leistet zugleich die ontologische Begründung der Kunst, wie sie auch deren Erkennbarkeit und Funktion als Reflexionsmedium der Philosophie gewährleistet. Die Konstruktion der *Philosophie der Kunst* soll die Kunst in ihrer absoluten Stellung innerhalb des Universums bestimmen, und mit den Begriffen der absoluten Einbildung und der Ineinsbildung der Vernunft hat Schelling das allgemein-philosophische Paradigma der Einbildungskraft entfaltet.

In der Philosophie wurde wesentlich die reflexive Seite und damit die ideale Potenz der absoluten Ineinsbildung realisiert, weshalb dort die primäre und produktive Einbildung ihren Sinn erst durch

---

[78] Zur Begründung dieses in der *Philosophie der Kunst* nicht thematisierten Begriffs der Kritik unten S. 143 ff., 233 ff.
[79] PhdK, 631

die Reflexion der Vernunft erhielt; in dem Medium der Vernunft muß daher die Einbildungskraft in ihrer ideellen Funktion als die reflexive Einbildung des Realen in das Ideale, des Besonderen in das Allgemeine die dominierende Rolle spielen. „Darstellung des Absoluten mit absoluter Indifferenz des Allgemeinen und Besonderen im *Allgemeinen* = Philosophie – Idee –. Darstellung des Absoluten mit absoluter Indifferenz des Allgemeinen und Besonderen im *Besonderen* = Kunst."[80] Die Kunst repräsentiert gegenüber der Philosophie in dem allgemeinen Schema der Dialektik der idealen Welt deren reale Seite, und es kommt ihr damit die Aufgabe zu, die Offenbarung und Reflexion der absoluten Identität in der Realität widerzuspiegeln. So muß auch in der Bestimmung der ästhetischen Einbildungskraft die reale Potenz dominieren, und sie ist daher wesentlich durch das Schema der Produktion, die Einbildung des Idealen in das Reale als die Hervorbringung des Bildes der Anschauung, definiert. „Das Absolute an und für sich bietet keine Mannichfaltigkeit dar, es ist insofern für den Verstand eine absolute, bodenlose Leere. Nur im Besonderen ist Leben. Aber Leben und Mannichfaltigkeit, oder überhaupt Besonderes ohne Beschränkung des schlechthin Einen, ist ursprünglich und an sich nur durch das Princip der göttlichen Imagination, oder, in der abgeleiteten Welt, nur durch die Phantasie möglich, die das Absolute mit der Begrenzung zusammenbringt und in das Besondere die ganze Göttlichkeit des Allgemeinen bildet. Dadurch wird das Universum bevölkert, nach diesem Gesetz strömt vom Absoluten, als dem schlechthin Einen, das Leben aus in die Welt; nach demselben Gesetz bildet sich wieder in dem Reflex der menschlichen Einbildungskraft das Universum zu einer Welt der Phantasie aus, deren durchgängiges Gesetz Absolutheit in der Begrenzung ist."[81]

Indem durch die Leistung der Einbildungskraft das Absolute in der ästhetischen Anschauung *so* in der Begrenzung des Realen vorgestellt zu werden vermag, daß dieses zugleich als wirklicher Schein des Absoluten gelten kann, repräsentiert das Kunstwerk eine der philosophischen Idee analoge Synthese des Allgemeinen mit dem Besonderen, des Idealen mit dem Realen. Während der Verstand

---

[80] ebd. 406
[81] ebd. 393; vgl. unten S. 88, 153 f., 163, 170, 193

ebenso wie die reine Sinnlichkeit absolut an die Differenz zwischen Endlichkeit und Unendlichkeit gebunden sind, kommt es der Vernunft und der Einbildungskraft zu, in ihrem jeweiligen Medium deren Dialektik auszutragen und zu einer Synthese zu vermitteln. Hieraus resultiert eine ontologische Parallelität von Vernunft und Einbildungskraft, deren beider Aufgabe es ist, das Absolute in relativer Begrenzung darzustellen und in der Reflexion dieser Grenze auf die begründende absolute Einheit des Realen und des Idealen zu verweisen. Intellektuelle Anschauung als Gipfel der Vernunft und ästhetische Anschauung als Vollendung der Einbildungskraft haben somit auch dasselbe Resultat: das Absolute in der Vermittlung mit der Endlichkeit präsent zu machen und in diesem Akt deren Grenzen auf die Einheit des Menschen mit seinem absoluten Ursprung hin zu transzendieren. „Von dem innern Wesen des Absoluten, welches die ewige In-Eins-Bildung des Allgemeinen und Besondern selbst ist, ist in der erscheinenden Welt ein Ausfluß in der Vernunft und der Einbildungskraft, welche beide ein und dasselbige sind, nur jene im Idealen, diese im Realen. Mögen diejenigen, denen nichts als ein dürrer und unfruchtbarer Verstand zu Theil geworden ist, sich durch ihre Verwunderung schadlos halten, daß man zur Philosophie Einbildungskraft fordere."[82] Für die Vernunft wie für die Einbildungskraft gilt, daß sie der Grenze bedürfen, um das Absolute dem Denken oder der Anschauung zu vergegenwärtigen, diese jedoch in Freiheit zu setzen vermögen, um sie zugleich wieder aufzuheben und darin das Besondere auf seine wesentliche Allgemeinheit, das Wirkliche auf die es begründende absolute Möglichkeit hin zu transzendieren.[83] Während die Vernunft diese Vermittlung des Idealen und des Realen in der Dialektik von Grenze und Entgrenzung durch den Prozeß der Reflexion und im Begriff der Idee leistet, vergegenwärtigt die Einbildungskraft diese Vermittlung in der ästhetischen Anschauung und in der Objektivität der Schönheit. „Jedes

---

[82] Vorlesungen (VI), V, 267
[83] vgl.: „Wir verlangen für die Vernunft sowohl als für die Einbildungskraft, daß nichts im Universum gedrückt, rein beschränkt und untergeordnet sey. Wir fordern für jedes Ding ein besonderes und freies Leben. Nur der Verstand ordnet unter, in der Vernunft und in der Einbildungskraft ist alles frei und bewegt sich in dem gleichen Aether, ohne sich zu drängen und zu reiben. Denn jedes für sich ist wieder das Ganze." (PhdK, 393)

wahre durch Einbildungskraft geschaffene Kunstwerk ist die Auflösung des gleichen Widerspruchs mit dem, der in den Ideen vereinigt dargestellt ist."[84] Wie in der Reflexion der Vernunft auf die allgemeine Intelligibilität des Seins erscheint auch in der Anschauung
der Kunst-Schönheit die Mannigfaltigkeit und Differenz des Seienden durch die Kraft der ästhetischen Ineinsbildung in die Absolutheit seiner urbildlichen Formen, der Ideen, aufgehoben.

Diese Dialektik von Endlichkeit und Unendlichkeit in der Realität der Anschauung ist das Feld der ästhetischen Einbildungskraft;
sie macht die Endlichkeit des Kunstwerks zum Raum der sinnlichen
Erscheinung einer unendlichen Bedeutung, indem sie die Grenze
der Form und die Unendlichkeit des Inhalts zu einem identischen
Bild verschmelzen läßt, dessen Wesen als Symbol darin liegt, vollkommene Vermittlung des Idealen und Realen im Realen zu sein. Es
wird sich in dem Sinn der reflexiven Verifikation der Leistung der
ästhetischen Ineinsbildung und ihrer Rückführung in ihren absoluten Grund – entsprechend der allgemeinen Aufgabe der *Philosophie
der Kunst* – im besonderen als die Aufgabe einer philosophischen
Theorie der Kritik der Kunst erweisen, diese spezifische Qualität
der ästhetischen Anschauung begrifflich zu würdigen und mit dem
Anspruch der Vernunft, das Reale in seiner Idealität zu begreifen, zu
vermitteln.

In seiner *Rede über das Verhältnis der bildenden Künste zu der
Natur* stellt Schelling diese Bestimmung der Einbildungskraft als
das Vermögen der sinnlichen Anschauung der Ideen in den Kontext
des traditionellen Gedankens der Nachahmung der Natur durch die
Kunst.[85] Er schließt sich darin Winckelmanns ,platonischer' Inter-

---

[84] Vorlesungen (VI), V, 267
[85] Zur Geschichte dieses Gedankens: H. Blumenberg, ,Nachahmung der Natur'. Zur
Vorgeschichte der Idee des schöpferischen Menschen; in: Ders., Wirklichkeiten, in
denen wir leben, Stuttgart 1981, S. 55-103. Zu der *Rede* vgl. W. Beierwaltes, Einleitung, a. a. O. S. 5 ff. Es erscheint bezeichnend, daß Schelling in der *Rede* die bildende
Kunst als das Paradigma seiner Theorie der Kunst wählt; da sie deutlicher als die
anderen Kunstgattungen auf sinnliche Anschauung zielt, entspricht dies ganz der
allgemeinen Tendenz seiner Ästhetik, wo immer der Begriff der Anschauung die
zentrale Qualität aller Kunst bezeichnet, und dieser Gedanke der paradigmatischen
Funktion der bildenden Kunst kann daher auch – obwohl dies von Schelling nie
explizit entwickelt wird – für die Theorie der Kunst und der Einbildungskraft im
besonderen im *System* und in der *Philosophie der Kunst* in Anschlag gebracht werden.

pretation des Nachahmungspostulats an, daß „Hervorbringung idealischer und über die Wirklichkeit erhabener Natur sammt dem Ausdruck geistiger Begriffe die höchste Absicht der Kunst sey"[86]. Ausgangspunkt ist für Schelling die Trennung von Natur und Geist, von Subjekt und Objekt, welche in einer die wahre und ewige Natur nachahmenden Kunst wieder als aus einem gemeinschaftlichen Grund hervorgegangene und identische dargestellt werden sollen. Das Medium dieser Wiedervereinigung ist die Einbildungskraft, die die intelligible Struktur des Seins in der Natur auffaßt und im Kunstwerk darstellt; in der Kunstanschauung also soll die Differenz von Geist und Natur aufgehoben und ihre Identität als faktische vorgestellt werden. Im Kontext der göttlichen Imagination war der Begriff der Natur im Sinne der Natura naturans als der Inbegriff des absoluten schöpferischen Prinzips, der Produktivität und dynamischen Kraft der Idee bestimmt worden. Soll nun die künstlerische Produktivität und Einbildungskraft in Analogie zu dieser begründet und verstanden werden, so muß sie auf ihren Zusammenhang mit jenem Begriff der Natur hin befragt werden: in diesem Kontext kann der Satz von der künstlerischen Nachahmung der Natur seinen für Schelling spezifischen Sinn erhalten.

Natur wird hier als das innere und „wirkende Princip"[87] ganz im Sinn der ewigen Natur aufgefaßt, welche ihrerseits der produktive und Einheit stiftende Grund allen Seins in der Erscheinung ist. Da die Kunst „als ein thätiges Band zwischen der Seele und der Natur"[88] bestimmt ist, kommt es für die künstlerische Produktion vor allem darauf an, sich an ihrem „wahrhaften Vorbild und Urquell, der Natur"[89], zu orientieren und deren kreative Kraft selbst nachzuahmen. „Jenem im Innern der Dinge wirksamen durch Form und Gestalt nur wie durch Sinnbilder redenden Naturgeist soll der Künstler allerdings nacheifern, und nur insofern er diesen lebendig nachahmend ergreift, hat er selbst etwas Wahrhaftes erschaffen."[90]

Dieses schaffende Prinzip der Natur, durch welches sie die ewigen Ideen in erscheinenden ‚Sinnbildern‘ offenbart und in dessen Ana-

---

[86] Rede, VII, 295
[87] ebd. 299; vgl. 294
[88] ebd. 292
[89] ebd. 293
[90] ebd. 301

94

logie die künstlerische Produktion ihre gegenbildliche Anschauung hervorbringt, entspricht seiner Funktion nach genau der Einbildungskraft in der *Philosophie der Kunst*. Sie wird hier als „mit der Natur verbunden und eine dieser ähnliche hervorbringende Kraft"[91] gemäß der Dialektik ästhetischer Produktion, welche zwischen reiner Idealität und der Realität der sinnlichen Erscheinung zu vermitteln hat, auch als „schaffender Geist"[92] und als „schaffende Wissenschaft"[93] aufgefaßt. Nicht die äußere Form auf der einen Seite, noch der reine Begriff auf der andern sind Maßgabe der Einbildungskraft – wie auch die täuschende Nachahmung der äußeren Wirklichkeit nicht ihr Ziel sein kann –, sondern sie erweist sich darin als eine der Natur analoge „geistige Zeugungskraft"[94], daß sie der Idee eine gleichsam organische und lebendige Erscheinung in der sinnlichen Anschauung gibt. „Die Kunst, indem sie das Wesen in jenem Augenblick darstellt, hebt es aus der Zeit heraus; sie läßt es in seinem reinen Seyn, in der Ewigkeit seines Lebens erscheinen."[95] Im Sinne so verstandener Nachahmung intendiert das Kunstwerk entschieden das Ideale; Einbildung des Idealen ins Reale zielt darauf, die ewigen Strukturen der idealen Schöpfung für die objektive, sinnliche und zeitliche Anschauung vorzustellen. Es wurde bereits im Kontext der absoluten und göttlichen Einbildung auf die sachliche Nähe dieses Naturbegriffs zur neuplatonischen Philosophie hingewiesen. Nun im Zusammenhang der künstlerischen Einbildung und der Nachahmung der idealen Natur erweist dieser Begriff seine ästhetische Relevanz. Plotins Gedanke, daß die Natur selbst die Ideen nachahme und darstelle[96], – mit Schelling ausgedrückt – das Ideale dem Realen einbilde, legitimierte auch die von Plato kritisierte künstlerische Mimesis in ihrem spezifischen Beitrag zur Erkenntnis. Nachahmung der Natur ist Erkenntnis der Natur und der dieser zugrundeliegenden Strukturen; indem der Künstler sie in möglichst großer Ähnlichkeit, deren Index die Schönheit ist, darstellt, realisiert er gleichsam die der Erscheinungswelt immanente ‚theoria' und er-

---

[91] ebd. 292
[92] ebd. 300
[93] ebd., vgl. „bewußtlose Wissenschaft" (ebd.)
[94] ebd. 324
[95] ebd. 303
[96] vgl. Plotin, Enn. 3, 8

reicht in der Vorstellung einer ‚zweiten Natur' sogar eine höhere, weil intelligiblere Stufe der Wirklichkeit. Diese potenzierende Leistung der Kunst ist für Schelling nur möglich durch die Freiheit der Einbildungskraft, die das Ideale dem Realen so einbildet, daß die Idee in der Schönheit wirklich zur Anschauung kommt und in dieser der Schein seinen transzendierenden Impuls entfaltet, durch den er sich als Offenbarung des Absoluten selbst erweist. Indem der Künstler, die absolute Einbildung der Natur nachahmend, die intelligiblen Strukturen der Natur in seinem Werk realisiert und zu sinnlicher Anschauung bringt, erfüllt das Kunstwerk auch eine philosophische Funktion für seinen Rezipienten: es führt ihn zur Erkenntnis der Ideen, welche der Anschauung zugrunde liegen. Als Resultat ist das Werk Produkt der unmittelbaren Erkenntnis der Natur durch das Genie, es ist aber auch Beginn der erkennenden Reflexion des Rezipienten und Kritikers.

C. Die Logik der Phantasie

1. Die Tradition des Phantasiebegriffs
Aristoteles, Wolff und Kant

Der systematischen Stellung der Kunst im Rahmen der gesamten Philosophie und der Struktur ihrer ontologischen Begründung gemäß, mußte auch die ästhetische Einbildungskraft zunächst als das Gegenbild und Analogon der absoluten Imagination betrachtet werden. Für die spezifisch ästhetische Bedeutung der Einbildungskraft und ihre Funktion nicht nur in der metaphysischen Begründung, sondern besonders in der differenzierten Explikation einer Theorie der Kunst, ist nun auch die Tradition zu beachten, die Phantasie und Einbildungskraft gleichsam paradigmatisch und unter rein kunstimmanenten Aspekten thematisiert und analysiert hat. Soweit in dieser Tradition ästhetischer Theorien der Einbildungskraft eine zentrale Funktion in der Analyse der Kunst eingeräumt wird, kann sich unter dieser Prämisse auch der Gedanke der Autonomie der Kunst gegenüber der Philosophie entfalten. Phantasie wird zunehmend zu dem umgreifenden Vermögen der ästhetischen Produktion und behauptet in dieser Bedeutung, eine gegenüber Verstand und Vernunft selbständige und innerhalb ihrer Sphäre gleichwertige Form der Erkenntnis zu repräsentieren, ihr eigentümliches Terrain. Durch diesen universellen Anspruch der Phantasie im Bereich der Kunst kann die Einbildungskraft schließlich zu dem Medium einer der Philosophie analogen Darstellung der Wahrheit werden, wie dies Schelling in seiner Theorie der Gegenbildlichkeit von Kunst und Philosophie postuliert.

Die allgemeine Voraussetzung dieser Tradition des Begriffs der Phantasie und damit auch der Bedeutung, die sie in den Theorien der Poetik und Rhetorik spielt, ist die Definition, die sie durch *Aristoteles* erhalten hat. Er faßt Phantasie als ein von Verstand und Urteilskraft getrenntes Seelenvermögen auf und weist ihr eine Mittelstellung zwischen Wahrnehmung und Denken zu; sie beruht auf der sinnlichen Wahrnehmung, von der sie den Stoff erhält, und ist vermöge ihrer Fähigkeit, die Gegenstände der Anschauung auch in deren Abwesenheit vor das innere Auge zu stellen, eine wesentliche Voraussetzung des Denkens.[97] Obwohl Aristoteles selbst in der *Poetik* der Phantasie keine explizite Bedeutung zuspricht, da er hier die künstlerische Produktion ganz unter dem Aspekt der Mimesis analysiert, ist mit ihrer Bestimmung als das Vermögen der Vorstellung nichtgegenwärtiger Wirklichkeit doch der Grund der ästhetischen Relevanz der Phantasie gelegt. Wenn die Kunst die Aufgabe hat, nicht bloß wirkliche Gegenstände, sondern die Realität unter der Perspektive der Möglichkeit zu schildern, da sie in dieser Form eine größere Allgemeinheit und damit Wahrheit der Darstellung zu erreichen vermag[98], muß in diesem Verständnis der ästhetischen Repräsentation gerade der Phantasie eine notwendige Funktion zukommen. Diesen Aspekt der Vergegenwärtigung des Nichtgegenwärtigen als Voraussetzung dafür, die Wirklichkeit auf den Horizont der Möglichkeit hin zu überschreiten, thematisiert Aristoteles in der *Rhetorik*. Hier geht es zunächst darum, wie an bestimmte Gegenstände und Vorstellungen gebundene Affekte willkürlich erzeugt und gelenkt werden können, wozu es notwendig ist, künstlich die Gegenstände zu produzieren, durch welche jene ausgelöst werden.[99]

---

[97] Aristoteles, De anima, 427 b 14 ff.
[98] vgl. dazu oben S. 34
[99] Aristoteles, Rhetorik 1370 a 27 ff.

Damit erhält die Phantasie als eine modifizierte Form der Wahrnehmung – worin auch ihre Analogie zu Traum, Erinnerung und Erwartung liegt – die Aufgabe, Bilder für die innere Anschauung zu erzeugen und dabei auch die Gefühle zu produzieren, welche mit jenen verbunden sind. Sie ist so als das gleichsam ästhetische Vermögen der Sinnlichkeit bestimmt, welches unabhängig von der äußeren Wirklichkeit und in freier Willkür Gegenstände einer im allgemeinsten Sinn ästhetischen Anschauung zu erzeugen vermag, und damit prädestiniert, ein notwendiges Element jeder unter den Perspektiven der Produktion oder der Rezeption argumentierenden Ästhetik zu werden.

In dieser Tradition des Phantasiebegriffs, welcher jene als ein Vermögen der Sinnlichkeit und im besonderen als die Fähigkeit der Seele bestimmt, durch welche eine innere Anschauung von Gegenständen in deren Abwesenheit möglich ist, steht auch noch die Philosophie der Aufklärung. „Die Vorstellungen solcher Dinge, die nicht zugegen sind, pflegt man Einbildungen zu nennen: und die Kraft der Seele, dergleichen Vorstellungen hervorzubringen, nennet man Einbildungs-Kraft."[100] In dieser Definition erscheint die Phantasie unter dem nun auch deutschen Titel der Einbildungskraft bei *Christian Wolff*. Während sie in ihrer ursprünglichen Form zunächst reproduktiv ist, insofern sie einen abwesenden sinnlichen Gegenstand in den Formen, in denen er zuvor die Sinne affiziert hat, wiederholt, wird sie hier in einer zweiten und komplexeren Funktion als produktive Einbildungskraft differenziert. In dieser Bestimmung ist sie das Vermögen, nicht nur bloße Abbilder realer Gegenstände hervorzubringen, sondern Phantasiebilder zu erzeugen,

---

[100] Christian Wolff, Vernünftige Gedanken von Gott, Der Welt und der Seele des Menschen, Auch allen Dingen überhaupt, Den Liebhabern der Wahrheit mitgetheilet von ..., Frankfurt/Leipzig 1720, § 235. Vgl.: „Facultas producendi perceptiones rerum sensibilium absentium Facultas Imaginandi seu Imaginatio appelatur." (Ders., Psychologia empirica, Frankfurt/Leipzig 1738, § 92)
Die Verdeutschung der Imaginatio als ‚Einbildung' geht auf Paracelsus zurück (Werke, hrsg. v. K. Sudhoff, I/9, S. 251 ff.; vgl. den Artikel: Einbildung, Einbildungskraft, von K. Hofmann, in: Historisches Wörterbuch der Philosophie, hrsg. v. J. Ritter, Basel 1972, Bd. 2, Sp. 346–358). Der Begriff der ‚Einbildungs-Krafft' wurde erstmals von Johannes Amos Comenius, Janua lingvarum..., 7. Aufl. Hamburg 1638, Kap. XXVII, Nr. 343, geprägt (vgl.: H. P. Hermann, Naturnachahmung und Einbildungskraft. Zur Entwicklung der deutschen Poetik von 1670–1740, Homburg/Berlin/Zürich 1970, S. 88, Anm. 263).

welche den Stoff der sinnlichen Wahrnehmung in neuen Formen und damit in relativer Autonomie von den Gegebenheiten der realen Wahrnehmung repräsentieren.[101] Wolff entfaltet die „Regel der Einbildungskraft"[102] als eine Erklärung der Gesetze der Assoziation, worin sich ein Vorstellungskomplex durch die Regel der Ähnlichkeit mit einem benachbarten verbindet, welcher Prozeß sich unendlich fortsetzen kann. Für die Ästhetik ist in dieser Analyse vor allem das Resultat von Bedeutung, daß die Einbildungskraft nicht wie der Verstand oder das Urteil einzelne Gegenstände in Verbindung miteinander setzt, sondern ganze Komplexe von Inhalten in einer eigentümlichen Weise miteinander verknüpft und dabei nach eigenen Gesetzen verfährt. Damit ist nicht nur nachgewiesen, daß auch die unteren Seelenvermögen der Anschauung nach einer festen Ordnung verfahren und so den oberen analog sind, sondern auch die Grundlage dafür gelegt, eine spezifisch ästhetische Logik der Phantasie zu postulieren.

Auch *Kants* Begriff der Einbildungskraft, wo er nicht unter spezifisch ästhetischem Aspekt, sondern im Rahmen der allgemeinen Anthropologie entfaltet wird, steht noch in dieser durch die Aufklärung vermittelten Tradition der Aristotelischen Grundbestimmung der Phantasie. „Alle Anschauung außer dem Sinn ist Einbildung."[103] Auch für ihn fällt die Einbildungskraft zunächst auf die Seite der Sinnlichkeit und der Rezeptivität des Bewußtseins; ihre Vorstellungen entspringen zwar nicht wie die der sinnlichen Wahrnehmung unmittelbar dem Gegenstand, sondern der Subjektivität, sind jedoch an die Sinne und an die Tatsache, daß die Sinne von einem realen Gegenstand affiziert waren, gebunden. „Wenn also gleich die Einbildungskraft eine noch so große Künstlerin, ja Zauberin ist, so ist sie

---

[101] Perceptiones partiales diversorum entium compositorum pro arbitrio combinare valemus, subjecto quoque imaginatio tribuere potest modo in eo sensu nondum a nobis perceptos, perceptos tamen antea in aliis subjectis, modo eidem non repugnant, ut prodeat phantasma entis sensu antea nondum percepti." (Christian Wolff, Psychologia empirica, § 141, vgl. § 144). Vgl. dazu H. Mörchen, Die Einbildungskraft bei Kant, Tübingen ²1970, S. 21.
[102] Christian Wolff, Der vernünfftigen Gedancken von Gott... Anderer Theil, Frankfurt 1824, § 74. Vgl.: H. P. Hermann, Naturnachahmung und Einbildungskraft, a. a. O. S. 104 f.
[103] Kants handschriftlicher Nachlaß, Bd. 2, Nr. 342 (Die Werke Kants werden zitiert nach: Kants gesammelte Schriften. Herausgegeben von der Königlich Preußischen Akademie der Wissenschaften, Berlin 1908/13 (= Akademie Ausgabe).)

doch nicht schöpferisch, sondern muß den Stoff zu ihren Bildungen von den Sinnen hernehmen."[104] Basierend auf einer ursprünglichen Affektion kann nun die Einbildungskraft bloß reproduktiv diese Sinneswahrnehmung erneut vor den inneren Sinn stellen, worin sie dem Gedächtnis verwandt ist, oder sie kann die Sinnesdaten in neuen und von der Realität abweichenden Verbindungen und Formen vorstellen. Dieses produktive Vermögen der Einbildungskraft wird nun als „sinnliches Dichtungsvermögen" aufgefaßt und nach den drei Arten der bildenden, der beigesellenden und der nach dem Gesetz der Verwandtschaft verfahrenden Einbildungskraft unterschieden.[105] Ebenso gehören die „Vermögen der Vergegenwärtigung des Vergangenen und Künftigen" im Sinne des Erinnerungs- und des Vorsehungsvermögens in den Bereich der Einbildungskraft.[106] In dieser anthropologischen Bestimmung als ,sinnliches Dichtungsvermögen' ist die Einbildungskraft noch nicht als schöpferische Kraft im Sinn der freien Produktion der Kunst aufgefaßt, sondern zunächst als ein allgemeines Vermögen der Subjektivität.[107]

Als das Vermögen der ,Composition' und der ,Erfindung'[108] wird sie jedoch als eine notwendige Voraussetzung der ästhetischen Produktion angesehen, als welche sie eine wesentliche Bedeutung in der Bestimmung des künstlerischen Genies erhalten wird, denn das „eigentliche Feld für das Genie ist das der Einbildungskraft: weil diese schöpferisch ist und weniger als andere Vermögen unter dem Zwange der Regeln steht, dadurch aber der Originalität desto fähiger ist"[109].

2. Die Autonomie der poetischen Einbildungskraft
   Bodmer und Breitinger

Seinen entscheidenden Wandel und seine Aufwertung zu dem zentralen Vermögen der ästhetischen Produktion und Rezeption er-

---

[104] Kant, Anthropologie in pragmatischer Hinsicht, Akademie Ausgabe, Bd. 7, S. 168; zur *Anthropologie* vgl. H. Mörchen, Die Einbildungskraft bei Kant, a.a.O., S. 14 ff.
[105] Kant, Anthropologie, S. 174 ff.; vgl. S. 167
[106] ebd. S. 182 ff.
[107] vgl. ebd. S. 168
[108] ebd. S. 175
[109] ebd. S. 224; vgl. S. 172; zu Kants Genie-Begriff vgl. unten S. 121 – 128

fährt der Begriff der Einbildungskraft gegen die Mitte des 18. Jahrhunderts nicht in der Philosophie, sondern in der Poetik, welche sich im Rückgriff auf philosophische Terminologie als Wissenschaft zu begründen sucht. In der Tendenz, der Kunstdarstellung eine gegenüber der Philosophie eigene Aufgabe und darin auch eine eigentümliche Fähigkeit zu einer ästhetischen Form der Wahrheit zuzusprechen, wird die Einbildungskraft aus ihrer absoluten Unterordnung unter den Verstand und die Vernunft befreit und damit zu einem wesentlichen Fundament der Autonomie der Kunst. In kritischer Auseinandersetzung mit Gottscheds *Versuch einer Critischen Dichtkunst*[110], welche im konventionellen Rahmen der Nachahmungstheorie die Darstellung des Wahrscheinlichen als das Hauptziel der Poesie erklärt hat, dabei jedoch der Phantasie keinen besonderen Raum einräumte, sind es vor allem die Schweizer *Johann Jacob Bodmer* und *Johann Jacob Breitinger,* die der Einbildungskraft ihre neue und zentrale Funktion in der Poetik und Kunsttheorie zuweisen.

Auch Bodmer geht von dem Aristotelischen Mimesisgebot aus, interpretiert dies jedoch sensualistisch so, daß die Kunst nicht so sehr die Natur selbst, sondern vielmehr deren Wirkungen auf das Gemüt des Menschen nachzuahmen habe, in deren Entstehung der Imagination eine wesentliche Bedeutung zukomme. Da die Wirkung der Gegenstände nicht primär unter dem Aspekt der Erkenntnis, sondern der ‚Rührung des Gemüts‘ aufgefaßt wird, muß die Kunst sich eines Vermögens bedienen, welches deren sinnliche Qualitäten und die damit verbundenen Affekte auch in ihrer Abwesenheit zu erzeugen und zu vergegenwärtigen vermag. „Darum hat er [Gott] die Seele mit einer besonderen Krafft begabet / daß sie die Begrieffe und die Empfindungen / so sie einmal von den Sinnen empfangen hat / auch in der Abwesenheit und entferntesten Abgelegenheit der Gegenstände nach eigenem Belieben wieder annehmen / hervor holen und aufwecken kann: Diese Krafft der Seelen heissen wir die Einbildungs-Krafft / und es ist derselben Gutthat / daß die vergangne und aus unsern Sinnen hingerückte Dinge annoch

---

[110] vgl. hierzu: H. P. Hermann, Naturnachahmung und Einbildungskraft. Zu der Entwicklung der deutschen Poetik, a. a. O. S. 92 ff. und: G. Kaiser, Aufklärung, Empfindsamkeit, Sturm und Drang, München 1976, S. 63 ff.

anwesend vor uns stehen / und uns nicht minder starck rühren / als sie ehemals gethan hatten."[111] Einbildungskraft bezieht sich hier nicht mehr so sehr auf die sinnliche Wahrnehmung der Gegenstände als solche und ihre Vorstellung in Abwesenheit, sondern auf den Komplex der Gefühle und Empfindungen, die mit jenen verbunden sind; darin hat sie auch ihren Unterschied zum Gedächtnis, welches das Bewußtsein nur bereits vergangener Sinneseindrücke versichern kann, als solches aber nicht die Empfindungen in ihrer Anschaulichkeit hervorzubringen vermag. Da es die Aufgabe und Absicht der Kunst ist, diese Empfindungen in ihrer Komplexität in der Seele zu erwecken, muß die Einbildungskraft zum hauptsächlichen Vermögen ihrer Produktion ebenso wie ihrer Rezeption werden; sie setzt daher zunächst detaillierte Kenntnis und genaue Vorstellung der Gegenstände beim Dichter voraus, welche ihn befähigen, die poetischen Stoffe eindringlich und lebendig zu schildern, so daß er dadurch willkürlich und in freier Kombination, nur vom Gesetz der Wahrscheinlichkeit geleitet, Vorstellungen und Affekte im Leser zu erzeugen und diesen so zu der intendierten ästhetischen Anschauung zu führen vermag.[112] „Es ist nun unstreitig / daß einem jeden Verfasser / der mit seiner Wolredenheit belustigen und die Regungen eines gescheuten Lesers nach seinem Belieben regieren will ... vorab allen Poeten ... eine gute und reiche Einbildungs-Krafft vor allen Dingen nöthig ist. Solche müssen nicht minder befließen seyn / ihre Einbildung auszuschmücken; als ein Welt-weiser seines Verstandes zu pflegen."[113] Damit ist die Einbildungskraft unter dem Aspekt der Ästhetik nicht mehr eines unter anderen Seelenvermögen, welche

---

[111] (Johann Jacob Bodmer und Johann Jacob Breitinger :)Von dem Einfluß und Gebrauche der Einbildungs-Krafft; Zur Ausbesserung des Geschmackes: Oder genaue Untersuchung Aller Arten Beschreibungen, Worinne die Außerlesenste Stellen der berühmtesten Poeten dieser Zeit mit gründtlicher Freyheit beurtheilt werden, Frankfurt und Leipzig (tatsächlich Zürich) 1727, zitiert nach: A.v. Bormann (Hrsg.), Vom Laienurteil zum Kunstgefühl. Texte zur deutschen Geschmacksdebatte im 18. Jahrhundert, Tübingen 1974, S. 47
[112] „Wenn die Einbildungs-Krafft so reichlich angefüllt ist / so muß sie nothwendig einen herrlichen Einfluß über eine Schrifft haben / indem sie dieselbe mit lebhafften Bildnissen und Gemählden belebet / welche den Leser gleichsam bezaubern ; Er vergißt darüber / daß er nur die Beschreibungen der Sachen lieset / und fällt auf den Wahn / er sehe die Dinge selber vor sich / und wohne den erzehlten Begebenheiten persönlich bey." Bodmer und Breitinger, Von dem Einfluß..., a. a. O. S. 49
[113] ebd.

unter Leitung des Verstandes zur Kunstproduktion zusammen-
wirken müssen, sondern das grundlegende Vermögen dieser Produktion überhaupt geworden. Als spezifisch ästhetisches Vermögen
rückt sie dadurch auch in eine gleichberechtigte und analoge Position gegenüber dem Verstand, in welcher sie eine relative Autonomie
der Kunst gegenüber der Philosophie begründet.

Die konsequente Fortführung dieses Gedankens scheint daher
die Forderung von Bodmers Mitarbeiter Breitinger zu sein, es müsse
für die Einbildungskraft hinsichtlich ihres Verfahrens und ihres
Gegenstandsbereichs ebenso wie für den Verstand eine eigene Logik
geben; dieser Logik der Phantasie käme gemäß der konstitutiven
Funktion der Einbildungskraft für die Kunst notwendig die Bedeutung eines Fundaments jeder Kunsttheorie zu, welche die ästhetische Anschauung unter dem Aspekt der Produktion oder der Wirkung thematisierte. „Es ist mir manchmal in den Sinn gekommen,
daß die Einbildungs-Kraft eben so wohl als der Verstand einer gewissen Logik vonnöthen habe. Wer eine Erkenntniß des Wahrscheinlichen, mit welchem die Phantasie umgeht, erlangen will, muß
eben also, wie in der Vernunft-Lehre geschieht, vom Einfachen zum
Vielfachen fortgehen. Er muß für das erste die Einbildungs-Kraft
mit einem reichen Vorrath von sinnlichen Bildern versehen; was für
Urbilder die erste Künstlerin der Natur, und ihre Nachahmerin die
Kunst den Sinnen darstellen, dadurch das Gemüthe auf unendlich
verschiedene Weise gerühret wird, muß die Phantasie beflissen seyn,
von einem jeden ein Bildniß abzunehmen. Von diesen Bildnissen ist
hier wahrzunehmen, daß sie von denjenigen, die der Verstand einnimmt, ganz verschieden sind, ob sie gleich von einerley Gegenstand
genommen werden."[114] Indem die Poetik so eine eigene Logik der
Einbildungskraft postuliert, hat sie ihren Gegenstand und ihre Ziele
als eine eigene Dimension gegenüber der begrifflichen Philosophie
abgegrenzt und der Kunst eine in Bezug auf das Gefühl und die

---

[114] Johann Jacob Breitinger, Critische Abhandlung von der Natur, den Absichten und
dem Gebrauche der Gleichnisse. Mit Beyspielen aus den Schriften der berühmtesten
alten und neuen Scribenten erläutert. Durch Johann Jacob Bodmer besorget und zum
Drucke befördert, Zürich 1740 (Nachdruck: Stuttgart 1967), S. 6 f.; vgl.: „Idee einer
Logick der Phantasie. Was die Begriffe, die sich gedencken lassen, in der Vernunft-
Lehre sind, das sind die Bilder der sinnlichen Dinge in der Logick der Phantasie; und
was dort die Sätze sind, das sind hier die Gleichnisse." (ebd. S. 3)

Empfindungen des Menschen eigenständige Wahrheitsfähigkeit zugesprochen. Kunst zielt nicht wie die Philosophie auf die Erkenntnis der Wahrheit der Natur, sondern auf die Darstellung des Wahrscheinlichen, welches in Phantasiebildern vergegenwärtigt werden und darin auf das Gemüt und die Vorstellungskraft wirken soll. In Aristotelischer Tradition wird die Wahrscheinlichkeit als das Feld der Kunst und der Einbildungskraft bestimmt; in Analogie zu der Philosophie, welche die Wahrheit der Erkenntnis zum Gegenstand hat, soll die Einbildungskraft mit der ihr eigenen Logik das Feld des Wahrscheinlichen und seiner Nachahmung in der Kunst zugewiesen erhalten. Ausgehend von der Identität der Gegenstände des Verstandes und der Einbildungskraft zeigt sich deren spezifischer Unterschied, der die Phantasie bezüglich der Kunst in ihr eigenes Recht setzt und ihr in der ästhetischen Anschauung der Begriffe nach dem Gesetz der Wahrscheinlichkeit ihre eigene und in ihrem Bereich absolute Qualität zuspricht.

„Übrigens haben die Phantasie-Bilder an ihrem Ort einen so weitläufigen Umfang, als die Bilder des reinen Verstandes auf ihrer Seite. Wie diese die Quelle aller Erkänntniß und Wahrheit sind, so sind die Bildnisse der Phantasie die ersten Elemente der Poesie und Wohlredenheit, als in welchen das Wahrscheinliche die Stelle der Wahrheit einnimmt."[115] Diese Parallelisierung der Gegenstände von Kunst und Philosophie führt mit dem Begriff der Logik der Phantasie auf das Postulat einer Systematisierung der Objekte der Kunst und der Weisen ihrer Darstellung und Verknüpfung, in welchem sich bereits der Anspruch auf eine prinzipielle Theorie der Kunst anmeldet, welche von einem grundlegenden und wesentlich ästhetischen Vermögen her zu entwickeln wäre. Unter dem Postulat der ‚Gegenbildlichkeit' der Phantasieprodukte gegenüber den Verstandesbegriffen werden für die ästhetische Anschauung ‚Gleichnisbilder' gefordert, welche die rein intellektuelle Wahrheit auf sinnli-

---

[115] Breitinger, Critische Abhandlung, a. a. O. S. 7 f. Vgl.: „Man muß also das Wahre des Verstandes und das Wahre der Einbildung wohl unterscheiden... Das Wahre des Verstandes gehöret für die Weltweißheit, hingegen eignet der Poet sich das Wahre der Einbildung zu." (Johann Jacob Breitinger, Crititsche Dichtkunst Worinnen die Poetische Mahlerey in Absicht auf die Erfindung untersuchet und mit Beyspielen aus den berümtesten Alten und Neuern erläutert wird. Mit einer Vorrede eingeführet von Johann Jacob Bodemer, Zürich/Leipzig 1740 (Nachdruck: Stuttgart 1966), S. 138 f.

che Weise repräsentieren. Diese Allegorien und Symbole werden in der Zusammenwirkung des Verstandes mit der Phantasie nach dem Gesetz der Ähnlichkeit der Begriffe und sinnlichen Anschauungen gebildet, durch welche die Einbildungskraft eine spezifisch ästhetische Realität konstituiert. Es gelingt ihr dadurch, auch abstrakte Begriffe in ästhetischer Anschauung zu transponieren, wo diese unmittelbar und darin zugleich unterhaltend und belehrend auf das Gemüt wirken. „Gleich die erste Absicht der Gleichnisse ... bestehet darinnen, daß sie einen Gedancken in ein volles Licht setzen, damit der Leser von demjenigen, was man vorstellig machet, einen deutlichern und lebhaftern Eindruck bekomme, so fern ist es, daß ein Redner oder Poet derselben entbähren könne."[116]

Um diese Anschaulichkeit zu erreichen, muß der Künstler sogar über das Wahrscheinliche hinausgehen und die künstlerischen Mittel bis zur Darstellung der ideellen Inhalte in der Form des Wunderbaren erweitern. Mittels der Phantasiebilder der Einbildungskraft „verkleidet" er „die Wahrheit in eine ganz fremde aber durchsichtige Maske"[117], in welcher jene als ästhetischer Schein und als „ein vermummtes Wahrscheinliches"[118] erscheint. Der Begriff des Wunderbaren als das Mittel dieser gleichsam symbolischen Darstellung macht deutlich, welche Freiheit das ästhetische Prinzip gegenüber der traditionellen Forderung nach Wahrscheinlichkeit durch die neue Bestimmung der Einbildungskraft erhalten hat. Durch die Abstraktion der Einbildungskraft, die durch „neue Zusammenordnung der Bilder aus der materialischen so wohl als aus der moralischen Welt so wunderbare Vorstellungen hervorbringet"[119], überschreitet das ästhetische Prinzip die Grenzen des Realistisch-Wahrscheinlichen auf einen höheren Begriff ästhetischer Wahrheit hin, und der Künstler wird so zum „Schöpfer einer neuen idealischen Welt oder eines neuen Zusammenhangs der Dinge"[120]. Diese Fähigkeit der Kunst zu ‚idealisieren', durch welche die Phantasie „auch die Dinge, die nicht für die Sinne sind, gleichsam erschaffet"[121], kenn-

---

[116] Breitinger, Critische Abhandlung, a. a. O. S. 13
[117] Breitinger, Critische Dichtkunst, a. a. O. S. 130
[118] ebd.
[119] ebd. S. 286
[120] ebd. S. 426
[121] ebd. S. 60

zeichnet ihre für die weitere Entwicklung der Ästhetik und vor allem für die Entfaltung einer Theorie der Einbildungskraft zentrale Qualität. Es ist dieser „Kunstgriff der Einbildungskraft, welchem die Poesie ihren größten Ruhm zu verdancken hat"[122], aus welchem sich für die Theorie der Kunst eine neue Autonomie des ästhetischen Scheins und der spezifisch künstlerischen Darstellung und Deutung der Realität ergibt. Mit den Begriffen der Logik der Phantasie, der Gleichnisbilder und des Wunderbaren hat Breitinger wesentliche Elemente für eine Ästhetik versammelt, welche die Autonomie der Kunst und die ‚Gegenbildlichkeit' der ästhetischen Anschauung gegenüber dem philosophischen Begriff in einer Theorie der Einbildungskraft wird entfalten wollen.

3. Die Sprache der Phantasie
Karl Philipp Moritz

Die wichtigste und einflußreichste Entfaltung der Begriffe der Einbildungskraft und der Phantasie – und auch Schellings bedeutendste Quelle für seine Theorie der ästhetischen Einbildungskraft[123] – liegt wohl in *Karl Philipp Moritz' Götterlehre* von 1791 vor. Hier gibt Moritz eine umfassende Darstellung der griechischen Mythologie, welche ihrem Wesen nach als ein Produkt der ästhetischen Einbildungskraft aufgefaßt wird und darüber hinaus auch ihrem Gehalt nach als eine implizite Theorie der Phantasie verstanden werden kann. Wiewohl die *Götterlehre* nicht eine theoretische Darstellung der Ästhetik intendiert und nur einleitend einen knappen Umriß des Begriffs der Phantasie und ihrer allgemeinen Anschauung der Mythologie gibt, liegt ihre besondere Bedeutung gerade darin, auch in der detaillierten Entfaltung der antiken Göttergeschichte unter ihrem inhaltlichen Aspekt das Wesen der künstlerischen Produktion und die rein ästhetischen Gesetzmäßigkeiten der symbolischen Darstellung zu beschreiben.

Moritz spricht die Mythologie als das Paradigma der Kunst überhaupt an, und die Phantasie gilt ihm in ihrem umfassenden Sinn als

---

[122] ebd. S. 286
[123] vgl. PhdK, 393, 412; zur Bedeutung der *Götterlehre* für Schellings Theorie der Mythologie vgl. unten S. 106, 141, 162 ff.

das zentrale Vermögen aller ästhetischen Anschauung. „Die mythologischen Dichtungen müssen als eine Sprache der Phantasie betrachtet werden. Als solche genommen, machen sie gleichsam eine Welt für sich aus und sind aus dem Zusammenhange der wirklichen Dinge herausgehoben."[124] Gleich dieser erste Satz des ‚Gesichtspunkts für die mythologischen Dichtungen' exponiert die Mythologie als eine autonome ästhetische Totalität und die Phantasie als das ästhetische Prinzip, aus dem sie sich konstituiert. Phantasie ist damit nicht bloß als das Vermögen der Produktion und Rezeption der mythologischen Kunst postuliert, sondern zugleich als der allgemeine und umfassende Horizont angesprochen, innerhalb dessen sich jede Rede über Kunst zu verstehen hat. Es ist das besondere Verdienst der *Götterlehre*, die Phantasie nicht nur als dieses Vermögen der Konstitution der ästhetischen Sphäre im Allgemeinen zu postulieren, sondern sie gleichsam unter dem pragmatischen Aspekt ihres Verfahrens und Wirkens in der Analyse der Mythologie zu verfolgen und dabei alle Facetten der Möglichkeiten ästhetischer Gestaltung auszufalten. Da Mythologie immer schon und ursprünglich als Dichtung angesprochen wird, kann sie auch nur durch ein wesentlich ästhetisches Vermögen begründet werden und erfordert daher die Entwicklung rein ästhetischer Kategorien, aus denen allein sie zu verstehen und zu beurteilen ist. Alle nicht aus ihrem eigenen poetischen Wesen folgenden Betrachtungsweisen, wie eine historische oder unmittelbar philosophische Interpretation, müssen daher als ihrer ästhetischen Autonomie widersprechende und nichtadäquate abgewehrt werden. „Die Göttergeschichte der Alten durch allerlei Ausdeutungen zu bloßen Allegorien umdeuten zu wollen ist ein ebenso törichtes Unternehmen, als wenn man diese Dichtungen durch allerlei gezwungene Erklärungen in lauter wahre Geschichte zu verwandeln sucht. Die Hand, welche den Schleier, der diese Dichtungen bedeckt, ganz hinwegziehen will, verletzt zugleich das zarte Gewebe der Phantasie und stößt alsdann statt der gehofften Entdeckungen auf lauter Widersprüche und Ungereimtheiten. Um an diesen schönen Dichtungen nichts zu verderben, ist es nötig, sie zuerst, ohne Rücksicht auf et-

---

[124] Karl Philipp Moritz, Götterlehre oder Mythologische Dichtungen der Alten, Berlin/München/Wien o. J., S. 7

was, das sie bedeuten sollen, gerade so zu nehmen, wie sie sind, um soviel wie möglich mit einem Überblick das Ganze zu betrachten, um auch den entfernteren Beziehungen und Verhältnissen zwischen den einzelnen Bruchstücken, die uns noch übrig sind, allmählich auf die Spur zu kommen."[125]

Für das richtige Verständnis der Mythologie kommt also alles darauf an, den Standpunkt zu gewinnen, der sie als universelles Kunstwerk in den Blick faßt und ihre Qualitäten nur aus der Immanenz ihrer ästhetischen Realität zu erkennen vermag. Dies ist nur möglich, indem ihre Entstehung aus der Phantasie zum leitenden Gesichtspunkt der Interpretation gewählt wird und so ihre Elemente rein aus deren Logik und in Hinsicht auf ihre ästhetische Funktion in der Konstitution des allgemeinen Bedeutungszusammenhangs der Mythologie aufgefaßt werden. In der Betrachtung der Totalität der Mythologie erweisen sich alle diese Elemente, die aus der Sicht des Verstandes als Widersprüche und Brüche erscheinen mögen, als konstitutiv für die Erzeugung einer ästhetischen Anschauung, welche nicht einen abstrakten Begriff allegorisieren, sondern die sinnliche und reale Repräsentation der idealen und übersinnlichen Welt leisten soll. Die Bedeutung sowohl des Ganzen wie auch seiner Teile kann daher auch nicht als Funktion einzelner Zeichen fixiert werden, sondern nur sich sukzessiv als eine immanente Logik der Gesamtheit der Mythologie und in der Analyse der komplexen Verhältnisse ihrer einzelnen Elemente untereinander explizieren. „Ein wahres Kunstwerk, eine schöne Dichtung ist etwas in sich Fertiges und Vollendetes, das um seiner selbst willen da ist und dessen Wert in ihm selber und in dem wohlgeordneten Verhältnis seiner Teile liegt, dahingegen die bloßen Hieroglyphen oder Buchstaben an sich so ungestaltet sein können, wie sie wollen, wenn sie nur das bezeichnen, was man sich dabei denken soll."[126]

Mit ihrer Prämisse einer immanenten und nur aus der Logik der Phantasie zu erklärenden Gesetzmäßigkeit der Mythologie kann es

---

[125] ebd. S. 8; vgl. „Die Erzählungen von ihm sind weder bloße Allegorien noch bloße Geschichte, sondern beides zusammengenommen und nach den Gesetzen der Einbildungskraft verwebt. Dies ist auch der Fall bei den Erzählungen von den übrigen Gottheiten, die wir durchgängig als schöne Dichtungen nehmen und durch zu bestimmte Ausdeutungen nicht verderben müssen." (Ebd. S. 22)
[126] ebd. S. 9

die *Götterlehre* unternehmen, ohne Rekurs auf eine philosophische Theorie der Kunst die wesentlichen Gesetze der ästhetischen Anschauung und der Schönheit aus der Analyse der mythologischen Darstellungen selbst abzuleiten.

Es ist der entscheidende Gedanke dieser Theorie der Mythologie, deren ästhetische Realität nicht nur in ihrer Form zu sehen, sondern auch ihren wesentlichen Inhalt, die Geschichte der Götter selbst, als eine poetische Entfaltung der fundamentalen Qualitäten der Kunst und ihrer Produktion zu erkennen. Wird die Schönheit als die zentrale Kategorie der Mythologie aus dem dialektischen Prozeß der Vermittlung von Form und Inhalt verstanden, so muß dieses Thema der ästhetischen Bildung aus der Phantasie auch innerhalb der Mythologie als ihr konstitutiver Inhalt erscheinen. Moritz geht davon aus, ohne diesen prinzipiellen Aspekt seiner Theorie explizit zu thematisieren, daß unter den Titeln der ‚Erzeugung der Götter‘ und des ‚Götterkriegs‘ als den wesentlichen und die Mythologie in ihrer Gesamtheit konstituierenden Inhaltskomplexen die Mythologie selbst eine symbolische Darstellung der Prinzipien der Kunst und der Phantasie enthalte und daß daher eine Interpretation der Mythologie gleichsam notwendig deren immanente Theorie entwickeln müsse.

Der ‚Götterkrieg‘ und die ‚Erzeugung der Götter‘ stehen in der Mythologie – und damit für die Kunst im Allgemeinen – für die beiden zentralen Postulate der ästhetischen Darstellung und der Schönheit: Sie hat den allgemeinen Inhalt in ästhetischer Begrenzung vorzustellen, um damit dem Anspruch der sinnlichen Anschauung zu genügen, und dabei dennoch im Ganzen der Darstellung die Universalität zu entfalten, welche allein der unendlichen Bedeutung dieses Inhalts angemessen ist. Während unter dem Titel des ‚Götterkriegs‘ in der Konstitution der Göttergestalten als ästhetische Wesen das dialektische Wesen der Schönheit als die durch die Phantasie geleistete Vermittlung des reinen Inhalts mit der schönen Form dargestellt wird, wird unter dem Aspekt der ‚Erzeugung der Götter‘ vor allem der universelle Zusammenhang der Mythologie analysiert, in welchem Göttergestalten und ihre Verhältnisse untereinander durch ihre gemeinsame Abstammung von Jupiter miteinander verflochten sind. „Alles ist übereinstimmend in dieser schönen Dichtung; die Harmonie des Ganzen wird durch kein einziges

Bild gestört."[127] In diesem Sinn kann schließlich gesagt werden, daß die Geschichte der Götter eine genetische Darstellung der ästhetischen Bildung und der Kunst in ihrer umfassendsten Bedeutung sei und daß daher die höchste und allgemeine Übereinstimmung von Form und Inhalt in dem Prinzip der Schönheit das eigentliche Wesen und den absoluten Gehalt der Mythologie ausmache.

In dieser Interpretation symbolisiert die Phantasie in dem Krieg Jupiters gegen die alten Götter und Titanen den Kampf der Form gegen die Formlosigkeit. „Das Gebildete und Schöne entwickelt sich aus dem Unförmlichen und Ungebildeten."[128] Erst nachdem die ungeformten Götter besiegt sind, kann die Epoche der schönen olympischen Götter anbrechen. Während die wenigen alten Götter in ihrer Gestalt allgemeine Inhaltskomplexe der Religion oder der Natur in einer rohen und undifferenzierten, dabei aber das Vorstellungsvermögen des Menschen weit übersteigenden Weise verkörpern, bedeutet ihre Niederlage zugleich den Beginn einer ästhetischen Götterwelt, die in der schönen Form und der Differenziertheit ihrer Entfaltung die Anschauung des Göttlichen nach einem menschlichen Maß und damit eine durch die Kunst vermittelte Beziehung der Menschen zu den Götter ermöglicht. „Gerade die Vermeidung des Ungeheuren, das edle Maß, wodurch allen Bildungen ihre Grenzen vorgeschrieben wurden, ist ein Hauptzug in der schönen Kunst der Alten; und nicht umsonst drehet sich ihre Phantasie in den ältesten Dichtungen immer um die Vorstellung, daß das Unförmliche, Ungebildete, Unbegrenzte erst vertilgt und besiegt werden muß, ehe der Lauf der Dinge in sein Gleis kömmt."[129] Unter dem Aspekt des Götterkriegs wird der dialektische Prozeß der Formung als eine Symbolisierung abstrakter Inhalte, gleichsam des reinen Stoffs der Kunst, durch die Begrenzung in der ästhetischen Form dargestellt und damit die erste Forderung der ästhetischen Anschauung erfüllt. Erst die neuen Götter sind Götter der Phantasie und sie im engeren Sinn sind es, die die Mythologie in ihrer autonomen ästhetischen Gestalt ausmachen.

Wird Schönheit als ein dialektischer Begriff aufgefaßt, so kann sie nur in der Vermittlung eines Widerspruchs entstehen und nur in der

---

[127] ebd. S. 79
[128] ebd. S. 14
[129] ebd. S. 20

Reflexion auf diesen Prozeß verstanden werden. Der allgemeine Inhalt der mythologischen Gestalt oder Handlung ist als solcher unbestimmt und muß, um eigentliches Element der Mythologie zu werden, mit der Begrenzung durch die schöne Form vermittelt werden; das Resultat dieses Prozesses ist die ästhetische Gestalt, die vollkommen durch die schöne Form bestimmt ist – deren höchste Form die menschliche Gestalt für alle antike Kunst repräsentiert – und dadurch für die ästhetische Anschauung erfaßbar wird, dabei aber ihre ursprünglich unendliche Bedeutung doch in symbolischer Form erkennen läßt, welchen Effekt auch Moritz als ‚Durchschimmern' bezeichnet. Die Mythologie stellt diese Einheit von Form und Inhalt, die Prinzipien der Schönheit und der symbolischen Repräsentation in für alle Kunst urbildlicher Weise dar; dieser Aspekt zeigt sich besonders deutlich in Moritz' Charakteristik der Venus, welche gleichsam das mythologische Prinzip der Schönheit überhaupt verkörpert. „Sie ist das erste Schöne, was sich aus Streit und Empörung der ursprünglichen Wesen gegeneinander entwickelt und gebildet hat."[130] So verkörpern die olympischen Götter das dialektische Wesen der Schönheit in der Vermittlung von Form und Formlosigkeit; sie bewahren den Gehalt der alten und besiegten Götter, indem sie ihn in der ästhetischen Form repräsentieren und so jenes symbolische Wechselspiel von Anschauung und Bedeutung vorstellen, welches mit dem Begriff des ‚Durchschimmerns' gemeint ist. Durch die Vermittlung der Phantasie sind die neuen Götter reine Gestalt, aber „jene erhabenen Vorstellungen schimmern dennoch immer durch, weil die Phantasie die Zartheit und Bildsamkeit des Neuen mit der Hoheit des Alten wieder überkleidet"[131].

Der Hauptcharakter und wesentliche Gehalt der Mythologie ist für Moritz die Schönheit; dabei darf Schönheit jedoch nicht als eine nach normativen Gesetzen der Form zu beschreibende Qualität aufgefaßt werden, sondern muß als nur aus der Freiheit der Phantasie zu verstehendes und damit nur aus dem konkreten Kunstwerk heraus zu entfaltendes spezifisches Verhältnis von Form und Inhalt gesehen werden. „Das wahre Schöne besteht aber darin, daß eine Sache bloß sich selbst bedeute, sich selbst bezeichne, sich selbst

---

[130] ebd. S. 46
[131] ebd. S. 47

umfasse, ein in sich vollendetes Ganze sei."[132] Unter diesem Aspekt der Frage nach der ästhetischen Form versteht es sich auch, daß Moritz hier die antike Plastik als die paradigmatische Form der Götterdarstellung anführt und diese Form der ästhetischen Anschauung seinen Analysen der mythologischen Gestalten überhaupt zugrunde legt. In der Plastik ist die Vorstellung einer autonomen Anschauung gefordert, und in ihrer vollendeten Form kann gezeigt werden, wie sich das Prinzip der Begrenzung mit dem der Unendlichkeit der Bedeutung vermittelt. Auch in seinem Aufsatz *Die Signatur des Schönen* beschreibt Moritz diesen Charakter der Schönheit anhand einer mythologischen Darstellung – und mit Bezug auf die „Imagination des bildenden Künstlers": „Denn darin besteht ja eben das Wesen des Schönen, daß ein Teil immer durch den andern und das Ganze durch sich selber redend und bedeutend wird – daß es sich selbst erklärt – sich durch sich selbst beschreibt – und also außer dem bloß andeutenden Fingerzeig auf den Inhalt keiner weitern Erklärung und Beschreibung mehr bedarf."[133]

Den zweiten zentralen Gesichtspunkt der Mythologie, ihre Universalität und unendliche Ausbildung als eine Welt der Phantasie, thematisiert Moritz unter dem Mythologie-immanenten Komplex der ‚Erzeugung der Götter' als der Genese der unendlichen Filiationen Jupiters. Damit erscheint Jupiter als das gleichsam die Identität der Mythologie konstituierende Prinzip, in dem alle Göttergestalten und ihre unendlichen Verhältnisse untereinander aus dem gemeinsamen Prinzip der Verwandtschaft und Nachkommenschaft begründet werden. Durch diese Prämisse ist zugleich ein absoluter Zusammenhang zwischen den Göttergestalten gestiftet, der die innere Identität der Mythologie garantiert, dabei aber auch die Basis dafür gelegt, daß ihre unendliche Extension, welche sich auf der Grundlage der Verwandtschaft in eine unendliche Zahl von Geschichten und Erzählungen entfaltet, durch die Phantasie realisiert werden kann. Der Polytheismus wird von Moritz so als eine wesentlich ästhetischen Struktur interpediert, die nicht mehr bloß abstrakte Symbolisierung einzelner Inhalte durch

---

[132] K. Ph. Moritz, Über die Allegorie, in: Werke in zwei Bänden, ausgewählt und eingeleitet v. J. Jahn, Berlin/Weimar ²1976, Bd. 1, S. 301
[133] K. PH. Moritz, Die Signatur des Schönen, in: Werke in zwei Bänden, a. a. O. Bd. 1, S. 292

Gestalten, wie dies bei den alten Göttern der Fall gewesen war, meint, sondern ein harmonisches Universum von Göttern, die sich in wechselseitiger Begrenzung und Ergänzung zueinander ordnen. Das Prinzip dieser Ordnung ist die Phantasie, die nicht nach den Gesetzen des Verstandes eine logische Hierarchie der Götter konstituiert, sondern ein komplexes Geflecht von Beziehungen entfaltet, das jedem einzelnen Element seine Bedeutung nur in dem Bezug auf alle anderen gibt. Was im Zusammenhang der Plastik von der Harmonie und dialektischen Beziehung der einzelnen Teile aufeinander gesagt worden ist, erklärt sich hier weiter unter dem Aspekt der umfassenden Dialektik der mythologischen Welt und ihrer Entfaltung in die unendlichen Beziehungen der Gestalten untereinander. Wie ein Teil sich durch das andere erläutert, so sollen sich alle Teile unter dem Blick auf das Ganze wechselseitig erklären und darin im Horizont der Phantasie eine rein ästhetische Welt konstituieren, in welcher die allgemeinen Inhalte der Mythologie in einer zugleich anschaulichen und in ihrer Extension dennoch unendlichen Weise repräsentiert sind.

„Die Scheidung zwischen den alten und neuen Göttern gibt den mythologischen Dichtungen einen vorzüglichen Reiz."[134] So erläutert es das spezifisch ästhetische Wesen der Mythologie am besten, wenn sie – einer möglichen logischen Eindeutigkeit ungeachtet – die Götter in einer doppelten Weise erscheinen läßt. Während die selben Gestalten unter dem Aspekt der alten Götter der vorolympischen Zeit nur gleichsam als Allegorien allgemeiner Bedeutungskomplexe aufgefaßt wurden, können sie in einer zweiten Existenz als Nachkommen Jupiters explizit als ästhetische Gestalten neu geboren werden; so symbolisiert die Theogonie in Ergänzung der dialektischen Auffassung der ästhetischen Bildung durch den Götterkrieg nun das rein ästhetische Prinzip der Mythologie von der Seite der Produktion. „Weil demohngeachtet aber die Phantasie sich an keine bestimmte Folge ihrer Erscheinungen bindet, so ist oft eine und dieselbe Gottheit unter verschiedenen Gestalten mehrmal da. Denn die Begriffe vom Göttlichen und Erhabenen waren immer, allein sie hüllten sich von Zeit zu Zeit in menschliche Geschichten ein, die sich ihrer Ähnlichkeit wegen ineinander verloren und labyrinthisch

---

[134] Moritz, Götterlehre, a. a. O. S. 42

verflochten haben, so daß in dem Zauberspiegel der dunkeln Vorzeit fast alle Göttergestalten, gleichsam im vergrößernden Widerscheine, sich noch einmal darstellen, welches die Dichter wohl genutzt haben, deren Einbildungskraft durch den Reiz des Fabelhaften in dieser dunkeln Verwebung mehrerer Geschichten einen desto freiern Spielraum fand."[135] Moritz stellt den nicht-logischen Charakter der Mythologie nicht als einen möglicherweise zu beseitigenden Mangel dar, sondern gerade als die eigentliche Qualität der Mythologie, welche durch die Produktion der Phantasie entsteht. Nicht-logisch sind die mythologischen Geschichten, aber dadurch dem Wesen der Phantasie gemäß, die hier ihre absolute Freiheit entfaltet und Zusammenhänge konstruiert, die nicht den Gesetzen des Verstandes, wohl aber den unendlichen Beziehungen der Bedeutungen entsprechen.

Unter dem nun gewonnenen Gesichtspunkt läßt sich die spezifische Logik der Phantasie, die auf Anschauung gerichtet ist, besser verstehen, da sie die beiden Grundgesetze der Mythologie vereinigt: Begrenzung im Einzelnen und Universalität im Ganzen. Die notwendige Grenze für die ästhetische Anschauung wird innerhalb der einzelnen Göttergestalt durch den Mangel an Vollkommenheit symbolisiert, welcher zugleich das individualisierende Prinzip der Differenzierung und der Darstellung überhaupt ist. „Überhaupt ist es das Mangelhafte oder die gleichsam fehlenden Züge in den Erscheinungen der Göttergestalten, was denselben den höchsten Reiz gibt und wodurch ebendiese Dichtungen ineinander verflochten werden."[136] Der Mangel ist damit als das begrenzende Prinzip bestimmt, in dieser Funktion jedoch zugleich als das verbindende, da die mangelhaften und fehlenden Züge der Göttergestalten einander korrespondieren und gerade durch sie die einzelnen Anschauungen der Götter – durch ihre Unvollkommenheit – miteinander in Beziehung stehen. So ist es die Leistung der Phantasie – und damit ist das Grundprinzip der Mythologie ausgesprochen – , aus einem Prinzip heraus die gesamte Welt der Kunst zu entfalten. Indem die Göttergestalten sich wechselseitig begrenzen, ergänzen sie

---

[135] ebd. S. 45
[136] ebd. S. 107; vgl. „Es ist... gleichsam das Mangelhafte oder die fehlenden Züge, wodurch auch diese Göttergestalt sich an die übrigen anschließt." (Ebd. S. 119)

114

sich auch und konstituieren so in ihrer Totalität eine universelle Vorstellung des Göttlichen und Unendlichen, ohne doch im Einzelnen die Qualität der sinnlichen Anschaubarkeit zu verlieren. Gerade durch das Prinzip der Begrenzung, das zugleich das der sinnlichen Anschauung ist, sind die mythologischen Gestalten auf Totalität und Universalität hin angelegt. Die gesamte Mythologie ist somit als eine Entfaltung des *einen* Grundprinzips der Ästhetik zu verstehen; seine Durchführung in der immanenten Logik der *Götterlehre* bis in ihre einzelnen Elemente und die Mannigfaltigkeit ihrer Kombinationen hinein wird erst zeigen, wie die Phantasie hier den unendlichen Gehalt der Kunst auszuschöpfen und anschaubar zu machen vermag.[137]

4. Poesie und Einbildungskraft
Wilhelm von Humboldt

Moritz' Bedeutung für eine allgemeine Theorie der Phantasie liegt vor allem darin, die Prinzipien der ästhetischen Anschauung als autonome Funktion der Einbildungskraft dargestellt und ganz aus der Immanenz der Kunst heraus entfaltet zu haben. Wie eine theoretische Zusammenfassung dieser aus der antiken Mythologie entwickelten Grundsätze von Moritz und zugleich ihre Anwendung auf die ,moderne' Kunst der Gegenwart können die *Ästhetischen Versuche* von *Wilhelm von Humbolt* angesehen werden. Humboldt entfaltet hier im Rahmen einer umfassenden Kritik von Goethes Epos *Hermann und Dorothea* eine allgemeine Theorie der Kunst, die wesentlich auf dem Begriff der Phantasie begründet ist und so auch im Hinblick auf Schellings Interesse an einem adäquaten Verständnis der nachantiken Kunst zu einer Präzisierung des Begriffs der Einbildungskraft beitragen kann.[138] Da hier in dem Versuch einer Interpretation eines einzelnen Werks zugleich die „Grund-

---

[137] vgl. zu Schelling und Moritz unten S. 141, 162 ff.

[138] Obwohl Humboldt in der *Philosophie der Kunst* keine Erwähnung findet, kann es für wahrscheinlich gelten, daß diese 1799 erschienene, zuvor als Manuskript an Schiller gesandte und zur Veröffentlichung in den ,Horen' geplante Schrift auch Schelling bekannt war. (Zum Verhältnis zwischen Humboldt und Schelling vgl.: Schelling im Spiegel seiner Zeitgenossen, hrsg. v. X. Tilliette, Turin 1974, S. 104, 111, 117, 159.) Allgemein zu Humboldts Ästhetik vgl. K. Müller-Vollmer, Poesie und Einbildungskraft. Zur Dichtungstheorie Wilhelm von Humboldts, Stuttgart 1967

principien einer allgemeingültigen Philosophie der Kunst"[139] entwickelt werden sollen, kann dies nur in einem Künstler, Werk und Leser umgreifenden Horizont geschehen, als dessen gleichsam transzendentaler Grund die Einbildungskraft angesehen wird; es ergibt sich daraus die Notwendigkeit, „in das Wesen der dichterischen Einbildungskraft einzudringen"[140].

„Das Feld, das der Dichter als sein Eigenthum bearbeitet, ist das Gebiet der Einbildungskraft; nur dadurch, dass er diese beschäftigt, und nur in so fern, als er diess stark und ausschliessend thut, verdient er Dichter zu heissen. Die Natur, die sonst nur einen Gegenstand für die sinnliche Anschauung angiebt, muss er in einen Stoff für die Phantasie umschaffen. Das Wirkliche in ein Bild zu verwandeln, ist die allgemeinste Aufgabe aller Kunst, auf die sich jede andre, mehr oder weniger unmittelbar, zurückbringen lässt."[141] Die primäre Aufgabe der Kunst ist somit als die Transformation der Realität in ein ideales Bild verstanden, und diese Idealität ist es, die das Kunstwerk in seiner absoluten Autonomie konstituiert und kategorial von der Wirklichkeit trennt. „Um hierin glücklich zu seyn, hat der Künstler nur Einen Weg einzuschlagen. Er muss in unsrer Seele jede Erinnerung an die Wirklichkeit vertilgen und nur die Phantasie allein rege und lebendig erhalten."[142] Phantasie wird hier sowohl verstanden als das rezeptive Vermögen, in welchem die Kunst ihre Wirkung auf das Gemüt entfaltet, als auch als die produktive Fähigkeit des Künstlers, durch die er die Realität in ein ästhetisches Bild zu verwandeln und darin als eine autonome Welt gleichsam neu zu erschaffen vermag. „Die Einbildungskraft durch die Einbildungskraft zu entzünden, ist das Geheimniss des Künstlers."[143] Der Begriff, mit dem Humboldt diesen Prozeß der Transformation der Wirklichkeit in die ästhetische Anschauung bezeichnet, ist in der Tradition Kants und Schillers der des Idealisierens, und das Vermögen der Idealisierung ist die Phantasie. Ihre Funktion ist darin nicht so sehr eine Veränderung des naturgegebenen Gegenstandes der künstlerischen Nachahmung,

---

[139] W. v. Humboldt, Ästhetische Versuche. Erster Theil: Über Goethes Hermann und Dorothea. Werke, hrsg. v. A. Leitzmann, Berlin 1904, Bd. 2 (1796–1799), S. 122
[140] ebd. S. 116
[141] ebd. S. 126; vgl. Kant, Anthropologie, Akademie-Ausgabe, Bd. 7, S. 224
[142] ebd.
[143] ebd. S. 127

sondern die, ihn in eine wesentlich „andre Sphäre"[144] zu versetzen, wodurch er von den Bestimmungen der wirklichen Existenz befreit wird und eine neue Wirklichkeit erhält. „Das Reich der Phantasie ist dem Reiche der Wirklichkeit durchaus entgegengesetzt; und eben so entgegengesetzt ist daher auch der Charakter dessen, was dem einen oder dem andern dieser beiden Gebiete angehört."[145] Der Prozeß des Idealisierens ist so nicht primär durch eine spekulative Vermittlung von Realität und Idee legitimiert, sondern ganz aus der Autonomie der Einbildungskraft und im Sinn einer immanenten Logik der Phantasie begriffen. „Denn alles ist idealisch, was die Phantasie in ihrer reinen Selbstthätigkeit erzeugt, was daher vollkommene Phantasie-Einheit besitzt."[146]

Die ästhetische Produktion, als der Prozeß des Idealisierens aufgefaßt, konstituiert eine eigene und nur in sich selbst gegründete Welt, die auch nur aus den inneren Gesetzmäßigkeiten des Werks zu rekonstruieren und zu verstehen ist. Darin entspricht Humboldts Auffassung von der immanenten Logik der Kunst ganz der poetischen Interpretation der Mythologie durch Moritz, und wie dieser faßt er Universalität und Totalität als die entscheidenden Kategorien der kunstimmanenten Kritik auf.

Die hier durch die Logik der Phantasie postulierte innere Identität der Kunstwerke konstituiert sich wesentlich auf der Ebene der Form. Mit der Vernunft gemeinsam hat die Phantasie das Bestreben, aus der Zufälligkeit und Mannigfaltigkeit der unmittelbaren Realität zu der Erkenntnis eines geordneten und universellen Zusammenhangs zu gelangen und „diese ungeheure Masse einzelner und abgerissener Erscheinungen in eine ungetrennte Einheit und ein organisirtes Ganzes zu verwandeln"[147]. In der Philosophie steht der Begriff der Idee für die Verwirklichung dieses ,letzten Ziels des intellectuellen Bemühens'[148], insofern er die Natur als geordneten und seinem Wesen nach identischen Zusammenhang zu denken er-

---

[144] ebd. S. 126; vgl.: „Wir nennen ein Ideal die Darstellung einer Idee in einem Individuum." (Ebd. 138) Vgl. Kant, Kritik der Urteilskraft, Akademie-Ausgabe, Bd. V mit Seitenangaben d. 1. Aufl. von 1790 (= KdU), § 17, S. 54
[145] ebd. S. 128
[146] ebd. S. 133
[147] ebd. S. 128 f.
[148] ebd. S. 129

laubt; in der Kunst dagegen, welche ganz unabhängig von der Ordnung der Natur eine eigene Gesetzmäßigkeit besitzen soll, muß dieser Zusammenhang von der Phantasie gestiftet werden. Soll die Kunst nun in ihrer Unabhängigkeit von der Logik der Vernunft und des Verstandes dennoch zu der Vorstellung einer Ordnung und gerade einer wesentlich ästhetischen Totalität ihrer Anschauung gelangen, gilt es, für das Prinzip ihrer Autonomie, die Phantasie, eine eigene Gesetztlichkeit zu entwickeln und diese als den Grund aller künstlerischen Darstellung zu demonstrieren.

„Daher ist die Kunst die Fertigkeit, die Einbildungskraft nach Gesetzen produktiv zu machen; dieser ihr einfachster Begriff ist zugleich auch ihr höchster."[149] Die Aufgabe der Ästhetik wird es somit sein, wie dies Moritz am Beispiel der Mythologie unternommen hat, diese Gesetze der Einbildungskraft aus der Immanenz der Werke zu entfalten und sie als die allgemeinen Prinzipien ästhetischer Darstellung und Wirkung zu verifizieren. So ist hier nicht die Identität der Begriffe der leitende Gesichtspunkt, sondern die Ordnung des unendlichen Zusammenhangs unter dem Aspekt der Form, „und die Einheit, die dadurch in ihm herrschend wird, ist dennoch keine Einheit des Begriffs, sondern durchaus nur eine Einheit der Form"[150].

Wie bereits Moritz das Wesen der Einheit der poetischen Welt durch das Gesetz der universellen Verknüpfung aller Elemente auf der Ebene der Form, für welche in der Mythologie Individualität und Mangelhaftigkeit der neuen Götter gestanden hat, beschrieb und dies als die ästhetische Funktion der Phantasie herausstellte, so fordert auch Humboldt in deutlicher Anlehnung an diese Theorie der Mythologie, daß das Kunstwerk immer eine „Welt"[151] vorzustellen habe, welche die beiden Grundprinzipien der Kunst, Idealität und Totalität, realisiere. „Zu beidem, zu dem Idealischen und zur Totalität erhebt er sich nur in dem Gebiete der Einbildungskraft, nur nachdem er das beschränkte und getrennte Daseyn der Wirk-

---

[149] ebd. S. 127
[150] ebd. S. 129
[151] ebd. S. 133 f.: „Wir haben nunmehr gezeigt, wie der Dichter zur Idealität gelangt; aber unsre Behauptung im Vorigen erstreckte sich noch weiter: wir sagten, dass er allemal auch Totalität erreiche; wir bedienten uns des Ausdrucks einer *Welt*, und dieser Ausdruck sollte keine Metapher seyn." (Vgl. S. 146 f.)

lichkeit, wie durch einen Machtanspruch, aufgehoben hat."[152] Dieser Machtanspruch der Phantasie liegt darin, zunächst die natürliche Ordnung der Dinge zu negieren und ihr entgegen die eigene Logik der ästhetischen Anschauung zu etablieren. „Die Kunst besteht in der Vernichtung der Natur, als Wirklichkeit und ihrer Wiederherstellung, als Product der Einbildungskraft."[153] Wie Winckelmann und Moritz sieht auch Humboldt dieses Ideal der Totalität der ästhetischen Anschauung in der antiken Kunst, besonders in der Plastik und in den Epen Homers, in seiner paradigmatischen Form verwirklicht, der er in einem kritischen Vergleich jedoch das Werk Goethes mit demselben Anspruch auf Vollkommenheit an die Seite stellt.

Das wichtigste Kriterium vollendeter Kunst ist in diesem Zusammenhang ihre Objektivität, in welcher Goethe der Antike vergleichbar ist und in welcher Qualität auch die „Verwandtschaft seines Styls mit dem Styl der bildenden Kunst"[154] liegt. Objektivität meint in Bezug auf die Kunst jedoch nicht ihre wesentliche Trennung vom Subjekt, wie sie der Natur zukommt, sondern gerade die Autonomie und Eigengesetzlichkeit des Kunstwerks, das in der ästhetischen Anschauung sich als eine absolute und nur aus ihren eigenen Prinzipien zu begreifende Welt darzustellen vermag. Diese Totalität und Universalität der ästhetischen Anschauung ist die spezifische Leistung der Phantasie, durch welche sie ihre Gegenstände auf der Ebene der Form idealisiert, dadurch aus ihrem realen und zweckgebundenen Zusammenhang herausnimmt, um sie dann in vollkommener Freiheit und nur nach den Gesetzen, die durch den spezifischen Gehalt des Werks gefordert werden, neu zu ordnen. „Totalität ist allemal eine nothwendige Folge der vollkommnen Herrschaft der dichterischen Einbildungskraft."[155] Durch die synthetische Kraft der Phantasie vermag der Künstler eine komplexe ästhetische Wirklichkeit zu schaffen, in der alle Elemente auf vielfältige Weise miteinander verknüpft sind und im Medium der An-

---

[152] ebd. S. 138; vgl.: „Sein Geschäft ist es, die Einbildungskraft herrschend und productiv zu machen, und indem er diess Geschäft vollendet, gelangt er zu Idealen und erreicht er Totalität." (Ebd. S.140)
[153] W.v. Humboldt, Schema der Künste, Werke, a. a. O. Bd. 7/2, S. 584
[154] Humboldt, Ästhetische Versuche, a. a. O. S. 146
[155] ebd. S. 135

schauung und der hier konstituierten Logik sich wechselseitig erklären und ergänzen. „Gelingt ihm diese Arbeit, so stellt er zuletzt lauter reine Charakterformen auf, blosse Gestalten, welche die lautre,
nicht durch einzelne wechselnde Umstände entstellte Natur an sich
tragen; so ist jede mit dem Gepräge ihrer Eigenthümlichkeit ge-
stempelt, und diese Eigenthümlichkeit liegt blos in der Form, kann
nie anders, als durch Anschauen gefasst, nie aber in einem Begriff
ausgedrückt werden."[156]

Insofern die Kunst diesen Charakter der Idealität und ästhetischen Totalität durch die Phantasie erhält, muß diese nun auch das
Organ sein, in welchem sich auf der Seite des Rezipienten die Objektivität der ästhetischen Anschauung realisiert. Wie der Künstler
durch die Einbildungskraft die eigene Logik des Kunstwerks
konstituiert hat, so ist ein Verständnis des Werks nur möglich, indem
die Produktion seines spezifischen Gehalts in der Durchdringung
dessen ‚eigener Welt‘ nachvollzogen und die inneren Gesetze des
Werks gleichsam in der rezipierenden Phantasie rekonstruiert werden. „Denn nun ist diese letztere allein herrschend; nun knüpft sie
auf einmal alles zusammen, worin sie eine für sich bestehende Kraft,
ein eignes Lebensprincip entdeckt; und da alles Positive mit einander
verwandt und eigentlich Eins ist, alle Absonderung von Individuen
aber nur durch Beschränkung entsteht, so erfolgt hieraus nothwendig von selbst ein Streben nach einer in sich selbst geschlossenen
Vollständigkeit."[157] Dies ist nur möglich, wenn es gelingt – und zu
dieser Haltung hat der Künstler „das Gemüth zu stimmen"[158] – alle
sonst mit der Wirklichkeit beschäftigten „Kräfte unsres Geistes allein der Einbildungskraft unterzuordnen"[159]. Nur in dieser Konzentration auf die Phantasie als das allein bestimmende Prinzip der
Kunst kann das Werk die intendierte Wirkung haben, „weil es gerade
und rein zur Phantasie des Zuschauers geht und eben so rein aus der
Phantasie des Künstlers entsprungen ist"[160], und den Rezipienten in
jenen äthetischen Zustand versetzt, in welchem er gleichsam selbst
ein Teil der ‚einen Welt‘ der Kunst wird und sich darin in der Totalität

---

[156] ebd. S. 129
[157] ebd. S. 136 f.
[158] ebd. S. 137; vgl. Kant, KdU, § 49, S. 317
[159] ebd. S. 136
[160] ebd. S. 126 f.

seiner Subjektivität erlebt. „Der Dichter versetze uns, wie er seinem ersten und einfachsten Berufe nach zu thun verbunden ist, ausserhalb der Schranken der Wirklichkeit, und wir befinden uns unmittelbar von selbst in der Region, in welcher jeder Punkt das Centrum des Ganzen und mithin dieses schrankenlos und unendlich ist."[161] In diesem Sinn der durch die Autonomie der Einbildungskraft produzierten und in der Rezeption nachvollzogenen Absolutheit des Kunstwerks, welches als Anschauung eine ganze Welt in der Unendlichkeit ihres Gehalts vorzustellen vermag, kann auch Humboldt von einer wesentlichen Identität aller Kunst sprechen. „Alle Künste umschlingt ein gemeinschaftliches Band; alle haben sie dasselbe Ziel, die Phantasie auf den Gipfel ihrer Kraft und ihrer Eigenthümlichkeit zu erheben."[162] Alle Gattungen und alle Werke der Kunst sind darin miteinander verwandt – und dieser Gedanke entspricht ganz Schellings Postulat des ‚eigentlich Einen Kunstwerks in unterschiedlichen Gestalten' –, daß sie in ihrer Gesamtheit und in der wesentlichen Identität ihrer Wirkungen das Universum in der ästhetischen Anschauung repräsentieren und dem Subjekt eine spezifisch ästhetische Erkenntnis der Welt und seiner eigenen Identität vermitteln.

5. Die Darstellung ästhetischer Ideen
   Kant

Während Moritz und Humboldt die Prinzipien der Phantasie und die Gesetze der ästhetischen Anschauung gleichsam objektiv und wesentlich aus der Immanenz der Kunst heraus entwickelt und dargestellt haben, ist es *Kants Kritik der Urteilskraft*, die die Einbildungskraft von der Seite der Subjektivität her thematisiert und ihren Begriff in auch für Schelling und die gesamte idealistische Ästhetik bestimmender Weise prägt.[163] Auch bei Kant, der die Frage

---

[161] ebd. S. 136
[162] ebd. S. 148
[163] Die *Philosophie der Kunst* nennt die *Kritik der Urteilskraft* nur an einer einzigen Stelle (362) und hier nur in polemischer Beziehung auf ihre Wirkungsgeschichte; Kant überhaupt findet nur eher beiläufige und kritische Erwähnung (361, 487, 666). Eine sehr positive, wenn auch von seinen eigenen Intentionen weitgehend abstrahierende Würdigung der philosophischen Bedeutung Kants gibt Schelling in seinem Artikel *Immanuel Kant* in der *Fränkischen Staats- und Gelehrten-Zeitung*, März

nach der Kunst unter der transzendentalphilosophischen Perspektive der Begründung des Geschmacksurteils stellt, hat die Einbildungskraft ihre für die Theorie der Kunst konstitutive Funktion darin, vor allem die Eigenständigkeit der ästhetischen Anschauung gegenüber dem philosophischen Begriff zu legitimieren, indem sie auf eine spezifisch ästhetische Weise zwischen Begriff und Anschauung vermittelt. Anknüpfend an die anthropologische Bestimmung der Einbildungskraft als das produktive Vermögen der Vorstellung von Bildern, welche unabhängig sind von der Realität der Gegenstände, entfaltet Kant hier den Begriff der Einbildungskraft in seiner Relevanz für eine Theorie der Kunst.[164] Während die *Kritik der Urteilskraft* die traditionelle Bestimmung der ‚Imagination' nicht aufgreift, faßt sie die Einbildungskraft als das Vermögen auf, Begriffe des Verstandes oder der Vernunt in ästhetische Anschauung zu übersetzen; sie hat ihren systematischen Platz daher zum einen in der Analytik des Schönen und zum andern in der Bestimmung des Genies als des Subjekts der künstlerischen Produktion.

Die Frage nach der Allgemeingültigkeit des ästhetischen Urteils führt Kant auf den Begriff des Ideals der Schönheit, welches das allgemeine Kriterium des Geschmacksurteils sein soll; da die Qualität der Schönheit nicht auf einer Erkenntnis des schönen Gegenstandes, sondern auf dem durch ihn bewirkten Gefühl der Harmonie der Seelenkräfte beruht, bedarf es zu ihrer Erzeugung und Wahrnehmung eines besonderen Vermögens, welches diese Übereinstimmung in der Anschauung als „die Vorstellung eines Einzelnen als

---

1804, Nr. 49/50 (VI, 1-10), welcher auch eine, jedoch sehr allgemeine Anerkennung des Verdienstes der *Kritik der Urteilskraft* für die Entstehung einer spekulativen Ästhetik enthält. In einer Zeit „der tieffsten Herabwürdigung der Kunst" erhebe „er sich zu einer Idee von Kunst in ihrer Unabhängigkeit von jedem andern Zweck, als der in ihr selbst liegt" und fordere „die Unbedingtheit der Schönheit ... und die Naivetät als das Wesen des Kunstgenies" (8); „erst seit Kant und durch ihn ist das Wesen der Kunst auch wissenschaftlich ausgesprochen worden: Er gab, wahrhaft ohne es zu wissen, die Begriffe her, welche auch über das vergangene Schöne und Aechte in der deutschen Kunst den Sinn aufgeschloßen, das Urtheil bildeten, und, wie das meiste Lebendigere in der Wissenschaft, läßt auch der kühnere Schwung, den die Kritik in den letzten Jahren genommen, indirekt auf seine Wirkung sich zurückführen." (9)

[164] vgl. dazu H. Mörchen, Die Einbildungskraft bei Kant, a. a. O. S. 13 ff. und W. Biemel, Die Bedeutung von Kants Begründung der Ästhetik für die Philosophie der Kunst (= Kantstudien; Ergänzungshefte 77/1959), S. 70 ff.

einer Idee adäquaten Wesens"[165] auffaßt. Das Ideal des Schönen als ästhetisches Prinzip der Darstellung oder des Urteils impliziert zwar die Übereinstimmung mit den Verstandesbegriffen und den sittlichen Ideen, darf aber nicht logisch aus ihnen hervorgehen, sondern muß der Autonomie der ästhetischen Darstellung entspringen.[166] „Es wird aber bloß ein Ideal der Einbildungskraft sein; eben darum, weil es nicht auf Begriffen, sondern auf der Darstellung beruht; das Vermögen der Darstellung aber ist die Einbildungskraft."[167] Als die zentrale Voraussetzung der Urteilskraft ist die Einbildungskraft damit als das Vermögen der Darstellung und der ästhetischen Anschauung bestimmt und begründet in dieser Qualität die Vermittlungsfunktion der Kunst zwischen Verstand und Vernunft. In der subjektiven Synthese der Einbildungskraft entsteht eine Übereinstimmung zwischen der objektiven Gestalt der Gegenstände und den Begriffen des Verstandes, welche jedoch nicht rational begründet ist, sondern nur in dem auf Anschauung beruhenden Gefühl der Zweckmäßigkeit und Harmonie in der „Zusammenstimmung des Mannigfaltigen zu Einem"[168] liegt. Kant erklärt dieses Phänomen der freien Übereinstimmung einer Anschauung mit einem Begriff zunächst mit dem die ‚ästhetischen Ideen' vorbereitenden Begriff der ‚ästhetischen Normalidee', welche ein Produkt der Einbildungskraft ist. „Sie ist das zwischen allen einzelnen, auf mancherlei Weise verschiedenen Anschauungen der Individuen schwebende Bild für die ganze Gattung, welches die Natur zum Urbilde ihrer Erzeugungen in derselben Species unterlegte, aber in keinem Einzelnen völlig erreicht zu haben scheint."[169] In dieser Annahme der Urbildlichkeit der ästhetischen Normalidee wird sie zur allgemeinen Maßgabe aller Beurteilung der Kunst; sie ist zugleich die prinzipielle „Regel"[170] aller der Natur analogen Pro-

---

[165] Kant, KdU, § 17, S. 54
[166] Das Ideal des schönen Menschen ist daher identisch mit dem Ideal der Schönheit überhaupt; nur im Menschen, der den Zweck seiner Existenz in sich selbst hat, kann das Gefühl der zweckfreien Übereinstimmung der Seelenvermögen vorgestellt und in der Schönheit seiner Darstellung in einer freien Synthese der Einbildungskraft zur Anschauung gebracht werden. (KdU, § 17, S. 59 ff.)
[167] KdU, § 17, S. 54; vgl. § 23, S. 74; vgl.: „große Macht der Einbildungskraft" (ebd. § 17, S. 60)
[168] KdU, § 15, S. 45 f.
[169] ebd. § 17, S. 58 f.
[170] ebd.

duktion und vermittelt in dieser Funktion zwischen der Allgemeinheit des Begriffs und der Besonderheit der Anschauung. Die Charakteristik des ‚Schwebens‘ und der ‚Regel‘ zeigt die strukturelle Gemeinsamkeit der Einbildungskraft im Kontext der Ästhetik mit ihrer allgemeinen Funktion im Rahmen der Erkenntniskritik, wo sie als das Vermögen des Schematismus die Aufgabe der transzendentalen Vermittlung von Begriff und Anschauung hatte.

In dieser Bedeutung der Einbildungskraft als des konstitutiven Vermögens der ästhetischen Beurteilung gründet auch ihre Funktion in der Bestimmung des künstlerischen Genies. Kant muß, um das durch die Anschauung der Schönheit bewirkte Phänomen der zweckfreien Harmonie der Seelenkräfte im Hinblick auf die objektive Seite der Kunst erklären zu können, eine Form der Kunstproduktion postulieren, welche eben diese Übereinstimmung von Verstand, Vernunft und Sinnlichkeit in der ästhetischen Anschauung hervorbringt. Das Subjekt dieser Produktion ist das Genie, denn „Genie ist das Talent (Naturgabe), welches der Kunst die Regel giebt. Da das Talent als angebornes productives Vermögen des Künstlers selbst zur Natur gehört, so könnte man sich auch so ausdrücken: Genie ist die angeborene Gemüthsanlage (ingenium), durch welche die Natur der Kunst die Regel giebt.“[171] Der Begriff der Natur in der Definition des Genies steht für eine Ganzheit der Subjektivität, in welcher sich die Harmonie der Seelenvermögen begründet und welche in der Kunst zur Anschauung kommen soll. Durch die Erfahrung der Kunst kann bewußt werden, daß es jenseits der Grenzen der Verstandeserkenntnis eine Totalität gibt, die als solche nicht reflektiert zu werden vermag, aber gerade darin die Basis der Subjektivität bildet. In diesem Gedanken Kants liegt eine metaphysische Implikation, die für Schellings Verständnis der ästhetischen Anschauung von größter Bedeutung ist. Es ist die Realität gerade der Kunst, welche davon überzeugt, daß es für die Subjektivität eine Möglichkeit gibt, den Bereich der Erfahrung zu übersteigen und gleichsam eine Anschauung der subjektiven Absolutheit zu gewinnen.

Dieses die Differenz der Subjektivität transzendierende Phänomen der Kunst faßt Kant in dem Begriff der ‚ästhetischen Idee‘.

---

[171] Kant, KdU, § 46, S. 181

„Man kann dergleichen Vorstellungen der Einbildungskraft Ideen nennen: eines Theils darum, weil sie zu etwas über die Erfahrungsgränze hinaus Liegendem wenigstens streben und so einer Darstellung der Vernunftbegriffe (der intellectuellen Ideen) nahe zu kommen suchen, welches ihnen den Anschein einer objectiven Realität giebt; andrerseits und zwar hauptsächlich, weil ihnen als innern Anschauungen kein Begriff völlig adäquat sein kann."[172] Mit dem Begriff der ästhetischen Ideen ist angezeigt, daß die Kunst sich hier auf „das Feld des Übersinnlichen"[173] begibt, von welchem keine theoretische Erkenntnis möglich ist, welches aber in Hinsicht der praktischen Vernunft als eine wesentliche Realität für die Subjektivität in ihrer Ganzheit angenommen werden muß. Insofern Kunst aber sich nur im Medium der sinnlichen Anschauung realisieren kann, muß hier deutlich werden, wie ihr diese reale Repräsentation von Gegenständen, die ihrer Natur nach nicht sinnlich sind, gelingen kann.

In diesem Zusammenhang der ästhetischen Ideen und der Kunst-Anschauung erweist sich nun die Einbildungskraft in ihrer Unabhängigkeit und Freiheit gegenüber Verstand und Vernunft als das zentrale Vermögen der künstlerischen Produktion durch das Genie; sie ist „das Vermögen der Darstellung ästhetischer Ideen; unter einer ästhetischen Idee aber verstehe ich diejenige Vorstellung der Einbildungskraft, die viel zu denken veranlaßt, ohne daß ihr doch irgend ein bestimmter Gedanke, d. h. Begriff, adäquat sein kann, die folglich keine Sprache völlig erreicht und verständlich machen kann."[174] Das entscheidende Wesen der ästhetischen Anschauung liegt nun darin, daß sie die Möglichkeit begründet, den Bereich der realen Erfahrung zu übersteigen, ohne darin die Sinnlichkeit zu verlassen; in der sinnlichen Anschauung der Kunst bietet die Einbildungskraft in den ästhetischen Ideen gleichsam eine komplexe Repräsentation von Vernunftgegenständen, die aber, weil sie nicht rational erzeugt

---

[172] KdU, § 49, S. 193 f. Als Beispiele von solchen durch ästhetische Ideen zur Anschauung gebrachte Vernunftideen nennt Kant: unsichtbare Wesen, das Reich der Seeligen, das Höllenreich, die Schöpfung etc. (ebd. S. 194). Vgl. auch: „Die ästhetische Idee kann keine Erkenntniß werden, weil sie eine Anschauung (der Einbildungskraft) ist, der niemals ein Begriff adäquat gefunden werden kann." (Ebd. § 57, S. 240)
[173] ebd. (Einleitung), S. XIX; die Vernunftideen als solche können nie zu einer adäquaten Anschauung gebracht werden, vgl. § 57, S. 240
[174] ebd. § 49, S. 192 f.

ist, auch nicht auf der Ebene des Verstandes aufgelöst zu werden vermag. Die ästhetische Anschauung als Produkt der Einbildungskraft steht damit – entsprechend deren Vermittlungsfunktion zwischen Verstand und Vernunft – zwischen den reinen Ideen, deren Fülle sie nicht erreicht, und den Begriffen, die sie nicht zu erreichen vermögen. In diesem Charakter des Appells der Anschauung an den Verstand und der gleichzeitigen Unmöglichkeit für diesen, sie rational zu begreifen, faßt Kant das spezifische Wesen der Kunst, in welchem sie die Grenzen der rein rationalen Subjektivität übersteigt und zum Schein einer höheren Totalität wird. Der durch die Freiheit der Kunst bewirkte Überschuß der Anschauung gegenüber den Begriffen des Verstandes ist auch der Grund für die Schönheit der Kunstprodukte, da durch diese Differenz alle Erkenntniskräfte gleichermaßen angeregt und in ihrer reinen Tätigkeit, wenn auch nicht hinsichtlich eines fixierbaren Resultats, in Harmonie gesetzt werden. Da dieser Prozeß tendenziell unabschließbar sein muß – denn der Verstand gelangt in seinem Verstehen hinsichtlich einer Anschauung der Einbildungskraft nie an ein Ende –, resultiert hieraus auch die wesensmäßige Unendlichkeit des Kunstwerks, welche der endlichen Subjektivität der Reflexion gleichsam ihr Defizit an Totalität vor Augen führt und in dieser Eigenschaft auch für Schelling eine der wesentlichen Funktionen der Kunst bleiben wird.

Kant begreift die Unendlichkeit der Kunst als ein Resultat des freien Wirkens der Einbildungskraft und erläutert in diesem Zusammenhang ihr Verfahren in der Produktion ästhetischer Ideen. „Wenn nun einem Begriffe eine Vorstellung der Einbildungskraft untergelegt wird, die zu seiner Darstellung gehört, aber für sich allein so viel zu denken veranlaßt, als sich niemals in einem bestimmten Begriff zusammenfassen läßt, mithin den Begriff selbst auf unbegrenzte Art ästhetisch erweitert: so ist die Einbildungskraft hiebei schöpferisch und bringt das Vermögen intellectueller Ideen (die Vernunft) in Bewegung, mehr nämlich bei Veranlassung einer Vorstellung zu denken (was zwar zu dem Begriffe des Gegenstandes gehört), als in ihr aufgefaßt und deutlich gemacht werden kann."[175] Diese Erweiterung der Begriffe durch ihre ästhetische Auffassung

---

[175] ebd. § 49, S. 194 f.

wird von Kant zunächst als gleichsam allegorische Ausschmückung durch ‚ästhetische Attribute'[176] verstanden, durch welche die ästhetischen Ideen ihren den Verstand übersteigenden großen Bedeutungsumfang und ihre Assoziationsbreite erhalten. „Mit einem Worte, die ästhetische Idee ist eine einem gegebenen Begriffe beigesellte Vorstellung der Einbildungskraft, welche mit einer solchen Mannigfaltigkeit der Theilvorstellungen in dem freien Gebrauche derselben verbunden ist, daß für sie kein Ausdruck, der einen bestimmten Begriff bezeichnet, gefunden werden kann, die also zu einem Begriffe viel Unnennbares hinzu denken läßt, dessen Gefühl die Erkenntnißvermögen belebt und mit der Sprache, als bloßem Buchstaben, Geist verbindet."[177] Damit ist die Einbildungskraft, auch wenn explizit nur in dem aus der Anthropologie bekannten Sinn der Assoziation und der Beigesellung angesprochen, als dasjenige ästhetische Vermögen ausgewiesen, welches über die Grenzen des begrifflichen Verstehens hinausgeht und, ohne die Sinnlichkeit zu verlassen, eine eigene und wesentlich ästhetische Wirklichkeit zu schaffen vermag. In diesem Zusammenhang ist es auch zu verstehen, wenn Kant sie, darin ganz dem traditionellen Begriff der Amplifikation aus der Rhetorik entsprechend, als dasjenige Vermögen des Genies charakterisiert, welches „eine (wenn gleich unbestimmte) Vorstellung von dem Stoff, d.i. der Anschauung, zur Darstellung dieses Begriffs"[178] hervorbringt und darin mit den Ansprüchen des Verstandes vermittelt. Diese Vorstellung der Produktion des ‚Stoffs' der Kunst durch die Einbildungskraft wird für Schellings Begriff der Mythologie von Bedeutung sein. „Die Einbildungskraft (als productives Erkenntnißvermögen) ist nämlich sehr mächtig in Schaffung gleichsam einer andern Natur aus dem Stoffe, den ihr die wirkliche giebt."[179]

Indem die Einbildungskraft über die Grenzen der sinnlichen Erfahrung und des begrifflichen Verstehens hinausgeht, begründet sie die eigentümliche Qualität der Kunst-Anschauung hinsichtlich der Extension des Dargestellten und dessen potentiellem Erkenntniswert. In der ‚idealisierenden' Transformation der Realität, welche

[176] ebd. § 49, S. 195
[177] ebd. § 49, S. 197
[178] ebd. § 49, S. 199
[179] ebd. § 49, S. 193

die Sinnlichkeit der Kunst zum Medium der Anschauung von ‚Symbolen' der Ideen macht, konstituiert sie eine andere und spezifisch ästhetische Wahrheit, welche gleichursprünglich mit der theoretischen ist und den eigenen Erkenntnisanspruch des ästhetischen Scheins legitimiert. In dieser ‚eigenen Natur', die nur durch die Einbildungskraft hervorgebracht zu werden vermag und nur in der ästhetischen Anschauung ihre Realität hat, begründet Kant das spezifische Wesen der Kunst gegenüber der philosophischen Erkenntnis und die ihr eigene Wahrheitsfähigkeit, welche ihr in der Darstellung von Vernunftideen und durch den Vorschein einer Totalität und Identität der Subjektivität zukommt. Er hat damit, wenn auch unter den nicht-metaphysischen Voraussetzungen einer Kritik der ästhetischen Urteilskraft eine Autonomie der Kunstanschauung gegenüber der Erkenntnis der Philosophie und eine gemeinschaftliche Beziehung beider auf die Ideen der Vernunft postuliert, welches in anderer Wendung auch die zentralen Prämissen von Schellings Theorie der ‚Gegenbildlichkeit' von Kunst und Philosophie sind.

6. Das Kunstvermögen
Schellings *System des transzendentalen Idealismus*

Schelling gibt seine erste und auch für die *Philosophie der Kunst* in dem wesentlichen Gedanken der äthetischen Anschauung bestimmend bleibende Deutung des Begriffs der Einbildungskraft in seinem *System des transzendentalen Idealismus*. Er greift darin Kants Bestimmung der Unendlichkeit des Kunstwerks auf und gibt ihr unter den veränderten Voraussetzungen einer Transzendentalphilosophie, welche die Totalität der Subjektivität zum Gegenstand hat, eine zentrale philosophische Bedeutung.[180] Die Bestimmung Kants, daß die Kunst vermöge der Einbildungskraft über die Grenzen des Begriffs hinausgehe und daher durch die Reflexion auch nie vollständig zu erfassen sei, wird von Schelling umgedeutet und zur Grundlage jener außerordentlichen Bedeutung gemacht, welche er der Kunst im *System* zuspricht. Indem er ihr die Stellung des Abschlusses und der Vollendung der Philosophie zuweist, denkt er die von Kant formulierte Zwischenstellung der Ästhetik zwi-

---

[180] vgl. W. Biemel, Die Bedeutung von Kants Begründung der Ästhetik, a. a. O. S. 153 f.

schen theoretischer und praktischer Philosophie weiter und integriert diese Vermittlungsfunktion konsequent in ein alle Bereiche der Philosophie umgreifendes System. Die Ästhetik steht hier am Ende der philosophischen Reflexion, da sie deren Einheit und damit die Geschlossenheit des Systems selbst repräsentiert.

Das Problem der Transzendentalphilosophie ist es, das absolute Ich als die Einheit von Subjektivität und Objektivität begreifen zu wollen, wie sie in der intellektuellen Anschauung allem Selbstbewußtsein als transzendentale Bedingung zu Grunde liegt. Da die reflektierende Erkenntnis, insofern sie notwendig an die Differenz des Subjektiven und des Objektiven gebunden ist, diese Einheit im Begriff nicht darzustellen vermag, gelangt sie am Ende ihrer Analyse der Vor-Geschichte des Selbstbewußtseins zu dem Postulat einer Anschauung, welche die absolute Einheit des Ich zu vergegenwärtigen vermöchte. Das primäre Verhältnis des Ich zur Objektivität wurde als dessen bewußtlose und spontane Produktivität aufgefaßt, auf deren Resultat, die wirkliche Welt in ihrem Verhältnis zum erkennenden Subjekt, sich wiederum die Reflexion der Philosophie bezieht; die geforderte Anschauung müßte also sowohl den Aspekt der Produktion wie auch den der Reflexion enthalten und deren wesentliche Einheit vergegenwärtigen. Während diese Einheit von Subjektivität und Objektivität als intellektuelle Anschauung in der systematischen Philosophie nur ihrer Notwendigkeit nach demonstriert werden konnte, soll sie in dieser geforderten Anschauung selbst und als Objekt für das Ich repräsentiert werden. Schelling bestimmt die ästhetische Anschauung als die objektiv gewordene intellektuelle Anschauung. In dieser Funktion würde die Kunst die höchste Intention der Philosophie erfüllen. Soll sie dies leisten, muß sie das Resultat einer eigentümlichen Produktion sein, welche Bewußtsein und Bewußtlosigkeit, Produktion in ihrem ursprünglichen Sinn und Reflexion in einer besonderen Weise zu verbinden vermag. Als Genieprodukt soll das Kunstwerk diesen Anspruch der ästhetischen Anschauung erfüllen, und es ist daher nach jener einzigartigen Fähigkeit des Genies zu fragen, durch welche es ihm gelingt, die Entzweiung des Bewußtseins zwischen Subjektivität und Objektivität aufzuheben und ihre Einheit für die Anschauung zu repräsentieren. „Was ist denn nun jenes wunderbare Vermögen, durch welches nach der Behauptung des Philosophen in der produktiven Anschauung ein unendlicher Gegensatz sich aufhebt? Wir haben diesen Mechanismus bisher nicht vollständig begreiflich machen können, weil es nur das Kunstvermögen ist, was ihn ganz enthüllen kann."[181] Gemäß der Objektivität der Kunst gegenüber der Reflexion der Philosophie und ihrem postulierten Erkenntniswert für diese kann es daher allein die ästhetische Anschauung und eine Analyse des ‚Kunstvermögens' sein, welche Aufschluß über den ‚Mechanismus' der intellektuellen Anschauung zu geben und die ursprüngliche Identität von Subjektivem und Objektivem zu enthüllen vermöchte. „Die Philosophie beruht also eben so gut, wie die Kunst, auf dem produktiven Vermögen, und der Unterschied beider bloß auf der verschiedenen Richtung der produktiven Kraft. Denn anstatt daß die Produktion in der Kunst nach außen sich richtet, um das Unbewußte durch Produkte zu reflektieren, richtet sich die philosophische Produktion unmittelbar nach innen, um es in intellektueller Anschauung zu reflektieren. – Der eigentliche Sinn, mit dem diese Art der Philosophie aufgefaßt werden muß, ist also der ästhetische, und eben darum die Philosophie der Kunst das wahre Organon der Philosophie."[182]

In diesem Zusammenhang der Analyse der ästhetischen Anschauung und des ‚Kunstvermögens' als der spezifischen Fähigkeit des Genies gewinnt die Einbildungskraft ihre für die Ästhetik und damit für die gesamte Philosophie des *Systems* ausgezeichnete Bedeutung. Die Vermittlung von Subjektivität und Objektivität war im *System des transzendentalen Idealismus* an zwei Stellen thematisiert worden, welche selbst in der Sukzession der Geschichte des Selbstbewußtseins zu begreifen sind. In der theoretischen Philosophie war die Vermittlung des Ich zwischen Bewußtheit der Subjektivität und Bewußtlosigkeit der Natur durch den transzendentalen Schematismus erklärt worden; in der praktischen Philosophie hatte die Forderung nach der Vermittlung des Ich mit der Differenz der Ideen zum Postulat der Vernunftideen geführt. Da in der ästhetischen Anschauung die Postulate der theoretischen ebenso wie die der praktischen Philosophie aufgehoben sein sollen, muß also das Kunstvermögen beide Aspekte der Einbildungskraft umfassen, die

---

[181] System, III, 626
[182] ebd. 351

Identität von Bewußtlosigkeit und Bewußtsein des Ich ebenso wie von Freiheit und Notwendigkeit. Die Einbildungskraft des Genies soll also zwischen der grundsätzlichen Dialektik des theoretischen und des praktischen Ich vermitteln; damit müßte sie die Aspekte sowohl der schematischen wie auch der Einbildungskraft als das Vermögen der Ideen der Vernunft implizieren.

In Anknüpfung an Kants Begriff des ‚Dichtungsvermögens' und mit dem Ziel, die Genie-Produktion zu erklären, rekapituliert Schelling nun seine erste Analyse der ursprünglichen Produktivität und Anschauung unter dem Aspekt der Einbildungskraft. „Jenes produktive Vermögen ist dasselbe, durch welches auch der Kunst das Unmögliche gelingt, nämlich einen unendlichen Gegensatz in einem endlichen Produkt aufzuheben. Es ist das Dichtungsvermögen, was in der ersten Potenz die ursprüngliche Anschauung ist, und umgekehrt, es ist nur die in der höchsten Potenz sich wiederholende produktive Anschauung, was wir Dichtungsvermögen nennen. Es ist ein und dasselbe, was in beiden tätig ist, das einzige, wodurch wir fähig sind, auch das Widersprechende zu denken, und zusammenzufassen, – die Einbildungskraft. Es sind also auch Produkte einer und derselben Tätigkeit, was uns jenseits des Bewußtseins als wirkliche, diesseits des Bewußtseins als idealische, oder als Kunstwelt erscheint."[183] Das Beispiel des mechanischen Künstlers, der nach Begriffen sein Werk hervorbringt, machte bereits im Kontext des Schematismus deutlich, daß auch die ästhetische Produktion in der Analogie zum empirischen und transzendentalen Schematismus gedacht werden muß. „Da nun der ästhetische Künstler nur nach Ideen arbeitet, und doch auf der andern Seite, um das Kunstwerk unter empirischen Bedingungen darzustellen, wieder einer mechanischen Kunst bedarf, so ist offenbar, daß für ihn die Stufenfolge von der Idee bis zum Gegenstand die doppelte von der des mechanischen Künstlers ist."[184] Mit dieser Zweistufigkeit der ästhetischen Produktion ist der systematische Status des ästheti-

---

[183] ebd. 626; im Handexemplar verbessert zu: „Jenes produktive Vermögen, wodurch das Objekt entsteht, ist dasselbe, aus welchem auch der Kunst ihr Gegenstand entspringt, nur daß jene Tätigkeit dort getrübt – begrenzt – hier rein und unbegrenzt ist: Das Dichtungsvermögen in seiner ersten Potenz angeschaut ist das erste Produktionsvermögen der Seele, sofern es in endlichen und wirklichen Dingen sich ausspricht, und umgekehrt..." (System, hrsg. v. R.–E. Schulz, a. a. O. S. 295)
[184] ebd. 510

schen Vermögens in Relation zum empirischen Schema zunächst pragmatisch erklärt; die Ideen als Gegenstände der Kunstdarstellung müssen zunächst im Schema, welches die Regeln der Anschauung enthält, in abstrakte Gegenstände transformiert werden, um dann in der ästhetischen Darstellung in sinnliche Anschauungen verwandelt zu werden. Insofern die Kunst aber eine Darstellung der intellektuellen Anschauung leisten soll, ist sie nicht als Nachahmung von Objekten, sondern als Darstellung des Entstehens der Objekte zu verstehen, wie es vor aller subjektiven Erfahrung sich vollzieht und als transzendentaler Schematismus thematisiert wurde.

Die Kunst stellt damit auf höherer Ebene dasselbe Phänomen dar, welches im Schematismus als vorbewußte Produktion analysiert worden war. Wenn auch die künstlerische Produktion in dem allgemeinen Widerspruch von Produktion und Reflexion, von realer und idealer Tendenz des Ich beginnt, so muß sie, soll sie das Postulat der ästhetischen Anschauung erfüllen, in der Vereinigung und Identität beider enden. Die Einbildungskraft nun erweist sich hier als das synthetisierende Vermögen, welchem es gelingt, beide Aspekte zu vereinigen und in seinem Produkt darzustellen; „das Kunstwerk reflektiert uns die Identität der bewußten und der bewußtlosen Tätigkeit."[185]

Insofern diese Synthese durch das Genie vollzogen wird, in welchem zu der bewußten Produktion eine schicksalhafte Objektivität hinzukommt, die nicht aus der subjektiven Freiheit, sondern aus einem höheren Zwang zu resultieren scheint, kann auch hier das Absolute oder das ‚Urselbst' als das eigentliche Subjekt der Einbildungskraft angesehen werden. So erscheint bereits im *System* unter den Voraussetzungen der Transzendentalphilosophie die Einbildungskraft an den strukturell gleichen Stellen, in welchen sie in der *Philosophie der Kunst* absolute Produktion durch die göttliche Imagination und ästhetische Produktion durch das künstlerische Genie miteinander verbindet. Wenn das Kunstwerk die ursprüngliche Produktion der Natur durch die erste Potenz des Dichtungsvermögens ihrerseits auf einer höheren Ebene darstellen soll, muß es zu einer Offenbarung der Natur hinsichtlich deren wesensmäßiger Verfassung werden, da nun der ‚Mechanismus', nach

---

[185] ebd. 619

welchem jene entsteht, mit Bewußtsein angeschaut und begriffen zu werden vermag.

„Was wir Natur nennen, ist ein Gedicht, das in geheimer wunderbarer Schrift verschlossen liegt."[186] Hier dient die Metaphorik der Kunst dazu, den ästhetischen Charakter der sinnlichen Symbolisierung von ideellen Sachverhalten auszudrücken; die Kunst gerade macht es möglich, die verborgene Gesetzlichkeit, nach welcher die Erscheinung und Objektivität mit dem Subjekt, dessen Produkt sie ist, zusammenhängt, zu durchschauen; und dies ist auch die Funktion der Kunst, welche sie für die Philosophie erfüllen soll. Die sinnliche Erscheinung der Kunst offenbart, durch welchen Prozeß die Natur entstanden ist und wie sie mit dem Ich zusammenhängt; in dieser Analogie lehrt sie daher die Philosophie den richtigen Blick, mit welchem die Natur zu betrachten sei, „denn durch die Sinnenwelt blickt nur wie durch Worte der Sinn, nur wie durch halbdurchsichtigen Nebel das Land der Phantasie, nach dem wir trachten. Jedes herrliche Gemälde entsteht dadurch gleichsam, daß die unsichtbare Scheidewand aufgehoben wird, welche die wirkliche und idealische Welt trennt, und ist nur die Öffnung, durch welche jene Gestalten und Gegenden der Phantasiewelt, welche durch die wirkliche nur unvollkommen hindurchschimmert, völlig hervortreten. Die Natur ist dem Künstler nicht mehr, als sie dem Philosophen ist, nämlich nur die unter beständigen Einschränkungen erscheinende idealische Welt, oder nur der unvollkommene Widerschein einer Welt, die nicht außer ihm, sondern in ihm existiert."[187] Diese Phantasiewelt läßt sich nun in bewußter Doppeldeutigkeit verstehen: zugleich als die in der Kunst dargestellte Welt der Ideen und als Darstellung der Regeln der ursprünglichen Produktion, nach welchen das unbewußte Ich die Natur hervorgebracht hat. Erweist sich der Anspruch der ästhetischen Anschauung als zutreffend, das Produkt des ursprünglichen Dichtungsvermögens auf höherer Ebene zu repräsentieren, so müssen hier beide Aspekte sich in ihrer wesentlichen Identität zeigen. Dichtungsvermögen als Produktion der Natur und ästhetische Einbildungskraft als Darstellung der Prinzipien dieser Produktion unterscheiden sich nur –

---

[186] ebd. 628
[187] ebd.

und darin für die Philosophie wesentlich – durch den Grad der Bewußtheit, welcher ihren Produkten zukommt.

Die ästhetische Anschauung soll es durch die Vermittlung der Einbildungskraft ermöglichen, diese Identität zwischen Ich und Natur zu erkennen, da sie die Trennwand aufhebt, welche das reflexive Bewußtsein zwischen das Subjekt und die Objekte gestellt hat. In diesem Postulat klingt auch Kants Bestimmung der durch die Kunst bewirkten Harmonie der Seelenkräfte an, da in der Philosophie und Reflexion nur „gleichsam ein Bruchstück des Menschen"[188] erfaßt wird, die Kunst ihn dagegen zum Bewußtsein seiner Absolutheit führt. „Die Kunst bringt den ganzen Menschen, wie er ist, dahin, nämlich zur Erkenntnis des Höchsten, und darauf beruht der ewige Unterschied und das Wunder der Kunst."[189] Durch die Anschauung der Kunst gelingt es, den Prozeß der Produktion der Objektivität aus dem Subjekt aufzuklären und dadurch jene geheimnisvolle Schrift der Natur zu entschlüsseln, welche nun als das Dokument des ursprünglichen und bewußtlosen Produzierens des Ichs erscheint.

„Der Grundcharakter des Kunstwerks ist also eine bewußtlose Unendlichkeit (Synthesis von Natur und Freiheit)."[190] Die Unendlichkeit des Kunstwerks war bei Kant als ein Effekt der exakten und prinzipiellen Trennung von Verstandes- und Vernunfterkenntnis beschrieben worden, zwischen welchen Einbildungskraft und ästhetisches Urteil vermitteln; sie ist selbst nicht Gegenstand der Erkenntnis, sondern der Anschauung, welche nur das Gefühl der Totalität der Subjektivität und nicht deren Erkenntnis hervorbringt und im ästhetischen Urteil auch nur als subjektiver Reflex aufgefaßt wird, ohne daß damit ein Wahrheitsanspruch auf einer der beiden Ebenen des Verstandes oder der Vernunft verbunden wäre. Bei Schelling erhält diese Unendlichkeit nun einen anderen Status. Theoretische und praktische Philosophie werden in der Kontinuität der Geschichte des Selbstbewußtseins gesehen und sollen in der

---

[188] ebd. 630

[189] ebd.

[190] ebd. 619; vgl.: „So ist es mit jedem wahren Kunstwerk, indem jedes, als ob eine Unendlichkeit von Absichten darin wäre, einer unendlichen Auslegung fähig ist, wobei man doch nie sagen kann, ob diese Unendlichkeit im Künstler selbst gelegen habe, oder aber bloß im Kunstwerk liege." (ebd. 620)

vollendeten Anschauung des Ichs in ihrer inneren Identität erkannt werden. Auf diesen Punkt ist die Reflexion der Philosophie gerichtet, und da er in die Kunst fallen soll, kann dieser auch nicht zum isolierten Gegenstand einer getrennten Erkenntnisweise erklärt werden, sondern wird gerade zum Vereinigungspunkt der Philosophie als deren ‚Dokument und Organon'. Die Unendlichkeit, die im Kunstwerk erscheint, liegt also für das *System* nicht jenseits der Gegenstandsbereiche von Verstand und Vernunft, sondern nur jenseits der Grenzen der subjektiven Reflexion, welche sich in der Differenz des Bewußtseins hält, und steht damit gerade im Zentrum der Philosophie, da sie die Einheit des Ich als den absoluten Grund von Denken und Sein repräsentiert und offenbart. Die Einbildungskraft – unter dem Begriff der Genies subsumiert – schafft diese Unendlichkeit, indem sie über die Grenzen des reflexiven Bewußtseins hinausgeht und in ihrem Produkt die unendliche Einheit von Produktion und Reflexion vergegenwärtigt. Das Kunstwerk ist endlich hinsichtlich seiner sinnlichen Erscheinung, in der es die geforderte Objektivität der intellektuellen Anschauung realisiert, es ist aber unendlich in seinem Charakter der Offenbarung der Identität, die vor jener die Endlichkeit des Bewußtseins konstituierende Trennung von Bewußtsein und Natur, Freiheit und Notwendigkeit liegt, und die in dem Begriff des ‚Urselbst' oder des Absoluten gefaßt wird. Von hier scheint es nur ein Schritt zu sein, in der Identitätsphilosophie die Grenzen des als bloßes Subjekt der Reflexion gesetzten Ich endgültig aufzuheben und auf den dem ‚Urselbst' analogen Begriff des Absoluten hin zu transzendieren – und damit die Leistung der Kunst als eine der Vernunft unmittelbar analoge zu verstehen.

Das *System des transzendentalen Idealismus* hat seine besondere Bedeutung für Schellings spätere Ästhetik darin, die ästhetische Anschauung in ihrer systematischen Funktion und Bedeutung für die Philosophie entfaltet zu haben. In diesem Zusammenhang erhält die Einbildungskraft ihren Platz, insofern sie die Parallelität und ontologische Analogie der ursprünglichen Produktion des Ich, wie sie der intellektuellen Anschauung zu Grunde liegt, mit der ästhetischen des Genies verdeutlichen soll. Hieraus wird auch verständlich, daß Schelling unter dieser Fragestellung die ästhetische Einbildungskraft nur aus dem ‚ursprünglichen Dichtungsvermögen' ableitet, sie aber nicht hinsichtlich ihrer immanenten und differenzierten ästhetischen Funktion analysiert. Das *System*, wie auch der Gedanke des nur *einen* notwendigen Kunstwerks zeigt, ist an dem Phänomen der Kunst nur in dieser systematischen Hinsicht interessiert und bestimmt es daher auch nur in seiner rein formellen Qualität. Über den Anspruch, daß die Kunst die Identität des Subjektiven und Objektiven als Anschauung repräsentieren solle, geht die Kunstanalyse des Systems nicht hinaus; daher kann hier auch der Einbildungskraft nur eine ganz formelle Bestimmung zukommen, welche nicht die Fragen des Gehalts oder der individuellen Form und Produktion zu thematisieren braucht. Für das adäquate Verständnis von Schellings entfaltetem Begriff der Einbildungskraft in der *Philosophie der Kunst* ist es daher wichtig zu sehen, daß jener einerseits die transzendentaphilosophische Erkenntnis der Bedeutung der ästhetischen Anschauung beibehält, jedoch auf der Basis einer ontologisch argumentierenden Philosophie mit dem Begriff der Idee die Produkte der Einbildungskraft gleichsam inhaltlich zu füllen vermag.

D. Die Dialektik der ästhetischen Einbildungskraft
Die Struktur von Stoff und Form der Kunst

In Analogie zu der ‚göttlichen Imagination‘ hat die *Philosophie der Kunst* eine ontologische Begründung der ästhetischen Einbildungskraft geleistet; was die Transzendentalphilosophie mit dem Gedanken der in der Kunst repräsentierten intellektuellen Anschauung vorbereitet hatte, wurde hier als umfassende metaphysische Grundlegung der Ästhetik formuliert. Die Theorie der Gegenbildlichkeit der Kunst zur Philosophie impliziert, daß jene gemeinsam mit dieser das Absolute als den Grund und das Prinzip der Identität des Universum darzustellen habe, und wie die Vernunft, als das reflexive Medium dieser Einheit, ist auch die ästhetische Anschauung wesentlich als In-Eins-Bildung des Idealen und des Realen bestimmt. Soll die Kunst eine wirkliche Anschauung dieser Identität repräsentieren, so muß sie, wie schon der dialektische Charakter der Schönheit zeigt, den Prozeß der Vereinigung von Idealität und Realität in seinem Resultat, dem Kunstwerk, selbst als Präsenz vorstellen; wie die Vernunft muß sie also die Aspekte der Produktion und der Reflexion als die beiden Pole der Vermittlung des Allgemeinen mit dem Besonderen, der Idee mit der Erscheinung, vergegenwärtigen, da nur in deren Vermittlung wiederum eine Darstellung der absoluten Identität möglich ist.

Da für die Kunst, wie dies bereits das *Transzendentalsystem* postuliert hat, die Vermittlung von Produktion und Reflexion sich in der ästhetischen Anschauung vollzieht, sind damit auch die prinzipiellen Qualitäten der Einbildungskraft als des Vermögens dieser Anschauung bestimmt. Ästhetische Einbildungskraft ist in ihrer höchsten Bedeutung die Kraft der In-Eins-Bildung des Realen und des Idealen; soll deren Synthese in der Kunst als das Resultat einer dialektischen Vermittlung erscheinen, so muß sie selbst die beiden Aspekte des Realen und des Idealen in differenzierter Form enthalten und wird so auch in ihrer Analyse nach diesen beiden Seiten hin zu betrachten sein. Unter dem Titel der ‚absoluten Kunst' hat die Philosophie jene Einheit von Schöpfung und Reflexion, von Denken und Anschauen, als eine innere Wesensstruktur des Absoluten selbst aufgefaßt und in dem vernunfthaften Prozeß des Hervorgehens des Seins und der Rückkehr in sein Prinzip thematisiert. Da die Kunst jedoch im Gegensatz zu der Philosophie in dem allgemeinen Schema der Dialektik der idealen Welt deren reale Potenz bildet, muß für sie die Aufhebung dieses Gegensatzes nicht in das Medium des Denkens, sondern in die Realität der Anschauung fallen. Die ästhetische Einbildungskraft erweist sich auch darin als das Gegenbild der Vernunft, daß sie in ihrer eigenen Dialektik die absolute Vermittlung von Identität und Differenz widerspiegelt und sich in der Vereinigung von produktiver und reflexiver Einbildung zu wirklicher In-Eins-Bildung konkretisiert.

Für die im Idealen sich vollziehende Vermittlung der Vernunft sind die Ideen die Kristallisationspunkte der Einheit von Allgemeinem und Besonderem, in welchen sie den Aufschluß des Absoluten und dessen Selbstdarstellung in relativer Differenz begreift. Wie die ewige Natur der Ideenwelt das ‚erste Gedicht der göttlichen Imagination' ist und ‚alle Kunst ein unmittelbares Nachbild der absoluten Produktion' sein soll[191], so sind die Ideen auch der allgemeine

---

[191] vgl. PhdK, 631

Gegenstand und die ontologische Substanz der Kunst, und so kann die immanente Dialektik der Idee auch als der Grund der Dialektik der Kunst-Anschauung beschrieben werden. Aus der Perspektive des Absoluten ist die Idee das Resultat einer ersten Setzung von Grenze und Endlichkeit, in der Vernunft aber kann sie als eine perspektivische Anschauung des Absoluten entfaltet werden und wird in der Vermittlung der Reflexion zur Repräsentation der absoluten Totalität und der Begründung allen Seins aus dem Absoluten als dem Prinzip der Ideen. Indem der Künstler, die Natur nachahmend, deren intelligible Strukturen im Kunstwerk darstellt, realisiert er beide Strukturen der Idee; er imitiert das produktive Prinzip der Natur und gelangt so zu der Realität eines Gegenstandes der Anschauung, er hat aber auch teil an der Reflexion der Vernunft, insofern er das transzendierende Moment der Idee als eine immanente Struktur der Anschauung selbst darzustellen vermag. Als die ideale Struktur der endlichen Erscheinung ist Idee zugleich Aufhebung der Endlichkeit, und es ist diese wesentliche Dialektik von Grenze und Entgrenzung, die in der ästhetischen Anschauung zur Erscheinung kommen soll und die die innere Dialektik der Einbildungskraft selbst bestimmt. In diesem Sinn muß die ästhetische Einbildungskraft zugleich ein begrenzendes und ein transzendierendes Vermögen sein; nur in der Begrenzung kann Anschauung entstehen, aber nur in der Aufhebung der Grenze kann diese Anschauung als wirkliche Anschauung des Absoluten verifiziert werden.

Wie allgemein in der Potenz der Kunst gegenüber der Philosophie die Seite des Realen dominiert, so ist auch die Einbildungskraft in ihrer wesentlichen Bestimmung ein Vermögen, das auf Realität zielt, und damit primär in der Einbildung des Idealen in das Reale für die Setzung der Grenze als notwendiger und konstitutiver Bedingung der ästhetischen Anschauung verantwortlich. Als Einbildung des Realen in das Ideale wiederum ist sie ihrer ideellen Seite nach Aufhebung dieser Grenze und entspricht damit der Tendenz der philosophischen Reflexion, indem sie das Kunstwerk als Reflex der Absolutheit der Ideen auffaßt; sie aktiviert darin gleichsam die reflexive Seite der Anschauung, wodurch diese sich gerade als ästhetische erweist, indem sie eine Repräsentation des Idealen im Realen zu leisten vermag. Erst wenn diese beiden Seiten der Einbildungskraft gesehen werden, kann sie zureichend als die Kraft der Ineinsbildung verstanden werden, und erst in dieser Vereinigung wird die zentrale Qualität des Kunstwerks, wie sie in der Schönheit und im Symbol als die absolute Vermittlung der geistigen mit der realen Dimension erscheint, von ihren Bedingungen her begriffen werden. Die dialektische Struktur der Einbildungskraft muß also auch als eine Struktur des Kunstwerks selbst zu verifizieren sein; als vollendetes Resultat der ästhetischen Ineinsbildung muß es die Einheit von Natur und Vernunft, von produktiver Darstellung im Besonderen und Realen und deren reflexiver Aufhebung in die Allgemeinheit der Idee als die Einheit der ästhetischen Anschauung vorstellen. Die Einbildung der Idee in die sinnliche und materielle Erscheinung macht diese reale Gestalt wiederum durchsichtig auf den idealen Charakter der Natur hin und regt damit die das Kunstwerk transzendierende Erkenntnis an; diese Qualität der Transparenz begründet die Unendlichkeit der Kunst gegenüber der Verstandeserkenntnis und erweist sich in der Kristallisation des Symbols als der Index aller vollendeten Kunst.

Als kunstimmanente Strukturen begreift Schellings *Philosophie der Kunst* die Elemente dieser Dialektik der ästhetischen Anschauung unter den Titeln des *Stoffs* und der *Form* der Kunst; Stoff und Form müssen auch als die Elemente der absoluten Ineinsbildung und damit als Produkte der in sich dialektisch differenzierten Einbildungskraft zu demonstrieren sein. Der Stoff der Kunst ist das Resultat der ersten und fundamentalen Funktion der Einbildungskraft, wo das Ideale dem Realen eingebildet wird und sich dieser Prozeß als die allgemeine Bedingung der Möglichkeit der Anschauung überhaupt erweist. Die Form der Kunst dagegen ist der Gegenstand der zweiten und reflexiven Form der Einbildung, wo das Reale wiederum mit dem Idealen vermittelt wird, und zeigt sich so als die Bedingung der Möglichkeit der Reflexion auf den Gehalt der Kunst. Die Frage nach dem Stoff der Kunst wird von Schelling in der Theorie der Mythologie abgehandelt, wo die Einbildungskraft als das allgemeine Vermögen der Darstellung und Anschauung der Ideen thematisch ist; die Analyse der Form der Kunst wird unter den Aspekten des Genies und der Kritik zu klären haben, wie sich die immanente Reflexivität der Kunst in der Einbildungskraft begründet und in der Rezeption der Kunstwerke zu realisieren ist.

Wie schon das *System* die ästhetische Produktion als einen potenzierten Nachvollzug der ursprünglichen Produktivität des Ich interpretiert hatte, ist auch für die *Philosophie der Kunst*, in metaphysischer Transformation dieses Gedankens, die göttliche Imagination das Urbild der künstlerischen Einbildungskraft. Aus jener absoluten Einbildung gehen als erste Realität die Ideen hervor, welche ihrerseits wiederum die allgemeinen Inhalte der Kunst sein sollen. Da sie als solche nur rein ideelle Gegenstände der Vernunft sind, müssen sie, um in der sinnlichen Anschauung erscheinen zu können, wiederum in einem Realen dargestellt werden. Dies ist die entscheidende Aufgabe der ästhetischen Einbildungskraft, worin sie sich als das Vermögen der Konstitution des *Stoffs der Kunst* und damit als deren produktive Kraft schlechthin erweist. Strukturell entspricht diese Aufgabe, eine Idee in die allgemeine Form einer Anschauung zu transformieren, der Funktion des transzendentalen Schematismus.

In der Ästhetik geht es nun darum zu zeigen, wie diese intellektuellen Anschauungen der Ideen als der allgemeinen Inhalte der Kunst in eine reale und sinnliche Anschauung zu übersetzen sind. Der Stoff der Kunst ist im Hinblick auf das konkrete Kunstwerk noch nicht diese aktuelle Anschauung, sondern gleichsam nur die Regel, welche dieser Anschauung zu Grunde liegen muß. In diesem Sinn sind auch Kants ‚ästhetische Ideen‘ zu verstehen, welche zwischen den Vernunftideen und der Kunstanschauung vermitteln und deren Zwischenfunktion durch dasselbe ‚Schweben‘ der Einbildungskraft charakterisiert wurde, durch das auch das Wesen des Schematismus ausgezeichnet war.

Schellings Lösung dieses Problems der Anschauung der Ideen ist seine Theorie der *Mythologie*. Bereits das *Älteste Systemprogramm* hatte gefordert, daß der Monotheismus der Vernunft durch einen Polytheismus der Einbildungskraft zu ergänzen sei und dies als die zentrale Aufgabe der Kunst herausgestellt. Unter dem Titel der Mythologie also wird zu entfalten sein, *wie* die ideelle Selbstdarstellung des Absoluten durch die Ideen der Vernunft in eine reale und endliche Anschauung transformiert werden könne. Das spezifische Problem der Mythologie und der mythologischen Einbildungskraft ist also nicht die Konstitution der Inhalte der Kunst als solcher, welche mit dem ewigen Kanon der Ideen a priori gegeben sind, sondern die Beschreibung des komplexen Prozesses, in welchem sie in die Anschauung übersetzt werden, und der wesentlich ästhetischen Gesetzmäßigkeiten, die sich hierin entwickeln. In der Theorie der Mythologie wird sich die Einbildungskraft in ihrer für alle Kunstproduktion fundamentalen Funktion zu konkretisieren und in ihrem pragmatischen Aspekt als das Vermögen der Versinnlichung der Ideen zu bewähren haben.

Schelling greift nun in der Darstellung der Mythologie als der wesentlichen Funktion der Einbildungskraft auf den Phantasiebegriff und die Theorie der *Götterlehre* von *K. Ph. Moritz* zurück, der dort dieses komplexe ‚Funktionieren' der Einbildungskraft in der sinnlichen Darstellung der Ideen als einen rein ästhetischen Prozeß dargestellt hat. Die Konstitution der Welt der Mythologie als einer autonomen Welt der Phantasie interpretiert er als eine ihrerseits ästhetische Theorie der autonomen künstlerischen Produktion und entwickelt daraus die immanenten Gesetze der Einbildungskraft. Über Moritz geht er jedoch darin hinaus, daß er mit dem Begriff der Idee diese kunstimmanente Logik der Phantasie ihrerseits an eine ontologische Substanz der Kunst zurückbindet. Begrenzung des Absoluten ohne Aufhebung seiner Absolutheit war als das Grundgesetz aller Kunst postuliert worden, und es hat sich nun in der Mythologie als das Gesetz der produktiven Einbildungskraft zu konkretisieren. Die Mythologie, deren Paradigma auch für Schelling die Mythologie der griechischen Antike bildet, faßt die Ideen in der sinnlichen und realen Gestalt der Götter auf. Wie aber auch die Ideen nicht als einzelne Wesenheiten in absoluter Begrenzung, sondern nur im Kontext eines Kosmos von Ideen in ihrer Absolutheit gedacht werden können, ist auch die Mythologie nicht wesentlich als der Kanon einzelner Göttergestalten, sondern als die Entfaltung einer Welt der Götter zu verstehen. Wie die einzelne Idee in relativer Endlichkeit das ganze Absolute respektivisch repräsentiert und darin auf das Universum der Ideen verweist, so sind auch die Göttergestalten als reale Anschauungen nur zu denken, indem sie sich wechselseitig begrenzen und individuieren, darin aber auch sich gegenseitig ergänzen und in den vielfältige Beziehungen untereinander zu einer ‚Welt' entfalten. In diesem unendlichen Geflecht von Relationen zwischen den mythologischen Gestalten, welches je neue Grenzen setzt und wieder aufhebt, entfaltet die Einbildungskraft ihre unendliche Freiheit und autonome Gesetzlichkeit, und erst durch diesen ästhetischen Prozeß von Begrenzung und Entgrenzung wird die Mythologie zur wirklichen Anschauung der Ideenwelt.

Wie schon für Moritz und Humboldt, sind auch für Schelling Totalität und Universalität die zentralen Qualitäten der Mythologie, durch welche sie in ästhetischer Form die Dialektik von Endlichkeit und Unendlichkeit, Realität und Idealität austrägt und in ihrer höheren Einheit repräsentiert. Für die einzelne Anschauung kristallisiert sich diese Ineinsbildung im Begriff des *Symbols*; als Symbole sind die mythologischen Gestalten Gegenbilder der Ideen, indem sie diesen Anschaulichkeit verleihen und dabei doch ihre Reflexivität bewahren, so daß sie in der begrenzten Erscheinung zugleich den in der Idee beschlossenen absoluten Horizont der Möglichkeiten aufscheinen lassen. So erläutert der Begriff des Symbols die Leistung der mythologischen Einbildungskraft als eine erste Synthese des Allgemeinen und des Besonderen in der Produktion des Stoffs der Kunst. Die absolute Einheit von Idee und Anschauung, von Idealem und Realem wird hier nicht nur bedeutet und damit wiederum der Reflexion überantwortet, sondern selbst als reale Ineinsbildung in der ästhetischen Anschauung objektiv vorgestellt. Hieraus versteht sich auch die spezifisch ästhetische Unendlichkeit der mythologischen Welt, die Schelling – in Übereinstimmung mit Kants Charakteristik der Einbildungskraft als das die Grenzen des Verstandes übersteigende Vermögen – in der Komplexität der mythologischen Phantasie begründet. Die einzelne Kunstdarstellung wiederum erhält aus der Teilhabe an dieser Universalität ihre Funktion und Legitimität; insofern sie zunächst reale Anschauung einer gleichsam isolierten Idee ist, verweist sie als Symbol – wie auch die monadische Idee das Ganze in perspektivischer Weise enthält – auf die Totalität des mythologischen Universums, dessen Repräsentanz sie ist. Untrennbar von dem Begriff des Symbols ist der Begriff der *Schönheit*, welcher mit dem Akzent auf der äußeren Form der Anschauung dasselbe Phänomen der ästhetischen Verschmelzung von Idee und Erscheinung bezeichnet, so daß Symbolik ohne die Qualität der Schönheit ebensowenig gedacht werden kann wie Schönheit ohne die Substanz des Symbols.

In der Erfüllung des Postulats der ‚Begrenzung des Absoluten ohne Aufhebung seiner Absolutheit‘ durch die Mythologie und in der Entfaltung dieser als einer Leistung der Einbildungskraft ist die

Analyse des Stoffs der Kunst abgeschlossen. Mythologie definiert die allgemeinen ästhetischen Prinzipien, nach welchen eine symbolische Anschauung der Ideen möglich sein kann, und bildet damit das Kernstück von Schellings Theorie der ästhetischen Anschauung überhaupt, indem sie diese von ihrer objektiven Seite her definiert.

Mit der Struktur der Einbildung des Idealen in das Reale gibt Schelling in der Mythologie eine Theorie der Produktion der Kunst, die jedoch das Kunstwerk nicht aus den subjektiven Bedingungen eines Produzenten ableitet, sondern gleichsam in einer Produktion ohne Subjekt in seinem objektiven und allgemeinen Wesen bestimmt. Der Stoff der Kunst als die Synthese von Idealem und Realem im Realen impliziert und umgreift damit auch die Seite der Form der Kunst in ihrer Allgemeinheit; reale Erscheinung der Idee ist überhaupt ästhetisch nur in der Begrenzung und damit in der Form möglich, und eben dieser Prozeß der Überführung der Ideen in eine allgemeine Form der ästhetischen Anschauung ist die Leistung der mythologischen Einbildungskraft. In einem allgemeinen Sinn und gemäß der wesentlich ästhetischen Bestimmung, die ihr bereits Moritz gegeben hat, ist Mythologie damit auch durchaus bereits als vollendete Kunst zu verstehen, welche hier jedoch unter dem Aspekt des Stoffs nur in Hinsicht auf die allgemeinen Bedingungen der ästhetischen Form thematisch war, wie sie ihrerseits jedem einzelnen und individuellen Kunstwerk zugrunde liegen.

Mythologie impliziert für Schelling, wie der Begriff des Symbolischen deutlich gezeigt hat, eine umfassende Theorie der Kunst insgesamt. Wie aber auch die Philosophie der Ideen erst abgeschlossen ist, wenn sie sich in der Vermittlung der Vernunft als eine Begründung der endlichen Natur und ihrer Erkenntnis durch das Ich entfaltet hat, so bedarf auch die Ästhetik einer Theorie, welche die endliche Erscheinung der Kunst mit ihrem allgemeinen und absoluten Begriff vermittelt, und dies führt auf die Fragen nach dem Subjekt der individuellen Kunstproduktion und nach der Realität des besonderen Werks. Unter dem Titel der ‚Form der Kunst‘ ergänzt Schelling seine Theorie der ästhetischen Produktion durch eine Theorie der Reflexion und Kritik der Kunst, die, vom Besonderen der realen Anschauung ausgehend, erweisen soll, daß die allgemeinen Postulate der Mythologie in konkreten Kunstwerken erfüllt werden, und die darin deren Vermittlung mit dem allgemeinen Begriff der Kunst zu leisten hat. Während unter dem Titel des Stoffs der Kunst die Seite der Produktion als Einbildung des Idealen in das Reale dargestellt wurde, gilt es nun, diese ursprüngliche Kunst-Einbildung durch eine reflexive Form der Einbildungskraft zu komplettieren, die in der besonderen Form ansetzt und diese als eine Erscheinung des allgemeinen Wesens und der Offenbarung des Absoluten begreift. Die Einbildungskraft erscheint hier also in der Struktur der Einbildung des Realen in das Ideale, des Besonderen in das Allgemeine, welches die allgemeine Form der philosophischen Reflexion ist und womit die Kritik sich als das kunstimmanente Analogon der Reflexion ausweist. Erst in der Vermittlung beider Formen der ästhetischen Einbildungskraft kann eingelöst werden, was mit dem Begriff des Symbols für alle vollendete Kunst gefordert wurde: die Einheit von Stoff und Form, von Wesen und Erscheinung in einer zugleich begrenzten und transzendierenden Anschauung.

Da Kunst hier in dem durch die Mythologie definierten ästhetischen und autonomen Rahmen angesprochen ist, kann diese geforderte Reflexion nicht in einer äußerlich abstrakten und gleichsam allegorisierenden Interpretation erfüllt werden, sondern muß als eine dem Kunstwerk selbst immanente Struktur aufgewiesen werden. Symbolische Kunst als wirkliche Ineinsbildung des Idealen und Realen oder als ästhetische Anschauung der intellektuellen ist nicht dadurch charakterisiert, daß sie einerseits Anschauung und andererseits Objekt der kritischen Reflexion ist, sondern dadurch, daß sie in der Anschauung selbst die dialektische Einheit von Endlichkeit und Unendlichkeit, von Produktion und Reflexion repräsentiert. Die Aufgabe der wahren Kritik der Kunst muß es also sein, diese Dialektik in dem durch die konkrete Anschauung gegebenen Rahmen und das heißt in der *Form* der Kunst zu entfalten und so das transzendierende Element der Kunst aus seinen immanenten Strukturen heraus zu demonstrieren.

Die Mythologie implizierte eine allgemeine und objektive Theorie der ästhetischen Produktion ohne einen explizierten Begriff des produzierenden Subjekts. Soll nun unter dem Aspekt der Form der Kunst das besondere Werk thematisch werden, so erfordert die Reflexion der Kunst eine neue Formulierung der Produktionstheoitre, welche, ausgehend von der Individualität des Werks und damit seines Produzenten, dessen wesentliche Allgemeinheit demonstrieren kann. Sie hat zu klären, *wie* die Universalität des mythischen Stoffs in einem besonderen Werk erscheinen kann, und legitimiert damit die Intention der Kritik, die besondere Form als das Medium der Reflexion des allgemeinen Gehalts zu nehmen. So ist zu verstehen, daß Schelling die Frage nach dem *Genie* nicht auf der Seite der objektiven Produktion und der Einbildung des Idealen in das Reale stellt, sondern im Zusammenhang der Form der Kunst. Es fällt unter diesem Aspekt auf, daß er – wie in der allgemeinen Philosophie so auch in der Ästhetik – das Problem der Entstehung des einzelnen und besonderen Seins nicht unmittelbar aus der Theorie der absoluten Produktion, unter welchem Aspekt mythologische Einbildungskraft und göttliche Imagination analog sind, erklärt, sondern erst im Kontext der Theorie der Reflexion thematisiert, wo es gilt, das Besondere in die Allgemeinheit zurückzuführen. Es geht also für die Theorie des Genies nicht darum, andere Prinzipien der produktiven Einbildungskraft und der ästhetischen Anschauung zu entfalten, als dies in der Mythologie geschah, sondern es soll geklärt werden, wie diese Prinzipien als transzendentale Bedingungen der künstlerischen Produktion aufgefaßt werden können und also in dem besonderen Produkt unter je individuellen Voraussetzungen in ihrer wesentlichen Allgemeinheit zu verifizieren sind. Der Begriff des Genies muß daher – nun unter dem Aspekt der Subjektivität – dieselbe Dialektik von Endlichkeit und Unendlichkeit erkennen lassen, wie sie in ihrer Objektivität in der Mythologie formuliert wurde. Schellings Bestimmung des Genies als die ‚Idee des Menschen in Gott‘ leistet diese Vermittlung, indem sie den transzendentalen Aspekt der Subjektivität und ihre Endlichkeit in der Teilhabe an dem Absoluten als der ‚Ursache aller Kunst‘ begründet und hieraus das geniale Vermögen zur absoluten Ineinsbildung begreiflich macht. Das Genie ist gleichsam der ideale Produzent der Kunst und rechtfertigt, wie unter dem Aspekt der besonderen Form das einzelne Kunstwerk Anspruch auf die Qualität der Allgemeinheit machen kann, die der Begriff der Kunst als Offenbarung des Absoluten impliziert. In dieser Funktion ist das Genie ein Postulat der Kritik der Kunst und dort derjenige Begriff, der die ontologische Dimension der Subjektivität in der Kunstproduktion aufklärt.

So ist der Begriff des Genies eine notwendige Voraussetzung der Reflexion auf Kunst, da er deren Unternehmen legitimiert, die

Reflexivität der Kunst und ihre Gegenbildlichkeit nicht als eine der Anschauung äußerliche und abstrakte Verbindung von Begriff und Objekt aufzufassen, sondern als der Form der Kunst selbst immanente Struktur. Die *Kunstkritik* verifiziert die Strukturen der Produktion als Qualitäten der Form, welche selbst den dialektischen Prozeß der Ineinsbildung des Idealen und des Realen widerspiegelt, und läßt darin die Identität von Anschauung und Reflexion dem Bewußtsein gegenständlich werden. Mit der Einbildung der realen Erscheinung der Kunst in das Ideale ihres Begriffs vollendet sie die Dialektik der Einbildungskraft und vollzieht damit jene ontologische Struktur der Teilhabe reflexiv nach, der alle Kunst ihre Absolutheit verdankt. Die Analyse der differenzierten Formen der Einbildungskraft und der Blick auf den dialektischen Prozeß der Ineinsbildung in der Genese des Werks erweist sich so als der Schlüssel zu einer philosophischen Hermeneutik der Kunst; hier können die zentralen Kategorien der Kunst-Reflexion – wie die Begriffe von Poesie und Kunst, Stil und Manier, naiv und sentimental – als Funktionen der Einbildungskraft begriffen werden und erschließen damit zugleich die geniale Subjektivität im Hinblick auf die Form der Werke. Durch diese Analyse können auch die Gattungen der Kunst als differenzierte Formen der Anschauung und die Qualitäten der Schönheit und Symbolik als konkrete und aus der Anschauung der Form hergeleitete begriffen werden und sich damit als Kategorien der Kritik legitimieren.

Indem die Kritik diese kategoriale Verfaßtheit der Werke eruiert, vermittelt sie deren Individualität mit dem philosophischen Begriff, so daß die spezifisch ästhetische Einheit des Idealen und Realen in der Anschauung hier zugleich in ihrer Autonomie und ihrer Gegenbildlichkeit demonstriert wird. In diesem Sinn der von der Form ausgehenden reflektierenden Einbildung der realen Erscheinung in ihren idealen Ursprung ist es die Kritik der Kunst, welche die anagogische Funktion der Kunst als eine objektive Struktur ontologischer Verweisung und Analogie aktualisiert. Kritik kann so in ihrem allgemeinen philosophischen Sinn als ‚Realisierung des Bildes' aufgefaßt werden.[192]

---

[192] Zu diesem Begriff vgl. unten S. 240 ff.

IV. Die Mythologie als der Stoff der Kunst

A. Der ästhetische Polytheismus

In dem Kapitel der ‚Construction des Stoffs der Kunst' wendet sich die *Philosophie der Kunst* der Frage zu, wie die Forderung des allgemeinen Begriffs der Kunst, das Absolute für eine reale Anschauung erscheinen zu lassen, erfüllt werden könne. Waren für die Philosophie bereits die Ideen das differenzierte Medium ihrer rein idealen Reflexion, so erscheinen sie für die Kunst nur als deren allgemeine Substanz, welche es im Medium der ästhetischen Anschauung zu vergegenwärtigen gilt. Damit ist die primäre Aufgabe der ästhetischen Einbildungskraft als das Vermögen der Konstitution des Stoffs der Kunst umrissen: sie ist Einbildung des Wesens der Ideen in die Form und Realität der sinnlichen Anschauung. In dem fundamentalen Akt der göttlichen Imagination begründet, soll sie die Ideen, die je die ganze Unendlichkeit des Absoluten implizieren, in der endlichen Form der ästhetischen Anschauung repräsentieren; während die Ideen an sich die ganze Möglichkeit ihrer Realität in Idealität enthalten, wird es die Leistung der Einbildungskraft sein, diese Idealität in einem Gegenbild darzustellen.

In der Philosophie bezeichnete der Begriff der Idee im Sinne einer absoluten Vermittlung von Allgemeinheit und Besonderheit die Möglichkeit des Übergangs von der reinen Identität in die relative Differenz als Bedingung der Reflexion und der Erscheinung. „Ebenso die Kunst. Auch die Kunst schaut das Urschöne nur in Ideen als besonderen Formen an, deren jede aber für sich göttlich und absolut ist, und anstatt daß die Philosophie die Ideen wie sie *an sich* sind, anschaut, schaut sie die Kunst *real* an. Die Ideen also, insofern sie als real angeschaut werden, sind der Stoff und gleichsam die allgemeine und absolute Materie der Kunst, aus welcher alle besonderen Kunstwerke als vollendete Gewächse erst hervorgehen.

Diese realen, lebendigen und existirenden Ideen sind die Götter, die allgemeine Symbolik oder die allgemeine Darstellung der Ideen als realer ist demnach in der Mythologie gegeben, und die Auflösung der zweiten obigen Aufgabe besteht in der Construktion der Mythologie. In der That sind die Götter jeder Mythologie nichts anderes als die Ideen der Philosophie nur objektiv oder real an-geschaut."[1]

So umreißt die Einleitung der *Philosophie der Kunst* das Pro-gramm der Konstruktion des Stoffs der Kunst aus der Einbildungs-kraft. Die Ausgangsfrage muß also sein, wie die reinen Ideen, welche an sich und ihrem Wesen nach mit dem Absoluten identisch sind, als besondere Formen und damit als Material der ästhetischen An-schauung aufgefaßt werden können, ohne dadurch ihrer Absolutheit verlustig zu gehen. „Es ist dies ganz dasselbe Problem, welches in der Philosophie durch Uebergehen des Unendlichen ins Endliche, der Einheit in die Vielheit ausgedrückt wird."[2] Da das Absolute an sich unteilbar und die absolute Identität aller Formen ist, können diese auch nur als besondere gedacht werden, insofern sie in der Besonderheit wiederum die ganze Universalität des Ab-soluten repräsentieren. Die diese Besonderheit begründende Diffe-renz kann also nur in der Form als solcher, die Schelling als rein quantitative Differenz faßte, liegen, in der sie gleichsam eine perspektivische Sicht des Universums vorstellt, nie im Wesen, das nur Eines und die Absolutheit selbst ist.

Für die Frage nach den Bedingungen der Möglichkeit ästhetischer Anschauung muß nun besonders der Aspekt der Besonderheit der Formen von Interesse sein, da nur in der Differenz die Ideen als reale vorgestellt werden können. „Vorzüglich ist der Begriff der absolu-ten Geschiedenheit des Besonderen für die Kunst wichtig, da gerade auf dieser Absonderung der Formen ihre größte Wirkung beruht."[3] Der besondere Vermittlungscharakter der Ideen liegt darin, zugleich das Absolute in seiner Erscheinung in der Besonderheit und die Besonderheit in ihrer Aufhebung in die absolute Identität zu reprä-sentieren. Im Begriff der Idee wird diese absolute Ineinsbildung des

---

[1] PhdK, 370
[2] ebd. 388
[3] ebd. 390

Realen und Idealen aber als solche noch ganz ideal gedacht, da die Begrenzung des Absoluten in der Besonderheit, die Einbildung des Idealen ins Reale, in der Philosophie selbst in der Potenz des Idealen, dem Medium der Vernunft, vollzogen wird. In dieser reinen Idealität kann die Idee aber nicht zum Gegenstand der ästhetischen Anschauung werden; es entsteht für die Philosophie der *Kunst* also die Aufgabe, diese ideale Begrenzung ihrerseits einem Realen einzubilden, wodurch die philosophischen zu den für die Kunst geforderten realen und lebendigen Ideen würden.[4]

Dieses Postulat löst Schelling in der Vorstellung der *Mythologie* als der Anschauung der Welt der Götter und ihrer Verhältnisse untereinander. Hier wird der Kosmos der Ideen sinnlich in der Götterwelt dargestellt, in welcher die Göttergestalten, insofern sie Individuen sind, wechselseitig sich begrenzen, insofern sie aber gegenseitig sich ergänzen und in vielfältigen Beziehungen zueinander stehen, die ganze unbegrenzte Absolutheit repräsentieren. Es geht in der Analyse der Mythologie also darum, konkret zu beschreiben, wie das allgemeine Postulat der Kunstdarstellung eingelöst werden könne, indem die Ideen in ästhetische Anschauung transformiert werden. Dieser Prozeß muß hier gleichsam von seiner pragmatischen Seite her betrachtet und als ein komplexer Vorgang aufgefaßt werden, der nur in einer differenzierten Analyse der einzelnen Schritte, welche die Produktion der ästhetischen Anschauung voraussetzt, verstanden werden kann. Das Resultat dieser Analyse soll erweisen, daß die Mythologie das allgemeine Gesetz der ästhetischen Anschauung, das Begrenzung des Absoluten ohne Aufhebung seiner Absolutheit fordert, realisiert und sie daher als das Medium angesehen werden kann, welches in sich die Dialektik von Grenze und Entgrenzung austrägt und daher in seiner Gesamtheit als vollendete Ineinsbildung erscheint.

---

[4] vgl. ebd. 393

B. Die mythologische Phantasie

1. Einbildungskraft und Phantasie
Die reale Anschauung der Ideen

Für die als ästhetische Anschauung geforderte sinnliche Darstellung der Ideen bedarf es eines der Vernunft gegenbildlichen Vermögens, welches nicht in der Potenz des Idealen, sondern in der des Realen die Einheit von Idealität und Realität vorzustellen vermag. Dieses Vermögen nun hat Schelling als ästhetische Einbildungskraft bestimmt, und so erhält sie in der Konstruktion der mythologischen Welt der Götter als des Stoffs der Kunst ihre erste inhaltliche Präzisierung. „Die Welt der Götter ist kein Objekt weder des bloßen Verstandes noch der Vernunft, sondern einzig mit der Phantasie aufzufassen. – Nicht des Verstandes, denn dieser haftet nur an der Begrenzung, nicht der Vernunft, denn diese kann auch in der Wissenschaft die Synthese des Absoluten und der Begrenzung nur ideell (urbildlich) darstellen; also der Phantasie, welche dieselbe gegenbildlich darstellt."[5]

Für das Verständnis der Funktion der mythologischen Phantasie wird es wichtig sein zu sehen, daß für Schelling der Stoff der Kunst, die Mythologie im Allgemeinen, immer schon erscheinender Stoff ist, also in Einheit mit einer relativen Form gedacht werden muß. Er ist durchaus nicht als abstraktes Substrat der Kunst vorgestellt, sondern Mythologie ist immer schon als zugleich vollendete Kunst angesprochen, und das heißt auch wesentlich als Form, wobei diese Form selbst notwendig ganz allgemein ist und gleichsam ganz und unmittelbar vom Stoff selbst ausgebildet wird.[6]

In diesem Zusammenhang der Konstitution der Mythologie als des Produkts der Einbildungskraft, wird nun eine explizite definitorische Unterscheidung zwischen Einbildungskraft und Phantasie vorgenommen. Unter dem Aspekt dieser Differenzierung sind beide zunächst als Vermögen der ästhetischen Anschauung und der Vergegenbildlichung der Ideen angenommen, welcher Prozeß je-

---

[5] ebd. 395
[6] Hierin liegt der Gegensatz der mythologischen Form zu dem Form-Begriff, den Schelling explizit unter dem Titel der ‚Form der Kunst' thematisiert und welcher die Frage nach der individuellen Gestalt und nach ihrer möglichen Allgemeinheit stellt. Vgl. hierzu oben S. 144 f. und unten S. 195 ff.

doch, als dialektischer Vorgang verstanden, sich in zwei Potenzen analysieren läßt. Einbildungskraft in ihrem so eingeschränkten Sinn, bezeichnet nun die intelligible, eher rezeptive Seite der Produktion der Mythologie, wo der Blick der geistigen Anschauung auf die Idee gerichtet ist und diese in ihrer Struktur und Besonderheit aufgefaßt wird. Phantasie dagegen ist das eigentlich produktive Vermögen, welches jenes innere Bild der Einbildungskraft in eine sinnliche äußere Erscheinung verwandelt. Gemäß dieser Dialektik von innerer und äußerer Anschauung kann dieses Verhältnis auch durch seine Analogie zu der Relation zwischen Vernunft und intellektueller Anschauung in der Philosophie expliziert werden. „Im Verhältniß zur Phantasie bestimme ich Einbildungskraft als das, worin die Produktionen der Kunst empfangen und ausgebildet werden, Phantasie, was sie äußerlich anschaut, sie aus sich hinauswirft gleichsam, insofern auch darstellt. Es ist dasselbe Verhältniß zwischen Vernunft und intellektueller Anschauung."[7] Während die Vernunft, hier im Sinn der Philosophie zu verstehen, die Ideen in ihrem reflexiven Aspekt auffaßt, ist es die intellektuelle Anschauung, die sie als die absolute Einheit von Idealität und Realität in unmittelbarer Präsenz vergegenwärtigt. Phantasie als das Vermögen der Darstellung und Einbildungskraft als das der ursprünglichen Analyse des Stoffs der Kunst bilden somit die beiden notwendigen Seiten der künstlerischen Produktion: diese die rezeptive und reflektierende, jene die eigentlich produktive.

Einbildungskraft ist gleichsam an sich passiv auf den Gegenstand der Kunst – die Idee – gerichtet; in einer spezifischen Weise, die nur durch das Wesen des Genies sich erklären wird, empfängt sie die Idee als den allgemeinen Gehalt der Kunst.[8] Auf ihre Seite fällt die Aufgabe der Ausbildung der mythologischen Inhalte als der Stoffe der Kunstwerke. Durch ihre synthetische Kraft – und darin entspricht sie dem philosophischen Schematismus – erzeugt sie zunächst allgemeine mythologische Vorstellungen, die auf der einen Seite nicht mehr die ästhetische Abstraktheit der philosophischen Ideen besitzen, andererseits aber auch noch nicht deren konkrete Anschauungen als ,Götter' sind. Diese allgemeinen Inhalte der Mythologie je

---

[7] PhdK, 395
[8] vgl. unten S. 204 ff.

für sich genommen sind Ideen und damit Gegenstände der Vernunft, welche gerade danach strebt, sie ihrer Grenze zu entledigen und in die Einheit des Universums zurückzuführen. Die Einbildungskraft faßt sie jedoch als Besondere und das heißt in Hinsicht ihrer Begrenztheit auf, und so, wie Besonderes seine Grenze nur in anderem Besonderen hat, muß sie mehrere solcher Inhalte wiederum zu einer komplexen Vorstellung verbinden, um die abstrakte Besonderheit der Ideen in der realen Begrenzung durch wechselseitige Bestimmung darstellen zu können. Jedes Element dieser Vorstellung wird durch die anderen, es begrenzenden, erst zu einem deutlichen und damit ästhetisch darstellbaren Inhalt. Auf dieser Stufe der künstlerischen Produktion formt die Einbildungskraft also gleichsam Schemata der Göttergestalten, insofern sie die Synthese der als solcher rein ideellen Gehalte mit einer in einem allgemeinen Sinn konkreten Vorstellung leistet, welche ihrerseits die Bedingung von deren Anschauung in einer sinnlich darstellbaren Göttergestalt ist. Dadurch verlieren jedoch die Elemente dieser Vorstellung und diese als gesamte keineswegs den Charakter der Idee und den Bezug zu ihrem Grund im Absoluten selbst, da die Weise, in der die Einbildungskraft die Grenze auffaßt, immer eine gleichsam fließende und ,durchsichtige' ist. Sie unterscheidet sich dadurch vom Verstand, der, an Diskursivität und Endlichkeit gebunden, die Differenz absolut setzt und damit den idealen Gehalt von seinem absoluten Ursprung abschneidet. In der spezifisch ästhetischen Grenz-Setzung der Einbildungskraft zeigt sich immer deren synthetischer Charakter, insofern das Begrenzende zugleich das Vermittelnde der einzelnen Elemente der mythologischen Vorstellung darstellt; jede Grenze ist offen für das Durchscheinen der Unendlichkeit der Idee selbst.

Die Einbildungskraft erzeugt eine mythologische Vorstellung, welche als solche jedoch noch nicht eigentlich Stoff der Kunst ist und an sich selbst noch keine anschauliche Bestimmung und Gestalt besitzt. Es ist nun die Leistung der Phantasie, diese von der Seite der Anschauung her allgemeine Vorstellung als ihr Schema zu nehmen und für sie eine adäquate Gestalt auszuprägen. War die Einbildungskraft gleichsam rezeptiv der ideellen Seite zugewendet gewesen, so ist die Phantasie der eigentlich produktive Faktor, insofern sie den Stoff als Stoff formt und nach seiner realen Seite, der der ästhetisch-sinnlichen Anschauung hin, ausbildet. Die bereits in eine synthetische Vorstellung der Einbildungskraft eingeschmolzenen Elemente erhalten durch die Phantasie eine Form, welche dieser Einheit entspricht. Einbildungskraft und Phantasie erweisen sich so als die dialektischen Komponenten der künstlerischen Ineinsbildung, indem sie die Begrenzung, durch deren Setzung die Idee verendlicht und sinnlich wird, als eine selbst dynamische vorstellen; Grenze und ihre Aufhebung, sinnliche Erscheinung und Durchscheinen der Idee machen das symbolische Wesen der Mythologie aus, in welcher gleichsam in einem permanenten Prozeß Allgemeinheit und Besonderheit, Ideales und Reales miteinander vermittelt werden. „Dieselben Ineinsbildungen des Allgemeinen und Besonderen, die an sich selbst betrachtet Ideen, d.h. Bilder des Göttlichen sind, sind real betrachtet Götter. Das Wesen, das An-sich von ihnen = Gott. Ideen sind sie nur, inwiefern sie Gott in besonderer Form. Jede Idee ist also = Gott, aber ein besonderer Gott."[9]

Die prinzipielle Forderung an den Stoff der Kunst ist es, in den Vorstellungen der Götter eine reale Anschauung der Ideen zu begründen. Hierzu ist es zunächst notwendig, den Standpunkt der Vernunft einzunehmen, in welchem – in der Potenz des Idealen – Idealität sich unmittelbar als Realität darstellt; aus dieser absoluten Perspektive ist alles Mögliche auch absolute Wirklichkeit. Sind die Ideen selbst besondere Formen dieser absoluten Identität des Idealen und des Realen, so müssen sie in ihrer Idealität zugleich als höchste Wirklichkeit und Objektivität genommen werden. „Die absolute Realität der Götter folgt unmittelbar aus ihrer absoluten Idealität."[10] Für die Vernunft ist die Realität der Ideen aber zunächst hinsichtlich ihrer wesenhaften Identität mit dem Absoluten thematisch. Eigentlicher Stoff der Kunst können sie erst werden, wenn nun auch ihre Besonderheit in der Form als wirkliche und objektive genommen wird; die Grenze der Form selbst, die der Vernunft in der reflexiven Vermittlung gerade als nicht-wirkliche und rein quantitative erscheinen muß, soll nun als Bedingung der realen Anschauung der Kunst gedacht werden. „Der nervus probandi liegt in der Idee der Kunst als Darstellung des absolut, des an sich Schönen durch besondere schöne Dinge; also Darstellung des Absoluten in

---

[9] ebd. 390
[10] ebd. 391

Begrenzung ohne Aufhebung des Absoluten. Dieser Widerspruch ist nur in den Ideen der Götter gelöst, die selbst wieder keine unabhängige, wahrhaft objektive Existenz haben können als in der vollkommenen Ausbildung zu einer eignen Welt und zu einem Ganzen der Dichtung, welches Mythologie heißt."[11] Damit ist das allgemeine Gesetz der ästhetischen Einbildungskraft[12] als das fundamentale Postulat der Mythologie ausgesprochen. Als Aufhebung des Widerspruchs zwischen Allgemeinheit und Besonderheit, Unendlichkeit und Endlichkeit wird für die Ästhetik die Idee der Götter gefordert. Diese erweist sich so, ebenso wie die Idee der Schönheit, als eine wesentlich dialektische Struktur, die ihrerseits nur innerhalb der Mythologie als ganzer realisiert werden kann. Damit ist auch diese a priori als ein dialektischer Komplex bestimmt, welcher als Totalität den die einzelnen Göttergestalten konstituierenden Widerspruch als einen aufgehobenen enthält und in seiner Versöhnung darstellt.

2. Schematismus, Allegorie und Symbol

Die Anschauung der Ideen als Götter soll das Resultat der ästhetischen Einbildung des Idealen ins Reale sein. Die erste Voraussetzung der Konstruktion der Mythologie muß daher die Analyse der objektiven Produktion des Stoffs der Kunst sein. Schelling differenziert diesen Prozeß der Einbildung des Wesens in die Form in drei dialektischen Stufen, die zugleich die drei möglichen Typen des Stoffs der Kunst überhaupt darstellen: *Schematismus, Allegorie und Symbol*. „Diese drei verschiedenen Darstellungsarten haben das Gemeinschaftliche, daß sie nur durch Einbildungskraft möglich und Formen derselben sind, nur daß die dritte ausschließlich die absolute Form ist."[13] Die erste und niedrigste Form der ästhetischen Einbildungskraft ist die *schematische*, „in welcher das Allgemeine das Besondere bedeutet, oder in welcher das Besondere durch das Allgemeine angeschaut wird"[14]. Sie geht aus vom Allgemeinen, das heißt, der hinsichtlich der Anschauung ganz abstrakt aufgefaßten Idee,

---

[11] ebd. 405
[12] vgl. oben S. 88, 163
[13] PhdK, 407
[14] ebd.

und stellt durch dieses das Besondere dar. Das Reale und Besondere als das Medium dieser Darstellung ist dadurch jedoch nur bestimmt, insofern es eine Bedeutung, zum Beispiel seine Zweckhaftigkeit, durch den Begriff erhält; insofern der Begriff selbst abstrakt ist, wird es in seiner realen Besonderheit und Individualität nicht geformt und bleibt ebenfalls abstrakt. Erläutert wird die schematische Einbildung in deutlichem Bezug auf die transzendentalphilosophische Auffassung des Schematismus am Beispiel des mechanischen Künstlers, der dem Begriff gemäß einen zweckmäßigen Gegenstand hervorbringen will. „Dieser Begriff schematisirt sich in ihm, d.h. er wird ihm unmittelbar in der Einbildungskraft in seiner Allgemeinheit zugleich das Besondere und Anschauung des Besonderen. Das Schema ist die Regel, welche sein Hervorbringen leitet, aber er schaut in diesem Allgemeinen zugleich das Besondere an."[15] In diesem Vorgang ist die Einbildungskraft in ihrer unmittelbaren und ganz unreflektierten Form wirksam; das Schema ist gleichsam die völlig unbewußte Regel, durch welche aus dem Begriff ein Besonderes, wenn auch nur in abstrakter Form, entsteht. So kann sich Schelling hier auch, um die Unbewußtheit und Abstraktheit des ästhetischen Schematismus zu betonen, auf Kants Definition der allgemeinen und transzendentalen Regel der Anschauung berufen.

„Es gibt nun allerdings auch einen Schematismus der Kunst, allein nach der Erklärung selbst, die wir davon gegeben haben, ist offenbar, daß bloßer Schematismus keine vollkommene Darstellung des Absoluten im Besonderen heißen könne, obgleich das Schema als Allgemeines auch wieder ein Besonderes ist, aber nur so, daß das Allgemeine das Besondere bedeutet."[16] Das Schema steht auch unter dem Aspekt der ästhetischen Anschauung in der Mitte zwischen Begriff und Gegenstand; es ist die erste und noch abstrakte Form, in welcher der Begriff sich konkretisiert – die sinnlich angeschaute Regel der Hervorbringung eines Gegenstandes. Es bietet so nur einen „rohen Entwurf"[17], welcher selbst noch nicht Anschauung ist und von dem aus die Einbildungskraft allmählich zur differenzierten Bestimmung und schließlich zur vollkommenen Ausbildung des ästhetischen Gegenstandes in seiner Totalität fortzuschreiten hat. Unter

---

[15] ebd. 407
[16] ebd. 408
[17] ebd.

diesem Aspekt gewinnt das Schema seine eigentliche Bedeutung als Voraussetzung der ästhetischen Anschauung, indem es aus seinem Mangel auf eine höhere Form der Darstellung verweist.

Für das Interesse der Konstruktion der Mythologie und jenes, die Göttergestalten als vollendete Ineinsbildungen des Idealen und des Realen zu erweisen, kann der Schematismus keine befriedigende Form der Kunst-Einbildung sein, da er noch keine anschauliche Repräsentanz dieser Einheit ermöglicht. Dennoch hat er seine konstitutive Bedeutung für die Mythologie darin, daß hier die Einbildungskraft sich in ihrer fundamentalen Funktion entfaltet, indem sie einen ersten und allgemeinen Übergang vom reinen Begriff zur Anschauung macht und in dieser Bedeutung allen mythologischen Vorstellungen zugrunde liegen muß. So ist es auch durchaus möglich, alle mythologischen Bildungen auf einer untersten Ebene als „Schematismus der Natur und des Universums"[18] aufzufassen, womit jedoch erst ein bloß allgemeines und abstraktes Bild der Mythologie begriffen würde, in welchem Sinn sie nur Stoff einer ganz rohen und äußerlichen Kunst sein könnte und worin das Verständnis noch weit von der differenzierten Gestalt und Bedeutung der symbolischen Götterwelt entfernt wäre.

Im Schematismus war das Allgemeine der herrschende Faktor gewesen, der das Besondere nur erst bedeutet, nicht aber schon selbst zu eigener ästhetischer Ausprägung gebracht hat. Dieser in der Abstraktheit des Schemas und der reinen Einbildung des Idealen in das Reale noch nicht entfaltete Aspekt der Besonderheit als einer selbständigen Form und als des wirklichen Trägers einer Bedeutung muß der Gesichtspunkt sein, unter welchem die Phantasie eine höhere und der vollendeten mythologischen Anschauung nähere Form erreicht. Diese für die Anschauung konstitutive Beziehung des Besonderen auf das Allgemeine, welche die der Bedeutung im eigentlichen Sinn ist, tritt nun in der Form der *Allegorie* hervor. Sie verhält sich zum Schematismus wie ein Negatives zum Positiven, insofern sie die reale Explikation des Allgemeinen in das Besondere gleichsam in ihrer reflexiven Dimension betrachtet und die besondere Form in ihrer idealen Beziehung auf das Allgemeine thematisiert. Innerhalb der realen Einbildung des Stoffs der Kunst bildet die

---

[18] ebd.

Allegorie also deren ideale Seite, da sie das Reale der besonderen Anschauung wiederum dem Idealen einbildet und darin seine wesentliche Beziehung auf die Idee aktualisiert. „Was nun die Allegorie betrifft, so ist sie das Umgekehrte des Schema, also wie dieses auch eine Indifferenz des Allgemeinen und Besonderen, aber so, daß Besonderes hier das Allgemeine bedeutet und als Allgemeines angeschaut wird."[19] Jedoch wie der Schematismus hat auch die Allegorie ihren Mangel in der Abstraktheit dieser Beziehung der Einbildung, welcher es nicht gelingt, die Einheit der Pole des Idealen und Realen wirklich in einer realen Anschauung vorzustellen, so daß sie in der Beziehung des bloßen ‚Bedeutens‘ immer selbst noch rein ideal bleibt. „In der Allegorie *bedeutet* das Besondere nur das Allgemeine, in der Mythologie *ist* es zugleich selbst das Allgemeine."[20] Für die Analyse der Mythologie muß die Allegorie daher auch als eine untergeordnete Betrachtungsweise angesehen werden, die noch nicht ihren absoluten Begriff erreicht, wenngleich sie ebenso wie der Schematismus ein konstitutives Element ihrer Universalität ist. Alle mythologische Anschauung enthält den Aspekt des Allegorischen, insofern in ihm die intellektuelle Beziehung der Ineinsbildung, die Verweisung des Realen auf das Wesen und die Idee repräsentiert ist, geht jedoch darin über die Allegorie hinaus, daß sie deren reflexiven Charakter selbst in die Anschauung integriert.

Der Schematismus als die primäre Einbildung des Allgemeinen in das Besondere und die Allegorie als die des Besonderen in das Allgemeine bleiben beide je in der Weise abstrakt, als sie einen dieser beiden Pole der Anschauung nicht vollständig zu bestimmen und so die als den eigentlichen Stoff der Kunst angezielte Göttergestalt nicht in ihrer postulierten Identität von Gestalt und Inhalt zu charakterisieren vermögen. Als die beiden ersten und konträren Weisen der Einbildungskraft verweisen sie notwendig auf eine dritte Form, in welcher die Einheit der realen und idealen Seite der ästhetischen Anschauung als vollendete Ineinsbildung gedacht werden kann. In ihr müßte die Differenz von Allgemeinem und Besonderem, von Sein und Erscheinung, dialektisch vermittelt und in die Einheit der ästhetischen Anschauung aufgehoben sein. „Die Synthesis dieser

---

[19] ebd. 409
[20] ebd.

beiden, wo weder das Allgemeine das Besondere, noch das Besondere das Allgemeine bedeutet, sondern wo beide absolut eins sind, ist das Symbolische."[21] In der *symbolischen* Einbildung sollen nun die Formen des Schematismus und der Allegorie so in einer höheren Einheit verbunden sein, daß ihre spezifischen Qualitäten bewahrt bleiben, ihre Mängel sich aber wechselseitig aufheben. „Darstellung des Absoluten mit absoluter Indifferenz des Allgemeinen und Besonderen *im Besonderen* ist nur symbolisch möglich."[22] Auf dieser rein formalen Ebene, die noch nicht den konkreten Begriff der mythologischen Erfüllung dieses Postulats zu geben vermag, ist das Symbol als die Einheit des Idealen und Realen im Realen der ästhetischen Anschauung bestimmt. Es soll zugleich ganz reale Besonderheit und vollkommene Bestimmung in der Form und dabei Präsenz des ganzen Bedeutungsumfangs der Idee sein.

In diesem Begriff des Symbols erfüllt sich Schellings Postulat der Gegenbildlichkeit der Kunst gegenüber der Philosophie; während in dieser das Allgemeine, die Idee, das Medium der Darstellung der Identität von Realität und Idealität ist, ist es in jener das Besondere, welches diese Identität in der Anschauung der mythologischen Göttergestalten repräsentiert. „Die vollkommenste symbolische Darstellung aber ist durch bleibende und unabhängige poetische Gestalten einer bestimmten Mythologie gegeben... Das symbolische Bild setzt eine Idee als vorausgehend voraus, die symbolisch wird dadurch, daß sie historisch-objektiv, auf unabhängige Weise anschaulich wird."[23] So erläutern sich der Begriff des Symbols und der der Mythologie wechselseitig; es zeigt sich hier im Horizont der Konstruktion des Stoffs der Kunst deutlich, daß für Schelling zunächst die Reflexion auf Symbol, Mythologie und das allgemeine Wesen der Kunst überhaupt gänzlich zusammenfallen. „Denn die Forderung der absoluten Kunstdarstellung ist: Darstellung mit völliger Indifferenz, so nämlich, daß das Allgemeine ganz das Besondere, das Besondere zugleich das ganze Allgemeine *ist*, nicht es bedeutet. Diese Forderung ist poetisch gelöst in der Mythologie."[24] Die mythologischen Göttergestalten, als Symbole aufgefaßt, reprä-

---

[21] ebd. 407
[22] ebd. 406
[23] ebd. 555
[24] ebd. 411

sentieren die absolute Identität von Sein und Erscheinung; sie enthalten ihrem Gehalt nach die ungeteilte Idee, welche jedoch so der Anschauung eingebildet ist, daß sie mit der erscheinenden Gestalt untrennbar verbunden und ganz in sie eingegangen ist. Als Symbol ist diese so nicht mehr wie in den Formen des Schematismus und der Allegorie defizient, aus welchem Mangel heraus sie bloß auf die Idee verweisen würde, sondern ist deren vollkommener Ausdruck und ihr ästhetisches Sein. Die mythologische Göttergestalt bedeutet nicht allein, sondern *ist* die Idee in der Anschauung. „Denn jede Gestalt in ihr ist zu nehmen als das, was sie ist, denn eben dadurch wird sie auch genommen als das, was sie bedeutet. Die Bedeutung ist hier zugleich das Seyn selbst, übergegangen in den Gegenstand, mit ihm eins. Sobald wir diese Wesen etwas *bedeuten* lassen, sind sie selbst *nichts mehr*. Allein die Realität ist bei ihnen mit der Idealität eins..., d.h. auch ihre *Idee*, ihr Begriff, wird zerstört, wofern sie nicht als wirklich gedacht werden. Ihr höchster Reiz beruht eben darauf, daß sie, indem sie bloß *sind* ohne alle Beziehung – in sich selbst absolut –, doch zugleich immer die Bedeutung durchschimmern lassen. Wir begnügen uns allerdings nicht mit dem bloßen *bedeutungslosen Seyn*, dergleichen z. B. das bloße Bild gibt, aber ebensowenig mit der bloßen Bedeutung, sondern wir wollen, was Gegenstand der absoluten Kunstdarstellung seyn soll, so concret, nur sich selbst gleich wie das Bild, und doch so allgemein und sinnvoll wie der Begriff; daher die deutsche Sprache Symbol vortrefflich mit Sinnbild wiedergibt."[25]

Damit impliziert das Symbol immer die Möglichkeit von schematischer und allegorischer Einbildung, jedoch so, daß nicht eine der beiden Seiten des Allgemeinen oder Besonderen notwendig abstrakt blieben und in der Relation negiert wären, sondern beide vollkommen in-eins-gebildet und miteinander verschmolzen sind. Als untrennbare Identität von Idealität und Realität zeigt sich das Wesen des Symbols auch insofern, als die Idee hier ganz als Wirklichkeit vorgestellt ist und so von ihrer mythologischen Gestalt auch nicht mehr getrennt werden kann, ohne daß die spezifische Bedeutung der ästhetischen Anschauung damit verloren ginge. In dieser Symbolik ist der absolute Charakter der Kunstdarstellung erreicht, in wel-

---

[25] ebd. 411 f.

chem sie zu einem gleichberechtigten Gegenbild der Philosophie wird, und die Kunst verwirklicht in den symbolischen Göttergestalten ihre höchste Möglichkeit, die absolute Identität selbst für die ästhetische Anschauung darzustellen. „Sie *bedeuten* es nicht, sie *sind* es selbst. Die Ideen in der Philosophie und die Götter in der Kunst sind ein und dasselbe, aber jedes ist für sich das, was es ist, jedes eine eigne Ansicht desselbigen, keines um des andern willen, oder um das andere zu bedeuten."[26] Diese durch das Symbol repräsentierte Einheit von Sein und Bedeutung kann so in dem Verständnis der *Philosophie der Kunst* nur als ein gleichabsolutes Gegenbild der intellektuellen Anschauung oder der Selbstreflexion der absoluten Vernunft angesehen werden, welches jedoch nicht unmittelbar in eine rationale Bedeutung zu übersetzen ist: In diesem Sinn ist der Begriff des Symbols im Kontext der Mythologie auch als eine die wesentliche Differenz von Kunst und Philosophie beachtende Fortsetzung des ‚Dokument-und-Organon'-Gedankens aus dem *Transzendentalsystem* zu verstehen. Dabei ist das Symbol jedoch ebensowenig wie die intellektuelle Anschauung als schlechthin irrationale Größe zu betrachten. Wiewohl es als solches eine unauflösbare Identität repräsentiert und damit nicht unmittelbar in Reflexion zu übersetzen ist, verkörpert es doch zugleich die dialektischen Spuren seiner Produktion als die Elemente der Ineinsbildung. Nicht in der reinen Einheit der Anschauung, wohl aber als Resultat des Prozesses seiner Entstehung aufgefaßt, ist auch das Symbol in sich differenziert und der philosophischen Analyse zugänglich, wie auch die intellektuelle Anschauung aus der Geschichte des Selbstbewußtseins sich in ihren Voraussetzungen reflexiv erschließt.

Als die vollendete Ineinsbildung des Realen und des Idealen – die absolute Kunstdarstellung – ist das Symbol nur zu verstehen, indem seine Entstehung als Produkt der Einbildungskraft analysiert wird, und der durch die Dialektik von Schematismus und Allegorie vermittelte Begriff der symbolischen Einbildung bietet daher den Schlüssel zum Verständnis der ästhetischen Anschauung. Aus der Analyse der differenzierten Formen der Einbildungskraft als des fundamentalen Vermögens aller Kunstproduktion ergibt sich so

---

[26] ebd. 401

auch eine entscheidende Konsequenz für deren Interpretation. Das Symbol ist als solches absolute und in sich geschlossene Form, insofern es als reines Resultat der Ineinsbildung angeschaut wird; als Produkt der Einbildungskraft jedoch genommen und mit dem Blick auf die Dialektik der Ineinsbildung, erweist es sich als in sich differenziert und auch als eine Anschauung des Prozesses seiner Produktion. So eröffnet sich vom Begriff der Einbildungskraft her die Perspektive auf die Genese des Kunstwerks, auf den Schematismus und Allegorie einschließenden und aufhebenden dialektischen Prozeß der Ineinsbildung, welcher durch die Grenzen des in sich geschlossenen Werks gleichsam ‚durchscheinend‘ erkennbar wird. In dieser Sicht bleibt das Werk, unbeschadet seiner Absolutheit und gerade in der Möglichkeit, diese Absolutheit mit dem Begriff zu vermitteln, nicht hermetisch, und die Analyse der Einbildungskraft wird zur Forderung einer philosophischen Hermeneutik der Kunst.

Mit dem bisher formal entfalteten Begriff des Symbols wurde die Notwendigkeit der symbolischen Darstellung als eine Forderung aus dem absoluten Begriff der Kunst abgeleitet, jedoch noch nicht dargestellt, wie die mythologische Phantasie diese im Hinblick auf die sinnliche Anschauung einzulösen vermag. Wie nun realisiert sich die Erfüllung dieses Postulats in der konkreten inhaltlichen und formalen Konstitution der Göttergestalten? Die Götter sind als das Absolute erscheinend in einer besonderen Form, als die Ideen in der ästhetischen Anschauung, bestimmt worden, und das Gesetz ihrer Bildungen soll die Einheit von reiner Begrenzung und ungeteilter Absolutheit sein. Die Dialektik der Einbildungskraft erfüllt dieses Gesetz, indem sie im Medium des Realen, der Anschauung, die Begrenzung als eine relative Grenze setzt und in einem Zugleich wieder aufhebt. In dieser Vermittlung der Wechselwirkung von realer und idealer Einbildung muß jene ausgezeichnete Qualität des Symbols entstehen, in der dieses als reales zugleich die Konkretheit des Objekts besitzt und damit die Allgemeinheit der Idee vereinigt: das ‚Durchschimmern‘ des Idealen durch das Reale.

C. Die Welt der Götter

1. Die „Bevölkerung des Universums"
Schelling und Karl Philipp Moritz

Es gilt nun für die Theorie der Mythologie zu zeigen, wie das Postulat der allgemeinen Symbolik der Ideen[27] in den mythologischen Gestalten und in der Welt der Götter realisiert werden könne. In der Lösung dieses Problems ist die *Philosophie der Kunst* zu einem großen Teil der *Götterlehre* von Karl Philipp Moritz verpflichtet.[28] Moritz hatte die Mythologie als das Paradigma der Kunst überhaupt aufgefaßt und in ihrer Analyse das Wesen der ästhetischen Produktion und die Gesetze der symbolischen Darstellung entfaltet. Da der *Götterlehre* die Mythologie als eine ,Sprache der Phantasie' galt, ging es ihr vor allem darum, die mythologische Symbolik aus der eigenen Dynamik und der Autonomie der ästhetischen Einbildungskraft heraus zu begreifen und darzustellen. Aus diesem Postulat einer in der Mythologie realisierten Logik der Phantasie ergaben sich für Moritz auch die wesentlichen äthetischen Kategorien der Schönheit, der Begrenzung und der Universalität, welche er als Funktionen der Einbildungskraft entwickelte und durch welche der allgemeine Horizont der Produktion und des Verstehens der Mythologie gegeben ist. Schelling folgt dieser Theorie der Mythologie, gibt ihr jedoch eine metaphysische Begründung dadurch, daß er sie in den Kontext des Begriffs der Idee stellt.

„Es ist ein großes Verdienst, das sich unter den Deutschen und überhaupt zuerst Moritz gemacht hat, die Mythologie in dieser ihrer poetischen Absolutheit darzustellen."[29] In ganz demselben Sinn wie Moritz charakterisiert auch Schelling die Gestalten der Götter als Produkte der Phantasie, da nur durch Einbildungskraft und Phantasie jene Anschauung der Ideen als reale Gestalten und eine symbolische Präsenz des Absoluten möglich ist. „Das Geheimniß alles Lebens ist Synthese des Absoluten mit der Begrenzung. Es gibt ein gewisses Höchstes in der Weltanschauung, das wir zur vollkommenen Befriedigung fordern, es ist: höchstes Leben, freiestes, eigenstes Daseyn und Wirken ohne Beengung oder Begrenzung des Absolu-

---

[27] vgl. ebd. 370
[28] vgl. zu K. Ph. Moritz und der *Götterlehre* oben S. 106–115
[29] PhdK, 412

ten. Das Absolute an und für sich bietet keine Mannichfaltigkeit dar, es ist insofern für den Verstand eine absolute, bodenlose Leere. Nur im Besonderen ist Leben. Aber Leben und Mannichfaltigkeit, oder überhaupt Besonderes ohne Beschränkung des schlechthin Einen, ist ursprünglich und an sich nur durch das Princip der göttlichen Imagination, oder, in der abgeleiteten Welt, nur durch Phantasie möglich, die das Absolute mit der Begrenzung zusammenbringt und in das Besondere die ganze Göttlichkeit des Allgemeinen bildet. Dadurch wird das Universum bevölkert, nach diesem Gesetz strömt vom Absoluten, als dem schlechthin Einen, das Leben aus in die Welt; nach demselben Gesetz bildet sich wieder in dem Reflex der menschlichen Einbildungskraft das Universum zu einer Welt der Phantasie aus, deren durchgängiges Gesetz Absolutheit in der Begrenzung ist."[30]

Diese ‚Bevölkerung des Universums' ist nun die zentrale Forderung an die Mythologie, die mit dem allgemeinen Begriff der Götter eingelöst werden soll, und aus dem allgemeinen ästhetischen Gesetz der Begrenzung des Absoluten ohne Aufhebung seiner Absolutheit folgt daher für die Phantasie: „Reine Begrenzung von der einen und ungetheilte Absolutheit von der andern Seite ist das bestimmende Gesetz aller Göttergestalten."[31] Moritz hatte dieses Grundproblem der ästhetischen Anschauung darin gelöst gesehen, daß er jede Gottheit als durch ein Ensemble von Eigenschaften ausgezeichnet verstand, wodurch sie bestimmt und begrenzt ist; es sind die Mängel an Vollkommenheit, durch welche die eine Göttergestalt mit der andern in Beziehung tritt und wodurch alle in ihren Handlungen miteinander verwoben werden. „Man kann also, von dieser Seite die Sache angesehen, mit Moritz sagen, daß es eben die gleichsam *fehlenden* Züge sind in den Erscheinungen der Göttergestalten, was ihnen den höchsten Reiz gibt und sie wieder untereinander verflicht."[32] In ihrer Begrenzung repräsentieren alle Götter je unterschiedliche Eigenschaften und Möglichkeiten des Absoluten; insofern diese jedoch immer in ihrer vollkommenen Form und damit jenseits ihrer endlichen und menschlichen Realität dargestellt werden, verweisen sie auf die Göttlichkeit ihres Trägers. Darüber

---

[30] ebd. 393
[31] ebd. 391 f.
[32] ebd. 393; vgl. K. Ph. Moritz, Götterlehre, a. a. O. S. 107, 119; vgl. dazu oben S. 114 f.

hinaus stehen die Gestalten der Götter nicht nur äußerlich durch Verwandtschaft, sondern gerade durch das formale Prinzip der relativen Mangelhaftigkeit miteinander in Beziehung, da ihre Mängel sich gegenseitig bedingen und einander ergänzen. Da sie so in wechselseitiger Begrenzung aufs Engste miteinander verflochten sind, wird man ihrem poetischen Wesen nur gerecht, wenn man sie in ihrer Gesamtheit betrachtet und in dieser Perspektive die spezifisch ästhetische Logik ihrer Verknüpfung zu verstehen versucht. Als einzelne repräsentieren die Götter die allgemeine Idee der Gottheit in einem je verschiedenen Aspekt, als Gesamtheit genommen geben sie eine Anschauung der Vollkommenheit und Absolutheit des Göttlichen.

„Nur dadurch erstens, daß sie streng begrenzt, daß also sich wechselseitig einschränkende Eigenschaften in einer und derselben Gottheit sich ausschließen und absolut getrennt sind, und daß gleichwohl innerhalb dieser Begrenzung jede Form die ganze Göttlichkeit in sich empfängt, liegt eigentlich das Geheimniß ihres Reizes und ihre Fähigkeit für Kunstdarstellungen. Dadurch erhält die Kunst gesonderte, beschlossene Gestalten, und in jeder doch die Totalität, die ganze Göttlichkeit."[33] Die einzelne mythologische Gestalt ist als solche immer begrenzt, bleibt jedoch gerade durch das Prinzip ihrer Begrenzung durchlässig für das Aufscheinen der absoluten Möglichkeit jenseits ihrer Grenze; sie steht damit in einem unendlichen Geflecht von Relationen, welche je neue Grenzen setzen und wieder aufheben. In diesem Setzen und Aufheben der Grenzen in der mythologischen Welt erweist die Phantasie ihre unendliche Freiheit, indem sie Grenze und Entgrenzung als ästhetisches Spiel erscheinen läßt. Die besonderen Qualitäten erhalten in den Götterbildern ihre Eigenständigkeit, indem sie relative Negation der absoluten Idee sind; sie sind durch das Prinzip der Wechselseitigkeit der Grenz-Setzung zugleich zu einer Einheit verschmolzen, welche vermöge ihrer Durchsichtigkeit auf die Unendlichkeit der Idee hin deren Totalität ahnen läßt. In diesem Sinne kann die mythologische Anschauung als ästhetisches Gegenbild der Idee angesehen werden. Sie begreift die Totalität der Idee, jedoch nicht in der reflexiven Aufhebung des Besonderen in das Allgemeine, sondern in der

[33] ebd. 392

ästhetischen Erscheinungsweise der Einbildung des Allgemeinen in das Besondere, und diese gegenbildliche Präsenz der Idee als mythologische Gestalt ist das Wesen der ästhetischen Anschauung. Dies kann deutlich werden durch „einige Beispiele für den Satz ..., daß reine Begrenzung einerseits und ungetheilte Absolutheit andererseits das Wesen der Göttergestalten" ist. „So ist Minerva das Urbild der Weisheit und Stärke in Vereinigung, aber die weibliche Zärtlichkeit ist ihr genommen; beide Eigenschaften vereinigt würden diese Gestalt zur Gleichgültigkeit und demnach mehr oder weniger zur Nullität reduciren. Juno ist Macht ohne Weisheit und sanften Liebreiz, den sie von der Venus mit ihrem Gürtel borgt. Wäre dagegen dieser zugleich die kalte Weisheit der Minerva verliehen, so wären ohne Zweifel ihre Wirkungen nicht so verderblich, als es die des trojanischen Kriegs sind, den sie veranlaßt, um die Lust ihres Lieblings zu befriedigen. Aber dann wäre sie auch nicht mehr die Göttin der Liebe, und darum kein Gegenstand der Phantasie mehr, für die das Allgemeine und Absolute im Besonderen – in der Begrenzung – das Höchste ist."[34] Schelling macht hier – an Moritz angelehnt – gleichsam den pragmatischen Aspekt der Produktion der Mythologie durch die Phantasie deutlich, indem er die Weise der wechselseitigen Zuordnung und Begrenzung der einzelnen Elemente zeigt und darin expliziert, wie sich das allgemeine ästhetische Prinzip der Grenze in der realen und spezifischen Konstruktion der Göttergestalten durchführen läßt. Jede Gottheit wird durch die Phantasie als Individualität charakterisiert; so, daß sie in einzelnem begrenzt ist, in anderem jedoch absolut und vollkommen, so daß diese Grenze immer als solche erscheint, zugleich aber von den

---

[34] ebd. 392 f.; vgl. Moritz, Götterlehre, a. a. O. S. 107 f. Deutlich zeigt sich das Prinzip der ästhetischen Begrenzung durch den Mangel und seine darin implizierte Berührung mit der relativen Häßlichkeit, welche jedoch immer bereits in den dialektischen Begriff der Schönheit aufgehoben ist, am Beispiel des Vulkan: „Was die Bildung des Vulcan betrifft, so zeigt uns diese die große Identität zwischen den Bildungen der Phantasie und der organisch schaffenden Natur. Wie die Natur durch die vorzügliche Ausbildung eines Organs oder Triebs in einer Gattung von Geschöpfen sich genöthigt sieht, es dagegen in einer andern zu verkürzen, so hat hier die Phantasie das, was sie den mächtigen Armen des Hephästos gab, seinen Füßen entziehen müssen, welche hinkend sind. Aber allgemein gilt in Ansehung der häßlichen Bildungen der griechischen Götterwelt, daß diese sämtlichen Bildungen in ihrer Art wieder Ideale, nur die umgekehrten Ideale sind, und daß sie dadurch wieder in den Kreis des Schönen aufgenommen werden." (PhdK, 398; vgl. Moritz, Götterlehre, a. a. O. S. 117 ff.)

andern unbegrenzten Eigenschaften überlagert und gleichsam aufgehoben wird. Daher muß die Götterwelt in ihrer poetischen Bildung sich notwendig in eine Vielzahl von Erzählungen ausfalten, welche durch je neue Grenzen der Götter Individualität setzen und durch korrespondierende Elemente wieder aufheben.

Die Verkörperung der Ideen in den Göttern wäre nicht wirklich reale und poetische Anschauung, wenn die Phantasie in ihrer Produktion nicht über die Notwendigkeit des ideellen Gehalts hinausgehen würde und auch das vom Standpunkt der Philosophie her Zufällige integrierte. Dadurch erscheinen die Götter als untereinander nicht nur durch ein gleichsam logisches System im Sinn des Verstandes miteinander verbunden, sondern durch ein rein poetisches, welches sich je nach dem Kontext der Darstellung relativiert und von der Phantasie modifiziert und in jeder Fixierung wieder aufgehoben werden kann. „Die Totalität der griechischen Götterwelt wäre übrigens nicht vollkommen, wenn nur das Nothwendige, wenn nicht auch jede besondere, je vielleicht zufällige Ansicht der Dinge in ihr wieder absolut wäre. Ganze Massen von Erscheinungen, die vielleicht nur von einem gewissen Gesichtspunkt als Eines erscheinen, überhaupt alle Arten von Verhältnissen werden als das Allgemeine durch ein Individuum zusammengefaßt, welches ohne Zweifel das auffallendste Beispiel der Darstellung des Allgemeinen im Besonderen ist."[35]

Schelling kann so von der „üppigen Fülle der Phantasie" sprechen, welche auch das Besondere, ja rein Zufällige in ihren Schöpfungen erscheinen läßt. „Für die Vernunft und Phantasie wird auch die Begrenzung entweder nur Form des Absoluten, oder, als Begrenzung aufgefaßt, ein unerschöpflicher Quell des Scherzes und des Spiels, denn mit der Begrenzung zu scherzen ist erlaubt, da sie dem Wesen nichts entzieht, an sich bloße Nichtigkeit ist. So spielt in der griechischen Götterwelt der kühnste Scherz wieder mit den Phantasiebildern ihrer Götter…"[36] Spiel und Scherz, welche die

---

[35] PhdK, 403
[36] ebd. 394; vgl. Moritz, Götterlehre, a. a. O. S. 108: „So scherzte in diesen Dichtungen der Alten die Phantasie in kühnen Bildern mit der Gottheit, die sie sich in den kleinsten Zügen nach dem Bilde der Menschen schuf und dennoch die größten und erhabensten Erscheinungen der alles umfassenden Natur beständig zu ihrem hohen Urbild nahm."

Kräfte der Phantasie in ein freies Verhältnis setzen und darin jede der von ihr gesetzten Grenzen als eine der Möglichkeit nach auch wieder aufgehobene vorstellen, sind ein vorzügliches Mittel der Mythologie, alle Begrenzung des Göttlichen als nicht-absolute darzustellen. Wiewohl diese Welt der Mythologie in ihrer Struktur auf den Kosmos der Ideen zurückzuführen ist und darin für die Vernunft als ein notwendiges Gebilde erscheint, ist sie doch auch in der Weise ihrer Bildungen absolut frei. Indem die Phantasie die Produkte der Einbildungskraft formt, entfaltet sie eine unendliche Welt der Wechselbeziehungen von Grenze und Entgrenzung, welche sich in der Erscheinung als freies Spiel mit den poetischen Elementen der Mythologie zeigt. Aus dieser Freiheit resultiert die Fülle ihrer Bildungen, die auch das rein Besondere und Zufällige, wie es ebenfalls in der unendlichen Produktivität der Natur entsteht, in sich begreift.

Sowohl eine historische als auch eine metaphysische Betrachtung verbieten sich hier zunächst, da sie dem freien Wesen des Phantasieprodukts nicht gerecht würden. Erstere täte der mythologischen Erzählung Gewalt an, indem sie einen historisch wahren Kern zu eruieren suchte, welches den Charakter der Freiheit in diesen Dichtungen negieren würde. Zweitere müßte die reale und sinnliche Darstellung auf eine bloße Allegorie abstrakter Bedeutungen reduzieren und würde dadurch ihre spezifische Gestalt und deren ästhetischen Wahrheitsanspruch zerstören. So vermeidet die Logik der Mythologie jeden unmittelbaren und abstrakten Übergang in die außerhalb der Anschauung liegende Metaphysik, ohne, wird sie nur als Ganzes genommen, den Begriff der Göttlichkeit einer absoluten Grenze zu unterwerfen. Auch Moritz hatte für das adäquate Verständnis der Mythologie gefordert, daß diese als eine rein ästhetische Welt verstanden werden müsse, aus der alle philosophisch allegorisierende Interpretation fernzuhalten sei. „Sie scheuet den Begriff einer metaphysischen Unendlichkeit", ebenso den „eines anfangslosen Daseins"[37], der Ewigkeit oder der Allmacht, weshalb sich für die Mythologie auch jeder Monotheismus verbietet, der die gesamte Wirklichkeit aus *einem* Prinzip entstehen und durch dieses bestimmt sein ließe.

---

[37] Moritz, Götterlehre, a. a. O. S. 7

Gerade darin erweist die Einbildungskraft ihre Freiheit, daß sie das Gesetz der Notwendigkeit mit poetischen Mitteln relativiert und aufhebt. Sie geht über das theoretisch Notwendige und sogar das unmittelbar Schöne hinaus und ergreift auch das Niedrige, Zufällige und relativ Häßliche, um es in die Welt der realen Anschauung des Göttlichen zu integrieren. „Die Göttlichkeit, welche auch die Natur in dieser Phantasiewelt erhält, erlaubt auch Verwandlungen der Götter in Thiergestalten, obgleich die griechische Phantasie niemals, wie die ägyptische, die Götter in lauter Thiergestalten verhüllen konnte. Die Totalität forderte, daß in keiner Umgebung etwas der Phantasiewelt Widersprechendes wäre, deßhalb mußte die Vergötterung der Naturdinge nothwendig bis ins Einzelnste fortgesetzt werden, Bäume, Felsen, Berge, Flüsse, auch einzelne Quellen von göttlichen Naturen bewohnt seyn (Genien als Mittelglieder). Die kühnen Spiele der Natur selbst, indem sie nicht selten ihr eignes Ideal auf den Kopf stellt, wo sie mit überfließender Kraft gleichsam verschwenden kann, erneuern sich in der üppigen Fülle der Phantasie, die das Ganze ihrer Welt zuletzt mit den schalkhaften, halb thierischen und halb menschlichen Bildungen der Satyrn und Faunen schloß. Indem hier die menschliche Gestalt zur thierischen herabgezogen wird, die nur den Ausdruck der sinnlichen Begier, der Sorglosigkeit in ihren Zügen erkennen läßt, entsteht die entgegengesetzte Wirkung von der, welche durch die Hinaufbildung derselben Gestalt zum Göttlichen erreicht wurde. Auch hier fordert die Totalität Befriedigung der Phantasie durch Gegensatz."[38]

Diese Dialektik von Grenze und Entgrenzung, welche das Wesen der Götter ausmacht, erläutert sich weiter durch ihre Indifferenz gegenüber der Frage der Sittlichkeit und durch ihren Charakter der Seligkeit. „Die Götter sind an sich weder sittlich noch unsittlich, sondern losgesprochen von diesem Verhältniß, absolut selig."[39] Insofern die Sittlichkeit die Entzweiung des Individuums durch die Reflexion, den Antagonismus von Endlichkeit und Unendlichkeit voraussetzt, kann „dieser Maßstab auf diese höheren Wesen der Phantasie nicht angewendet werden"[40]. Die Einbildungskraft hat in

---

[38] PhdK, 404
[39] ebd. 396
[40] ebd.; vgl. Moritz, Götterlehre, a. a. O. S. 10: „Diese höhern Mächte sind nichts weniger als moralische Wesen."; und ebd. S. 9

der Vorstellung der Göttergestalten Endliches und Unendliches so im Realen zur Identität gebildet, daß hier auch, darin den Naturwesen gleich, Begrenzung und Freiheit ganz zusammenfallen. So sind die Götter „in ihrer Unsittlichkeit nur naiv und wahrhaft weder sittlich noch unsittlich, sondern ganz freigesprochen von diesem Gegensatz"[41]. Insofern die Götter begrenzt sind, sind sie auch in der Dimension des Handelns vorgestellt; da ihre Endlichkeit aber immer zugleich aufgehoben ist, ist ihr Handeln nie durch wirklichen Mangel motiviert und eigentlich notwendig in sich selbst erfüllt. Es hat daher nie die Tendenz auf ein außerhalb seiner gesetztes Unendliches, welches der Charakter des Sittlichen ist, sondern ist immer ganz bei sich selbst und wesentlich in seiner Realität befriedigt. Dies ist der göttliche Zustand absoluter Glückseligkeit, denn „wie Sittlichkeit Aufnahme des Endlichen oder Besonderen ins Unendliche, so Seligkeit Aufnahme des Unendlichen ins Endliche oder Besondere"[42]. Die Qualität der Seligkeit entspricht so ganz der mythologischen Ineinsbildung des Idealen und Realen im Realen und muß auch in der Konsequenz der Konstruktion das notwendige Resultat der Götterbildungen sein. „Die Götter, in deren Natur beide Einheiten vereinigt sind, leben eben deßwegen kein abhängiges oder bedingtes, sondern ein freies und unabhängiges Leben, sie genießen als *besondere* gleichwohl die Seligkeit des Absoluten... Insofern nun beide Einheiten in ihrer Absolutheit einander in sich schließen, weil das Besondere nicht absolut seyn kann, ohne eben dadurch auch wieder im Absoluten zu seyn, und inwiefern in diesem Betracht Seligkeit und Sittlichkeit wieder ein und dasselbe sind, kann man auch sagen, die Götter seyen eben deßwegen absolut sittlich, weil sie absolut selig sind."[43] In dem hier ausgeführten Charakter der Seligkeit ist gleichsam das ideelle Wesen der Götter ausgedrückt, in welchem sie als absolute in der Begrenzung und Besonderheit aufgefaßt sind. In der Vorstellung der Seligkeit ist die Grenze selbst noch als ideale Setzung begriffen; um in der Kunst erscheinen zu können, muß sie ihrerseits zu ästhetischer Anschauung kommen.

---

[41] ebd. 396
[42] ebd. 397
[43] ebd.

Als diese Anschauung der Seligkeit der Götter kann innerhalb der Konstruktion des Stoffs der Kunst nun die Qualität der *Schönheit* begründet werden, die ihrer allgemeinen Bestimmungen nach als die Vermittlung und Aufhebung des Gegensatzes von Unendlichkeit und Endlichkeit in der endlichen Anschauung charakterisiert war. Als Schönheit erscheint die Idee in der durch die Dialektik der Einbildungskraft begründeten Begrenzung und Aufhebung der Grenze, insofern dieser Prozeß selbst sich in der Realität der Anschauung widerspiegelt. Sie muß daher die notwendige Qualität aller Erscheinungen der Götter sein und bestimmt diese zugleich als wesentlich dialektische Bildungen.[44] „Das Grundgesetz aller Götterbildungen ist das Gesetz der Schönheit. – Denn Schönheit ist das real angeschaute Absolute. Die Götterbildungen sind das Absolute selbst im Besonderen (oder synthetisirt mit der Begrenzung) real angeschaut. ... Man könnte dagegen einwerfen: eben deßwegen, weil mit Begrenzung, seyen die Götterbildungen nicht absolut schön. Allein ich kehre es vielmehr um, daß nämlich das Absolute nur in der Begrenzung, nämlich im Besonderen, angeschaut überhaupt schön ist. Die gänzliche Hinwegnahme aller Begrenzung ist entweder gänzliche Negation aller Form ... oder durchgängige wechselseitige Einschränkung, d. h. Reduktion zur Nullität... Diese Begrenzungen sind also nur das, was wir vorläufig die verschiedenen Arten der Schönheit nennen können, da wir diese Untersuchung erst, wenn von den Formen der plastischen Kunst die Rede seyn wird, mit Erfolg anstellen können."[45] In der Einführung des Begriffs der Schönheit in die Bestimmung des Stoffs der Kunst zeigt sich deutlich der bereits angedeutete Aspekt von Schellings Auffassung der Mythologie, daß der Stoff der Kunst immer schon und notwendig in einem allgemeinen Sinn als *geformter* Stoff verstanden und als eine ursprüngliche Einheit von Stoff und Form gedacht wird. So, wie die Phantasie sich gegenüber der rezeptiven Einbildungskraft als das formende Prinzip der ästhetischen Produktion erwiesen hat, ist auch die Mythologie nicht als ganz abstrakter Stoff – dies könnte nur der Schematismus der Idee selbst sein – zu verstehen, sondern als immer schon relativ geformte Einheit.

---

[44] vgl. zum Begriff der Schönheit oben S. 81 ff.
[45] PhdK, 397 f.

Schelling folgt auch in diesem Gedanken der Einheit von Stoff und Form, welche in der Schönheit das eigentliche Wesen der Mythologie ausmacht, der *Götterlehre* von Moritz, der alle mythologischen Darstellungen als ‚schöne Dichtungen'[46] aufgefaßt hatte. Dies kann jedoch nun umgekehrt auch nicht heißen, daß die Mythologie, rein formal und ohne Rücksicht auf den Inhalt anzusehen wäre; im Gegenteil ist es gerade ihr höchster Inhalt, daß die Phantasie alle, auch die gegensätzlichen Möglichkeiten, die in der Unendlichkeit des Verhältnisses von Realität und Idealität beschlossen sind, nach dem Gesetz der Schönheit darstellt und in ihrer Einheit widerspiegelt. Es ist diese Einheit von Form und Inhalt, von sinnlicher Erscheinung und Bedeutung, welche Schelling mit dem Begriff des Symbols faßte.

Aus dieser Perspektive auf die wesentliche und ursprüngliche Einheit von Stoff und Form in der Mythologie versteht es sich auch, daß Schelling deren allgemeines Wesen vollkommen in der antiken Mythologie, wie sie besonders in den Epen Homers vorliegt, verkörpert sieht.[47] Die antike Mythologie repräsentiert in dieser poetischen Gestalt gerade wesentlich diese fundamentale Einheit von Stoff und Form und hat in der Kunst ihre einzig mögliche Realität. Die Vorgabe des abstrakten Stoffs ist immer schon poetisch gelöst, jedoch so, daß die Objektivität des Stoffs die Form ganz dominiert und diese gleichsam unmittelbar von ihm gebildet wird, daher also als eigene Kategorie noch nicht hervortreten kann. Als die primäre Einbildung des Idealen in das Reale ist diese Mythologie das Urbild aller Kunst, und gerade weil Mythologie in diesem Sinn immer schon als vollendete Kunst gedacht wird, ist für die *Philosophie der Kunst* der ‚Stoff der Kunst' der Titel, unter welchem die Kategorien der Schönheit und des Symbols im Hinblick auf die absolute Kunstdarstellung abgehandelt werden. „Indeß wenn Sie sehen, daß alle Züge der griechischen Götter auf unsere Deduktion des Gesetzes aller Göttergestalten passen, so muß zum voraus auch zugegeben werden, daß die griechische Mythologie das höchste Urbild der poetischen Welt ist."[48]

---

[46] Moritz, Götterlehre, a. a. O. S. 9
[47] vgl. zu Homer unten S. 186 ff.
[48] PhdK, 392

2. Die ästhetische Produktion:
   Die Erzeugung der Götter

Die *Götterlehre* hat die griechische Mythologie nicht nur als das Urbild aller vollendeten Kunst angesehen, sondern in ihr auch eine gleichsam immanente Darstellung des Prozesses der ästhetischen Produktion und der allgemeinen Gesetze der Phantasie gefunden. Unter den Titeln des ‚Götterkriegs‘ und der ‚Erzeugung der Götter‘ stellte Moritz die Kategorien der Schönheit und der Universalität in einer detaillierten Analyse der inhaltlichen Dimension der Mythologie als deren zentrale Gesichtspunkte heraus.[49] Schelling zeigt sich auch hier als Interpret der *Götterlehre*, indem er diese Aspekte aufgreift und in ihrer allgemeinen Gültigkeit für den Stoff der Kunst formuliert. Der Horizont dieser nun in die immanenten Strukturen der Götterwelt eindringenden Betrachtung ist auch für ihn die Phantasie, welche hier in ihrer konkreten Funktion weiter bestimmt werden soll. Das Grundprinzip der symbolischen Darstellung wurde zunächst als die Anschauung der Ideen als der ‚Götter‘ bestimmt, welches notwendig eine Pluralität dieser Gestalten impliziert, die nur durch das Gesetz der wechselseitigen Begrenzung zu realer Anschauung kommen können. Diese Notwendigkeit der ästhetischen Grenze führt auf das Prinzip des Polytheismus, welchen Schelling bereits in dem *Ältesten Systemprogramm* als das Medium der Gegenbildlichkeit der ästhetischen Anschauung gegenüber der Vernunft gefordert hatte.[50] „Da, wo das Unendliche selbst endlich werden kann, kann es auch Vielheit werden; es ist Polytheismus möglich... Polytheismus als ein Zugleichseyn göttlicher Gestalten... Er entspringt durch Synthese der Absolutheit mit der Begrenzung, so daß in derselben weder die Absolutheit der Form noch die Begrenzung aufgehoben wird."[51] Aber auch der Polytheismus, der in einer reinen Vielzahl der Göttergestalten gesetzt wäre, bliebe als solcher für die Kunst zunächst noch nur eine abstrakte und schematische Struktur, würde er nicht durch die Phantasie zu einem anschaulichen System mit einer eigenen Lo-

---

[49] vgl. oben S. 109 ff.
[50] vgl. zum *Ältesten Systemprogramm* oben S. 140 ff.
[51] Vorlesungen (VIII), V, 288

gik ausgebildet, welches den Prozeß der ästhetischen Vermittlung von Realität und Idealität selbst zur Anschauung bringt.

Die Mythologie thematisiert dieses Problem der ästhetischen Formung durch die Phantasie in dem inhaltlichen Komplex des Verhältnisses der neuen zu den alten Göttern. Die neuen olympischen Götter um Jupiter werden dargestellt als entstanden aus den alten Naturgöttern und Titanen, deren Ursprung selbst im Chaos liegt, und sind gleichsam als poetische Wiederholungen derselben zu betrachten. Die Weise, in der schon Moritz beide Götterwelten beschreibt, macht deutlich, daß er bei den alten Göttern, ihren Eigenschaften und Funktionen, den ‚Stoff' der Kunst im Sinn allgemeiner Bedeutungskomplexe sieht, selbst noch roh und ungeformt, bei den neuen Göttern dagegen, insofern sie begrenzt und in vielfältige Relationen zueinander gesetzt sind, die ästhetische Formung dieses Stoffs repräsentiert ist, wodurch diese neuen Gestalten alle als schöne Bildungen erscheinen. „Die alten Gottheiten sind … gleichsam in Nebel zurückgetreten, woraus sie nur noch schwach hervorschimmern, indes die neuen Götter in dem Gebiete der Phantasie ihren Platz behaupten und durch die bildende Kunst bestimmte Formen erhalten, in welche sich die verkörperte Macht und Hoheit kleidet und ein Gegenstand der Verehrung der Sterblichen in Tempeln und heiligen Hainen wird."[52] In diesem mythologischen Prozeß des Übergangs von den alten zu den neuen Göttern sieht auch Schelling die ihrerseits mythologische Spiegelung der Entstehung der ästhetischen Göttergestalten als Hervorbringungen der Phantasie. „Als eine Folge aus dem aufgestellten Princip kann ferner angesehen werden, daß die vollkommenen Götterbildungen erst erscheinen können, nachdem das rein Formlose, Dunkle, Ungeheure, verdrungen ist. In diese Region des Dunkeln und Formlosen gehört noch alles, was unmittelbar an die Ewigkeit, den ersten Grund des Daseyns erinnert. Es ist schon öfters bemerkt worden, daß erst die Ideen das Absolute aufschließen; nur in ihnen ist eine positive, zugleich begrenzte und unbegrenzte Anschauung des Absoluten. Als der gemeinschaftliche Keim der Götter und der Menschen ist das absolute Chaos Nacht, Finsterniß. Auch die ersten Gestalten, welche die Phantasie aus ihm geboren werden läßt, sind noch formlos.

---

[52] Moritz, Götterlehre, a. a. O. S. 42 f.

Es muß eine Welt unförmlicher und ungeheurer Gestalten versinken, ehe das milde Reich der seligen und bleibenden Götter eintreten kann. Auch in dieser Beziehung bleiben die griechischen Dichtungen dem Gesetz aller Phantasie getreu."[53]

Die Genese der Götter ist selbst ein dialektischer Prozeß, in welchem das Rohe und Formlose durch Negation in eine höhere und geformte Stufe der Erscheinung überführt wird. Aus dem anfänglichen Chaos entstehen Ungeheuer und Titanen, die als solche gleichsam ursprüngliche Schemata allgemeiner, aus der Natur genommener Bedeutungen sind, welche in dem weiteren Prozeß negiert werden und wieder untergehen müssen; in der Gestalt des Kronos, der seine Kinder verschlingt, ist dieser ursprüngliche Prozeß der Negation selbst bereits zu einer gewissen Form und poetischen Gestalt geworden. „Endlich beginnt das Reich des Zeus, aber auch dieses nicht ohne vorhergegangene Zerstörung. Jupiter muß die Cyclopen und die hundertarmigen Riesen befreien, damit sie ihm gegen Saturn und die Titanen beistehen, und erst nachdem er diese Ungeheuer und die letzten Geburten der über die Schmach ihrer Kinder erzürnten Gäa, die himmelstürmenden Giganten und das Ungeheuer, an dem sie ihre letzten Kräfte verschwendet, den Typhöeus besiegt hat, klärt sich der Himmel auf, Zeus nimmt ruhigen Besitz vom heitern Olymp, an die Stelle aller unbestimmten und formlosen Gottheiten treten bestimmte, bezeichnete Gestalten, an die Stelle des alten Okeanos Neptun, des Tartaros Pluto, an die Stelle des Titanen Helios der ewig jugendliche Apoll. Selbst der älteste aller Götter, Eros, den die älteste Dichtung zugleich mit dem Chaos seyn ließ, wird als Sohn der Venus und des Mars wieder geboren und eine begrenzte, bleibende Gestalt."[54] Durch die Phantasie wird der rohe Stoff, als welcher ihr die alten Götter mit ihren diffusen Gestalten und nur allgemeinen Bedeutungen vorliegen, so geformt, daß diese Bedeutungen wohl durch die Form hindurchschimmern, durch Begrenzung und Schönheit aber in eine Relation zur menschlichen Auffassung treten und so zum Gegenstand nicht mehr der Furcht, sondern der Verehrung werden. Oberstes Gesetz dieser Bildung ist die Schönheit. Um diese in ihrem Wesen darstellen zu können,

---

[53] PhdK, 394
[54] ebd. 395

muß sie in ihrem Entstehen aus dem ihr Anderen, als Produktion, gezeigt werden.

Daher ist es der Krieg der Götter untereinander, vorzüglich der der neuen gegen die alten, vermittels dessen die ästhetische Bildung der Götter in der Mythologie symbolisch dargestellt wird. Analog zu dem von Moritz in der Analyse des *Götterkriegs* aufgestellten Prinzip, nach welchem die Schönheit sich „aus Streit und Empörung der ursprünglichen Wesen gegeneinander entwickelt und bildet"[55], begreift auch Schelling die Bildung der Götter als einen dialektischen Prozeß; er beginnt in dem absoluten Gegensatz der ungeformten Extreme, des Realen und des Idealen, und führt zu ihrer Versöhnung in der symbolischen Gestalt der olympischen Götter, welche als Schönheit erscheinen.

Moritz hat das Prinzip der menschlichen Bildung der Götter in der Mythologie durch die Gestalt des Prometheus reflektiert gesehen, der „auf den alten Kunstwerken ganz wie der bildende Künstler dargestellt"[56] wird. Die menschliche Gestalt repräsentiert jenes ‚edle Maß'[57], in welchem die höheren Mächte von der Phantasie aufgefaßt werden können und in der Kunst als sinnliche Realität dargestellt werden. „Den Göttern selber also konnte die Phantasie keine höhere Bildung als die Menschenbildung beilegen."[58] Wie die Entstehung der neuen Götter aus den rohen Formen der alten im Kontext des ‚Götterkrieges' den Prozeß der ästhetischen Bildung im Ganzen reflektiert, so ist es die Formung des Menschen aus einer ungestalteten Materie durch Prometheus, die die weitere Differenzierung und Konkretisierung des Problems der spezifischen Form der Darstellung mythologisch symbolisiert. Damit repräsentiert Prometheus in seiner Leistung, „die göttliche Gestalt wieder außer sich darzustellen"[59] und darin das Ideale in einer realen Form zu vergegenwärtigen, das Wesen des künstlerischen Genies als „Schöpfer göttlicher Bildungen"[60] und zugleich die Göttlichkeit des Menschen in der höchsten Form des Künstlertums. So deutet die mytholo-

---

[55] Moritz, Götterlehre, a. a. O. S. 15
[56] ebd. S. 26
[57] vgl. ebd. S. 20
[58] ebd. S. 25
[59] ebd. S. 26
[60] ebd.

gische Kunst auch den Gedanken der Selbsttranszendierung der menschlichen Endlichkeit an, indem sie das Unendliche im Endlichen reflektiert, in dieser Fähigkeit aber auch die wesentliche Unendlichkeit und Identität des Menschen mit seinem Schöpfer meint, welches ebenfalls dargestellt ist in dem „Begriff einer Gottheit der Phantasie, deren nachahmende Bildungskraft sich ebensowohl ihre Götter nach dem Bilde der Menschen als ihre Menschen nach dem Bilde der Götter schuf, leise ahnend, daß die Menschheit beides in sich vereinigt"[61].

Auch Schelling reflektiert dieses mythologische Prinzip der Ausbildung der Götter nach der menschlichen Gestalt am Paradigma der plastischen Kunst. Innerhalb der besonderen Kunstgattungen entspricht die Plastik ihrer allgemeinen Struktur nach genau der Mythologie, insofern sie in der Realität und vollkommenen Begrenzung die Einheit von Idealität und Realität als symbolische Anschauung vorzustellen vermag. „Die Plastik stellt ihre Gegenstände als die Formen der Dinge dar, wie sie in der absoluten Ineinsbildung des Realen und Idealen begriffen sind."[62] Wie schon Winckelmann und Moritz denkt Schelling die mythologische Göttergestalt ganz nach dem Bild der klassischen griechischen Plastik. Form und Stoff sind hier in einer wesentlichen und ursprünglichen Einheit vorgestellt, für welche die Anschauungsform der menschlichen Gestalt steht; „die Materie und der Begriff sind hier wahrhaft eins."[63] Ihre höchste Form erreicht die Plastik in der Darstellung der Götter in menschlicher Gestalt, in der als in einem sinnlich faßbaren, begrenzten Bild die ganze Göttlichkeit ihres idealen Gegenstandes ‚durchschimmernd' erscheint. „Die Plastik kann sich selbst in ihren höchsten Forderungen einzig durch Darstellung der Götter genügen. – Denn sie stellt vorzugsweise die absoluten Ideen dar, die als ideal zugleich real. Aber die Ideen, real angeschaut, sind Götter..., die Plastik bedarf also vorzüglich der göttlichen Naturen."[64] Als Kunstgattung repräsentiert die Plastik somit das symbolische Kunstwerk schlechthin, indem sie durch ihre

[61] ebd. S. 62
[62] PhdK, 620; vgl.: „Die plastische Kunst ist die vollendete Einbildung des Unendlichen ins Endliche." (Ebd. 617)
[63] ebd. 619
[64] ebd. 621

Konzentration auf die menschliche Gestalt auf äußerste Weise begrenzt ist, es ihr zugleich aber gelingt, in deren Idealisierung alle Zufälligkeit und Formlosigkeit auf eine urbildliche Anschauung hin zu transzendieren. „Die vorzüglichste Wirkung der Kunst und vorzugsweise der plastischen ist: daß das absolut Große, das an sich Unendliche in die Endlichkeit gefaßt, und wie mit Einem Blicke gemessen wird. Dieß ist es, wodurch sich die Einbildung des Unendlichen ins Endliche für den Sinn ausdrückt. Das an sich und absolut Große in die Endlichkeit gefaßt, wird dadurch nicht eingeschränkt und verliert nichts von seiner Größe, daß es dem Geist in der ganzen Begreiflichkeit eines Endlichen erscheint, vielmehr wird eben durch diese Faßlichkeit uns seine ganze Größe offenbar."[65] Durch diese Qualität wird die Plastik von Schelling als die höchste Form der bildenden Kunst angesehen, innerhalb derer sie das vollkommene Gegenbild der Vernunft ist. Sie stellt die beiden Tendenzen der Einbildung des Idealen ins Reale und der umgekehrten des Realen ins Ideale in vollkommener Indifferenz in der Potenz des Realen vor. Stoff und Form sind völlig ineinsgebildet, und so geht die Form als ganze in den Stoff ein, wie umgekehrt der Stoff als unmittelbar eins mit der vollendeten Anschauung erscheint; „dieß ist ohne Zweifel der höchste Gipfel der bildenden Kunst, wodurch sie in die Quelle aller Kunst und aller Ideen, aller Wahrheit und Schönheit, nämlich in die Gottheit zurückkehrt."[66] Als reale Anschauung der Identität des Unendlichen mit dem Endlichen ist die Plastik das vorzügliche Medium, in welchem das Symbol und die Schönheit in ihrer absoluten Form erscheinen. In dieser Bestimmung repräsentiert sie die Vollendung der mythologischen Anschauung und der antiken Kunst im Ganzen und ist so als das absolute Paradigma des Begriffs der Kunst überhaupt anzusehen.

3. Der unendliche Zusammenhang: Das ästhetische Universum

Dieselbe Dialektik, welche sich in der Betrachtung der einzelnen Göttergestalten in dem Prozeß der Setzung und gleichzeitigen Aufhebung der Grenze gezeigt hatte, wiederholt sich nun auch in

---

[65] ebd. 618
[66] ebd. 621

der gesamten Mythologie. Was das individuelle Gesetz der einzelnen Götterbildungen gewesen war, Begrenzung des Absoluten ohne Aufhebung seiner Absolutheit, soll sich nun als das Gesetz der gesamten Mythologie erweisen. Schon mit der Idee der wechselseitigen Begrenzung der Göttergestalten und ihrer Entfaltung in der Struktur des Polytheismus war angedeutet, daß die Mythologie notwendig auf eine differenzierte Gesamtheit von vielfältigen Bezügen hin angelegt ist. Was im Zusammenhang der einzelnen Göttergestalt als die innere Dialektik des Symbols angesehen wurde, erweist sich nun als die dialektische Struktur der gesamten Mythologie, welche so als ein seinerseits dialektisches System von Symbolen anzusehen ist.

Schon für Moritz war der die Darstellung der *Götterlehre* aus der Phantasie übergreifende Horizont, daß die Mythologie in ihrer poetischen Universalität sich nur adäquat verstehen lasse, wenn sie nicht nur in ihren einzelnen Gestalten und Verhältnissen, sondern vor allem hinsichtlich des unendlichen Zusammenhangs, den diese bilden und durch den sie allererst als Symbole konstituiert werden, aufgefaßt werde. Er hatte diesen prinzipiellen Charakter der Mythologie mit dem Begriff der ‚einen Welt' bezeichnet[67], auf welchen sich auch Schelling bezieht und ihn in Analogie zu dem Kosmos der Ideen setzt, welcher die ideale Substanz der Kunst bilden soll. Die ästhetische Betrachtung der Mythologie erfordert es daher – und sie entspricht darin genau dem Wesen der ästhetischen Anschauung – den Blick immer zugleich auf das Ganze und das es konstituierende Geflecht von Relationen zu richten, um so, von der Totalität ausgehend, auch das Einzelne verstehen zu können. Keine mythologische Gestalt oder Handlung kann als isolierte in ihrer Bedeutung zutreffend erkannt werden; sie erhält ihren umgreifenden Sinn erst aus der Verflechtung und wechselseitigen Bestimmung innerhalb der sie umgebenden Verhältnisse. Dies erweist sich am deutlichsten durch die Tatsache, daß die gesamte mythologische Welt ihrer Struktur nach einem komplizierten System der Verwandtschaft entspricht, durch welches die Bezüge der Gestalten untereinander definiert sind und von welchem auch die meisten Anstöße für die mythologischen Handlungen ausgehen.

---

[67] vgl. oben S. 112 ff.

„Die Götter bilden nothwendig unter sich wieder eine Totalität, eine Welt... Denn da in jeder Gestalt das Absolute mit Begrenzung gesetzt ist, so setzt sie eben dadurch andere voraus, und mittelbar oder unmittelbar jede einzelne alle anderen und alle jede einzelne. Demnach bilden sie nothwendig unter sich wieder eine Welt, worin alles durcheinander wechselseitig bestimmt ist, ein organisches Ganzes, eine Totalität, eine Welt."[68]

Die Welt der Götter ist die Welt der Erscheinungen der Ideen; insofern sie sich aus der Phantasie konstituiert und deren eigener Logik gehorcht, ist sie zunächst als eine autonome, als eine ästhetische Welt anzusehen. So, wie die Idee die unendliche Möglichkeit zugleich als absolute Wirklichkeit vorstellt, entfaltet sich auch in der gegenbildlichen Welt der Mythologie die Unendlichkeit des idealen Gehalts in eine unendliche Welt der Formen. Es ist die Leistung der Phantasie, die absolute und ideale Wirklichkeit der Ideen im Hinblick auf die Unendlichkeit der darin implizierten Möglichkeiten zu interpretieren und daraus die unendliche Vielfalt ihrer Formen zu entwickeln. Die Mythologie ist damit nicht identisch mit der Welt der Ideen, wohl aber zeigt sie diese nach ihren eigenen Gesetzen in der realen Begrenzung, gleichsam als Ausfaltung von deren Möglichkeitspotential in einer real-ästhetischen Wirklichkeit. Erst diese Perspektive auf die Gesamtheit der Mythologie kann zeigen, wie die relative Begrenzung der einzelnen mythologischen Gestalt ihre ‚Durchlässigkeit' für das Aufscheinen der unendlichen Möglichkeit hinter ihr gewinnt. Von hier aus muß der Gedanke, daß die einzelne Göttergestalt als ein gleichsam isoliertes Symbol überhaupt möglich sei, bereits als eine Abstraktion erscheinen, da die ästhetische Anschauung der symbolischen Götter überhaupt nur im Horizont einer umfassenden Götterwelt möglich ist. Erst unter der hermeneutischen Voraussetzung dieses Horizonts kann die Symbolik, wie sie in der Plastik gegeben ist, in ihrer unendlichen Dimension erfaßt werden. In ihrem durch relative Mangelhaftigkeit konstituierten dialektischen Charakter und in der Durchlässigkeit dieser Begrenzung sind die Göttergestalten miteinander zu einer einheitlichen Welt verbunden; sie sind damit als besondere bestimmt, insofern sie relativ begrenzt sind, bilden aber untereinander eine geschlossene

---

[68] PhdK, 399

Welt, da ihre Grenzen aufeinander verweisen und sie, insofern sie alle Götter sind, unter dem übergeordneten Aspekt ihrer gemeinsamen Göttlichkeit miteinander verbinden.

„Einzig, indem die Götter unter sich eine Welt bilden, erlangen sie eine unabhängige Existenz für die Phantasie oder eine unabhängige poetische Existenz. Dieser Satz folgt unmittelbar, denn nur dadurch werden sie Wesen einer eignen Welt, die ganz für sich besteht und von der insgemein sogenannten wirklichen völlig getrennt ist. Jede Berührung mit der gemeinen Wirklichkeit oder mit Begriffen dieser Wirklichkeit zerstört nothwendig den Zauber dieser Wesen selbst, denn dieser beruht eben darauf, daß es … zu ihrer Wirklichkeit nichts anderes als die Möglichkeit bedarf, daß sie also in einer absoluten Welt leben, welche real anzuschauen nur der Phantasie möglich ist."[69] Damit betont Schelling ganz analog zu Moritz die Bedeutung der Phantasie in der Konstitution der mythologischen Welt. Auch wenn er diese ihrem absoluten Wesen nach als identisch mit dem Kosmos der Ideen postuliert, ist es auch für ihn wichtig, die formale Autonomie der poetischen Welt gegenüber der begrifflichen zu fordern, da sie nur als solche die Qualität symbolischer und gegenbildlicher Präsenz erhalten kann. Indem die Phantasie alles mögliche als Wirklichkeit vorzustellen vermag, hat ihre Welt die immanente Tendenz zur Unendlichkeit. Nachdem sie die relative Endlichkeit ihrer Gestalten in dem Sinn deren gegenseitiger Begrenzung anerkannt hat, eröffnet sie zugleich der Einbildungskraft die unendliche Möglichkeit der Verbindung und Kombination aller vorkommenden Elemente untereinander. Die Mythologie ist dadurch nicht als eine Summe von einzelnen Gestalten denkbar, sondern nur als ein Kosmos der Götter, welcher durch vielfältige Beziehungen zusammengehalten wird; nicht die Gestalten als solche, sondern vor allem das unendliche Geflecht ihrer Relationen untereinander konstituiert die mythologische Welt. Es ist die Leistung der Phantasie, das an sich nicht darstellbare Göttliche durch Begrenzung auf das menschliche Maß, welches ebenso wie für ihre Gestalt auch für ihr Handeln das Vorbild ist, zur Anschauung zu

---

[69] ebd.; vgl. Moritz, Götterlehre, a. a. O. S. 7: „Als solche genommen machen sie gleichsam eine Welt für sich aus und sind aus dem Zusammenhang der wirklichen Dinge herausgehoben."

bringen, zugleich aber durch Aufhebung dieser Grenzen immer das Absolute durchscheinen zu lassen.

Es ist das Wesen der Mythologie, in der unendlichen Kombinatorik der Idee-Elemente die Dialektik von Gehalt und Form, von Unendlichkeit und Grenze auszutragen. Als Totalität und Welt der Götter und ihrer Verhältnisse genommen, ist sie ein unendlicher Prozeß von Begrenzung und Entgrenzung, in welchem jedes ihrer Elemente neue Grenzen setzt und andere aufhebt. „Dadurch, daß alle Gestalten als für sich bestehende Wesen in allen Verwicklungen und Verhältnissen betrachtet werden, daß sich unter ihnen selbst wieder ein Kreis von Beziehungen und eine eigne Geschichte bildet, erlangen sie die höchste Objektivität, wodurch dann diese Dichtungen sämtlich in die Mythologie übergehen."[70] Damit knüpft Schelling an den zentralen Gesichtspunkt der *Götterlehre* an, die gefordert hatte, die Mythologie immer unter dem Aspekt ihrer Universalität zu betrachten, denn „so menschenähnlich auch diese hohen Göttergestalten handeln, ist dennoch diese Dichtung groß und schön, sobald man sie nicht einzeln, sondern im Sinn des Ganzen dieser Dichtung nimmt"[71]. So erst läßt sich das spezifische Verfahren der Phantasie und ihre eigene Gesetzlichkeit in der Produktion des universellen Zusammenhangs der Götterwelt analysieren und damit Aufschluß über das objektive Wesen der ästhetischen Anschauung gewinnen.

Wie Moritz sieht auch Schelling diesen Prozeß der dialektischen Konstitution der mythologischen Welt auf der Ebene ihrer Immanenz in der Genese der Stammesgeschichte der Götter thematisiert und gespiegelt. Ist es für die bildende Kunst die menschliche Gestalt, durch welche die Phantasie die Vorstellung absoluter Gottheit begrenzt und anschaubar macht und diese dabei idealisierend über ihre Endlichkeit hinaushebt, so wird dieselbe Absicht in der Dichtung durch das menschenähnliche Handeln der Götter, durch die Erzählung von deren Eigenschaften, Verhältnissen und Taten verwirklicht. Aus der ästhetischen Notwendigkeit der Verendlichung und Begrenzung des Göttlichen ergibt sich eine Vielzahl von Gestalten, welche in je anderer Weise begrenzt und in ihrem

---

[70] PhdK, 400
[71] Moritz, Götterlehre, a. a. O. S. 111

181

Handeln einander zugeordnet sind. Die Forderung an die Mythologie als Ganze muß für Schelling sein, daß sie den Kosmos der Ideen in seinem notwendigen Zusammenhang widerspiegele.

Die Phantasie als Gegenbild der Vernunft stellt in der Mythologie nun nach ihrer eigenen Logik das System der Ideen in der Anschauung der Relationen der Götter untereinander vor, so daß diese wiederum als ein geschlossenes Ganzes erscheinen, in welchem die einzelnen Teile mit ästhetischer Freiheit angeordnet sind. Dadurch wird auch die Mythologie als Totalität zu einem Symbol, durch dessen notwendige Grenze, welche in den menschenähnlichen Verhältnissen der Zeugung und Verwandtschaft gesetzt ist, die absolute Ordnung des Ideenkosmos ‚hindurchschimmert'. Während die Vernunft das System der Ideen auf das Absolute als sein Prinzip hin ordnet, symbolisiert die Einbildungskraft diese Ordnung in der ästhetisch aufgefaßten Struktur der Verwandtschaft. Die Familienbeziehungen der Götter realisieren das Gesetz der ästhetischen Begrenzung unter dem Aspekt der Universalität, insofern sie jede Gestalt innerhalb dieser Struktur in einer bestimmten Funktion definieren, welche sie jedoch nicht isoliert, sondern gerade in ihrer Bestimmtheit die Relationen zu anderen Gestalten impliziert.

„Ohne in diese zarten Schöpfungen der Phantasie einen ihnen fremden Vernunftzusammenhang bringen zu wollen, können wir doch die ganze Kette, wie sie von Jupiter an in die Hauptgottheiten sich fortsetzt, auf folgende Art bestimmen. Jupiter also als der ewige Vater ist der absolute Indifferenzpunkt, der im Olymp ist, erhaben über allen Widerstreit; bei ihm wohnt die Gestalt der Minerva, die ewige Weisheit – sein Gegenbild, das aus seinem Haupte entsprungen. Unter ihm ist a) in der *realen* Welt das formende und das formlose Princip (Eisen und Wasser), Vulcan und Neptun, welche, damit die Kette sich nach beiden Seiten schließe, als der dem Jupiter entsprechende Indifferenzpunkt, ein unterirdischer Gott wieder zusammenknüpft, Pluto oder der stygische Jupiter, Herrscher im Reich der Nacht oder der Schwere. Wie dieser Indifferenzpunkt (entsprechend dem Jupiter) in der realen Welt, so ist b) Apollon der der *idealen* Welt, das entgegengesetzteste Bild des Pluto, der alt vorgestellt wird, wie jener in ewig jugendlicher Schönheit; der eine im öden Reich der Schatten, der leeren Dinge und des Dunkels, der andere der Gott des Lichts, der Ideen, der lebendigen Gestalt...

Getrennt erblicken wir die hauptsächlichsten dieser Züge wieder in dem Mars, der dem Vulcan auf der ideellen Seite entspricht, und der Venus, welche dem formlosen Princip, dem Neptun, als die höchste irdische Form entspricht, die selbst nach der alten Mythologie sich als die Form zuerst aus dem Reich des Formlosen – dem Ocean – entwand, den unter den neuen Göttern Poseidon beherrscht."[72] Diese Systematik der Götter entspricht in Schellings Interpretation ganz der Struktur der idealen Welt, in welcher alle Ideen als Funktionen der Vernunft bestimmt sind. Nun ist diese jedoch eine Abstraktion der Mythologie nach der philosophischen Systematik der Potenzen. Soll sie als immanenter Gehalt der Mythologie aufgewiesen werden, so muß sie einer symbolischen Struktur der Phantasie korrespondieren, die jene Hierarchie der Ideen anschaulich entfaltet.

Diese mythologische Struktur ist in dem Prinzip der Erzeugung aller Götter aus Jupiter und der daraus resultierenden universellen Verwandtschaft der Götter gefunden. Die Interpretation des Prozesses der Theogonie hat nun zwei Aspekte miteinander zu vermitteln; zum einen muß sie den bereits bei Moritz thematisierten Gesichtspunkt der ästhetischen Bedeutung der Erzeugung der neuen Götter beachten, worin allgemein der dialektische Vorgang der ästhetischen Bildung symbolisiert wird, zum andern muß sie die in der Struktur der Verwandtschaft konstituierte Ordnung der Götter als eine Symbolik der Ideenwelt verstehen. Indem sie diese beiden fundamentalen Bedeutungskomplexe der Mythologie miteinander vermittelt, vermag sie zu erweisen, daß die sich aus der Phantasie konstituierenden Gesetze der ästhetischen Form wesentlich identisch sind mit den reflexiven Formen der Vernunft, und hat damit das Postulat der Gegenbildlichkeit der ästhetischen Ineinsbildung gegenüber der Philosophie eingelöst. Das Resultat dieser Interpretation muß es sein zu zeigen, daß es ein identisches Prinzip ist, welches sowohl der Einheit der ästhetischen Vermittlung von Realität und Idealität durch die Phantasie zugrunde liegt wie auch der reflexiven Vermittlung der realen Welt mit dem intelligiblen Universum in der Philosophie. Indem dieses Prinzip als eine immanente Struktur der Mythologie aufgewiesen ist, ist auch das allgemeine Postulat der ästhetischen Theorie der Mythologie, daß die

---

[72] PhdK, 402 f.

Götter Symbole seien, verifiziert und legitimiert. „Was insbesondere die Totalität der Bildungen in der griechischen Mythologie betrifft, so läßt sich zeigen, daß in der That alle Möglichkeiten, die in dem Ideenreich liegen, wie es von der Philosophie construirt wird, in der griechischen Mythologie vollkommen erschöpft sind."[73]

In der Gestalt des Jupiter der neuen Götterwelt erscheint der Kristallisationspunkt dieser poetischen Produktion und symbolischen Entfaltung der Ideenwelt, welche die Phantasie als die Erzeugung eines Verwandtschaftssystems darstellt. Im „lichten Reich der begrenzten und erkennbaren Gestalten ist Jupiter der absolute Indifferenzpunkt, in ihm ist die absolute Macht mit der absoluten Weisheit gepaart; denn als ihm, da er zuerst mit der Metis sich vermählte, geweissagt wurde, daß diese von ihm einen Sohn gebären würde, der, beide Naturen vereinend, alle Götter beherrschen würde, zog er diese in sich selbst hinüber und vermählte sie ganz mit sich: offenbares Sinnbild der absoluten Indifferenz der Weisheit und Macht im absoluten Wesen. Nun gebar er unmittelbar aus sich selbst die Minerva…, das Sinnbild der absoluten Form und des Universums, als Bildes der göttlichen Weisheit, das zumal, in seiner ganzen Form, ohne Zeit aus dem ewigen Princip entspringt."[74] Aus dieser ursprünglichen Vereinigung der rein produktiven Kraft mit dem intelligiblen Prinzip geht zunächst in der Gestalt der Minerva die Idee der Form selbst hervor, welche in sich, wenn auch in eingeschränkter Weise, sowohl das real begrenzende als auch das geistig transzendierende Prinzip der ästhetischen Bildung vereinigt. Sie kann damit selbst als ein Symbol der Einbildungskraft angesehen werden, welches innerhalb der Mythologie die Einheit deren produktiver und reflexiver Funktion verkörpert und damit nun seinerseits als der Ursprung der Kunst gelten kann; „sie ist daher zugleich das Urbild und die ewige Erfinderin aller Kunst"[75].

Die ursprünglich an die alten Götter geknüpften und oft zusammenhanglosen Inhalte werden nun in der Geburt der neuen Götter durch die Phantasie überformt und in einem komplizierten System der wechselseitigen Relationen neu dargestellt, indem sie alle

---

[73] ebd. 400
[74] ebd.
[75] ebd. 401; „Fast alle Werke der Menschen sind ihre Bildungen." (Ebd.)

als unmittelbare oder mittelbare Erzeugungen des Jupiter miteinander verknüpft werden. „Das Verhältniß der Abhängigkeit unter Göttern kann nicht anders denn als Verhältniß der Zeugung vorgestellt werden (Theogonie). – Denn Zeugung ist die einzige Art der Abhängigkeit, bei welcher das Abhängige gleichwohl in sich absolut bleibt... Die Zeugungen der Götter auseinander sind wieder ein Sinnbild der Art, wie die Ideen ineinander sind und auseinander hervorgehen. Die absolute Idee oder Gott begreift z.B. alle Ideen in sich, und sofern diese als in ihm begriffene doch zugleich wieder als für sich absolut gedacht werden, sind sie aus ihm gezeugt, daher Jupiter Vater der Götter und Menschen, und selbst schon geborene Wesen werden durch ihn wieder gezeugt, da mit ihm der Lauf der Welt erst anhebt, und alles in ihm seyn muß, um in der Welt zu seyn."[76] Als der Mythologie immanente Strukturen erfüllen der Götterkrieg und die Zeugung der Götter aus Jupiter eine analoge Funktion, weshalb sie auch mythologisch miteinander verwoben sind. Beide vergegenwärtigen in der Entstehung der neuen olympischen Götterwelt den Grundgedanken der Produktion und notwendigen Formung der allgemeinen Ideen durch die Phantasie als die allgemeine Bedingung aller ästhetischen Anschauung. So ist die Erzeugung der Götter aus Jupiter nichts anderes, als die ihrerseits mythologische Darstellung der poetischen Produktion der Gestalten und Taten der Götter durch die Phantasie. Zugleich begründet sie auch deren hierarchische Ordnung, welche in der freien Gestaltung durch die Phantasie ein Analogon zu der Ordnung der Ideenwelt darstellt.

---

[76] ebd. 405; vgl. Moritz, Götterlehre, a. a. O. S. 54 f.: „Die doppelten Erscheinungen der Göttergestalten sind in diesem traumähnlichen Gewebe der Phantasie nicht selten; was vor dem Jupiter da war, wird, da der Lauf der Zeiten mit ihm aufs neue beginnt, noch einmal wieder von ihm erzeugt, um seine Macht zu verherrlichen und ihn zum Vater der Götter zu erheben. – Die Dichter haben von jeher das Schwankende in diesen Dichtungen zu ihrem Vorteil benutzt und sich ihrer als einer höhern Sprache bedient, um das Erhabene anzudeuten, was oft vor den trunkenen Sinnen schwebt und der Gedanke nicht fassen kann."

4. Die unendliche Fülle:
Das Homerische Epos als Urbild der Poesie

So liegt im Wesen der Mythologie als der Einbildung des Idealen ins Reale selbst die Tendenz auf eine unendliche Explikation beschlossen. Die Dialektik der Einbildungskraft bedarf eines unendlichen Horizonts, um das Spiel wechselseitiger Begrenzung und Entgrenzung der mythologischen Elemente zu entwickeln. Der der Mythologie selbst immanente Gedanke der Zeugung der Götter ist das poetische Prinzip, durch welches die Mythologie sich in eine tendenziell unendliche Fülle von Erzählungen entfalten muß. „Nachdem einmal diese eigentliche Welt der Phantasie erschaffen ist, ist der Einbildung keine weitere Grenze gesetzt, eben deßwegen, weil innerhalb derselben alles Mögliche unmittelbar wirklich ist. Diese Welt kann, ja muß sich also von Einem Punkt aus ins Unendliche bilden; kein mögliches Verhältniß der Götter unter sich und keine mögliche Begrenzung in Ansehung des Absoluten ist nun ausgeschlossen."[77] Während die Mythologie ihre reale Existenz nur in der Fülle der mythologischen Erzählungen der alten (und erhaltenen) Dichtungen hat, sind diese doch ihrerseits gleichsam bloß Bruchstücke eines umgreifenden poetischen Kosmos, welcher mit dem Begriff der Mythologie bezeichnet ist. Er begreift die ideale Summe aller mythologischen Dichtungen und ist zugleich der Index ihrer wesentlichen Einheit. Indem alles Mögliche für die Phantasie unmittelbar wirklich werden muß, kennt sie keine Grenze der Expansion; insofern diese Einheit der Möglichkeit und Wirklichkeit aber ihr wesentliches Gesetz ist, ist in ihr immer das Prinzip der Konzentration präsent, und alle, auch die willkürlichsten Bildungen, sind in ihm in einer absoluten Einheit begriffen. „Das Ganze der Götterdichtungen, indem sie zur vollkommenen Objektivität oder unabhängigen poetischen Existenz gelangen, ist die Mythologie."[78]

Diesen Aspekt der Universalität und der poetischen Objektivität erläutert Schelling weiter in den Bestimmungen des *Epos*, in welchem, neben der Plastik, die Mythologie ihre historische Erscheinungsform hat. Während in der Plastik die Dialektik von Abso-

---

[77] ebd. 400
[78] ebd. 405

lutheit und Begrenzung in Ansehung der einzelnen Göttergestalten zum Ausdruck kommt und der Horizont des mythologischen Universums dort nur gleichsam negativ erscheint, ist es dieser, der im Epos in seiner tendenziellen Unendlichkeit entfaltet wird. „Was den eigentlichen epischen Stoff betrifft, so liegt schon in dem, was über die Bestimmung des Epos, ein Bild des Absoluten selbst zu seyn, gesagt worden ist, daß es einen wahrhaft universellen Stoff fordert, und inwiefern dieser nur durch Mythologie existiren kann, daß ohne Mythologie das Epos undenkbar ist. Ja die Identität beider ist so groß, daß die Mythologie nicht eher die wahre Objektivität als in dem Epos selbst erlangt... Wie nun die Mythologie nur Eine ist, so kann bei dieser Untrennbarkeit des Stoffs und der Form in einer gesetzmäßigen Bildung wie die der griechischen Poesie auch das Epos nur Eines seyn und kann höchstens darin dem allgemeinen Gesetz der Erscheinung folgen, daß es sich in seiner Identität durch zwei verschiedene Einheiten ausdrückt. Die Ilias und Odyssee sind nur die zwei Seiten eines und desselbigen Gedichts."[79] Im Epos erscheint die Unendlichkeit der Götterwelt gleichsam unmittelbar und bildet darin selbst das Prinzip seiner Form. Sie wird hier nicht als konzentrierte Absolutheit in der Weise der symbolischen Gestalt dargestellt, sondern als expandierende Absolutheit in der Fülle der Erzählungen von den Verhältnissen und Handlungen der Götter und ihrer Verstrickung in die Geschichte der Menschen. Das Epos duldet so keine Grenze, die ihm von außen gesetzt wäre und ist als Gattung selbst wesentlich unendlich, was vorzüglich darin zum Ausdruck kommt, daß es keinen eigentlichen Anfang und eben sowenig einen Schluß hat; jede Erzählung ist an sich der Keim und die Möglichkeit ihrer unendlichen Entfaltung. „Die Zufälligkeit des Anfangs und des Endes ist also in dem Epos der Ausdruck seiner Unendlichkeit und Absolutheit... Es ist gegen die Natur und Idee des Epos, daß es rückwärts oder vorwärts bedingt erscheine. In der Succession der Dinge, wie sie im Absoluten vorgebildet ist, ist alles absoluter Anfang, aber eben deßwegen ist hier auch kein Anfang. Das Epos, indem es absolut beginnt, constituirt sich eben dadurch selbst zu einem gleichsam aus dem Absoluten selbst herausgehörten Stück, das, in sich absolut, doch wieder nur Bruchstück eines abso-

---

[79] ebd. 654 f.

187

luten und unübersehbaren Ganzen ist, wie der Ocean, weil er nur durch den Himmel begrenzt wird, unmittelbar an die Unendlichkeit hinausweist."[80] Das Epos als Ganzes ist nicht durch eine äußere Grenze geschlossen, es wird begrenzt einzig in der Idee der Mythologie selbst, welche in ihm erscheint und zugleich das Prinzip seiner Form bildet. So ist gerade die relative Zufälligkeit seiner Teile der Index seiner Absolutheit; wie das Ganze der Mythologie ist auch jedes ihrer Teile in sich absolut, da es perspektivisch auf das Unendliche verweist. Das mythologische Prinzip der wechselseitigen Begrenzung der Götter durch ihre wechselnden Eigenschaften und Verhältnisse eröffnet dem Epos ein unendliches Material der Kombinatorik und Entfaltung in einer tendenziell unendlichen Erzählung. Die einzige Grenze, die das Epos kennt, ist die ihr immanente, welche die Dimension des Handelns selbst setzt. „Handeln, absolut oder objektiv betrachtet, ist Geschichte. Die Aufgabe der zweiten Art ist also: ein Bild der Geschichte zu seyn, wie sie an sich oder im Absoluten ist."[81] Schon im Zusammenhang der Indifferenz der Götter gegenüber der Sittlichkeit hat sich gezeigt, daß das Handeln in der Mythologie nicht in dem ethischen Sinn des Prozesses der Aufhebung der Differenz von Endlichkeit und Unendlichkeit verstanden werden darf. Insofern die Götter ganz endlich und absolut zugleich sind, kennen sie diese Differenz nicht, welche in dem Gegensatz von Freiheit und Notwendigkeit das menschliche Handeln bestimmt und dort in ihrer absoluten Potenz wiederum als Schicksal erscheint. Der Horizont der Geschichte der Götter ist das „Handeln absolut betrachtet, und wie es in seinem An-sich ist"[82] und wo das Endliche vor aller Differenz mit dem Unendlichen vereinigt ist; das Epos „stellt die Handlung in der Identität der Freiheit und Nothwendigkeit dar, ohne Gegensatz des Unendlichen und Endlichen, ohne Streit und eben deßwegen ohne Schicksal"[83]. Damit korrespondiert die Geschichte als das allgemeine Medium der Entfaltung des mythologischen Handelns strukturell dem prinzipiellen Gesetz der Schönheit und der ästhetischen Anschauung; sie impliziert die Dimension der Differenz, stellt sie jedoch als aufgehoben dar. So

---

[80] ebd. 650 f.
[81] ebd. 646
[82] ebd.
[83] ebd.

188

kann sie zu der symbolischen Ebene der Mythologie werden, welche auf der Ebene des Handelns der Anforderung der realen Begrenzung und Anschaulichkeit genügt, dabei aber ihren Gegenstand zugleich als einen diese Grenze transzendierenden und wesentlich absoluten erscheinen läßt.

Das Epos als Ganzes faßt die Geschichte gleichsam rein ideal auf, insofern sie das Medium des Handelns an sich ist, nimmt ihr jedoch gerade das eigentlich endliche Moment der Differenz, die empirischen Zeitlichkeit. „Das Handeln ist in seinem An-sich zeitlos, denn alle Zeit ist nur Differenz der Möglichkeit und Wirklichkeit, und alles erscheinende Handeln ist nur Zerlegung jener Identität, in der alles zumal ist. Das Epos muß ein Bild dieser Zeitlosigkeit seyn."[84] Wie die Plastik Symbole aufgehobener Handlungen für die sinnliche Anschauung vorstellt, indem sie jene in einem gleichsam zeitlosen Moment idealisiert, so vergegenwärtigt das Epos Symbole der Dimension des Handelns an sich dadurch, daß es, in seiner Gesamtheit genommen, die Geschichte als absolute Gegenwart repräsentiert. „Im Epos fällt die Fortschreitung ganz in den Gegenstand, der ewig bewegt ist, die Ruhe aber in die Form der Darstellung, wie im Gemälde, wo das stets Fortschreitende nur durch die Darstellung fixirt ist... Diese Indifferenz gegen die Zeit ist der Grundcharakter des Epos. Es ist gleich der absoluten Einheit, innerhalb der alles ist, wird und wechselt, die aber selbst keinem Wechsel unterworfen ist. Die Kette der Ursachen und Wirkungen reicht ins Unendliche zurück, aber das, was diese Reihe der Succession selbst wieder in sich schließt, liegt nicht mit in der Reihe, sondern ist außer aller Zeit."[85]

So ist das Epos als Gattung der Dichtung selbst ein Symbol der Mythologie, die Anschauung deren wesentlicher Einheit; Begrenzung des Absoluten in der Endlichkeit und Aufhebung dieser Endlichkeit ins Unendliche sind als Einheit vorgestellt. Die Grenze der Gattung fällt ganz mit der ästhetischen Grenze des Symbols und der Mythologie zusammen: es ist die notwendige Grenze der Anschauung selbst, welche die Phantasie in der Einbildung des Idealen in das Reale setzt. „Die Mythologie ist nichts anderes als das Universum im höheren Gewand, in seiner absoluten Gestalt, das wahre

---

[84] ebd. 648
[85] ebd. 650

Universum an sich, Bild des Lebens und des wundervollen Chaos in der göttlichen Imagination, selbst schon Poesie und doch für sich wieder Stoff und Element der Poesie. Sie (die Mythologie) ist die Welt und gleichsam der Boden, worin allein die Gewächse der Kunst aufblühen und bestehen können. ... Die Schöpfungen der Kunst müssen dieselbe, ja noch eine höhere Realität haben als die der Natur, die Götterformen, die so nothwendig und ewig fortdauern, als das Geschlecht der Menschen oder das der Pflanzen, zugleich Individuen und Gattungen und unsterblich wie diese. Inwiefern Poesie das Bildende des Stoffes, wie Kunst im engeren Sinn der Form ist, so die Mythologie die absolute Poesie, gleichsam die Poesie in Masse. Sie ist die ewige Materie, aus der alle Formen so wundervoll, mannichfaltig hervorgehen."[86]

Die spezifische Bedeutung, die das Epos für die Mythologie darin hat, daß es ihre poetische Realität – und damit die einzig mögliche, die sie als ein Produkt der Phantasie haben kann – darstellt, zeigt sich unter dem besonderen Aspekt der Verhältnisse von Stoff und notwendiger Form in Schellings Interpretation der Homerischen Epen. Der zentrale Gesichtspunkt, unter welchem das Werk Homers und die griechische Mythologie im Ganzen betrachtet werden müssen, ist der ihrer wesentlichen Identität. Die Mythologie erscheint ursprünglich und unmittelbar in der Gestalt dieser Dichtungen, und Homer ist der gleichsam ideale Produzent der Mythologie in ihrer absoluten Gestalt. In der Frage nach Homer stellt sich somit ganz allgemein die Frage nach der Produktion der Mythologie überhaupt und nach dem Prinzip, „durch welches wir uns die griechische Mythologie als entstanden denken müssen – diese in ihrer Art einzige Besitznahme eines ganzen Geschlechts durch einen gemeinschaftlichen Kunstgeist... Ich erinnere an die Wolfsche Hypothese vom Homer, daß er auch in seiner ursprünglichen Gestalt nicht das Werk eines Einzigen, sondern mehrerer von dem gleichen Geist getriebener Menschen gewesen... Ich lasse die unbeschränkte Richtigkeit der Wolfschen Ansicht des Homer hier gänzlich dahingestellt, aber ich will durch den aufgestellten Satz von der Mythologie dasselbe, was Wolf vom Homer, behaupten. Die Mythologie und Homer sind eins, und Homer lag in der ersten Dichtung der Mythologie

---

[86] ebd. 405 f.

schon fertig involvirt, gleichsam potentialiter vorhanden. Da Homer, wenn ich so sagen darf, geistig – im Urbild – schon prädeterminirt, und das Gewebe seiner Dichtungen mit dem der Mythologie schon gewoben war, so ist begreiflich, wie Dichter, aus deren Gesängen Homer zusammengesetzt wäre, unabhängig voneinander jeder in das Ganze eingreifen konnten, ohne seine Harmonie aufzuheben, oder aus der ersten Identität herauszugehen. Es war wirklich ein schon – wenn gleich nicht empirisch – vorhandenes Gedicht, was sie recitirten. Der Ursprung der Mythologie und der des Homer fallen also zusammen."[87]

Diese Antwort darf nun gerade nicht in einem historisch-philologischen Sinn verstanden werden, der überhaupt für Schelling allererst durch die Entgegensetzung der antiken mit der modernen Epoche möglich wird, sondern zielt auf eine gleichsam apriorische Dimension ursprünglich poetischer Produktion, die, insofern sie als absoluter Anfang der ästhetischen Ineinsbildung gedacht wird, jenseits und vor aller Geschichte liegt. Die Geschichtlichkeit konstituierenden Gegensätze des Endlichen und Unendlichen, des Individuums und der Gattung, der Reflexion und der Natur, sind für das mythologische Denken gerade noch nicht hervorgetreten, und so ist die Entstehung der Mythologie selbst nichts anderes als die Entstehung der homerischen Dichtung als ihrer ursprünglichen Form. „Die Alten selbst bezeichnen die Mythologie und, da diese ihnen mit dem Homer in eins zusammenfällt, die homerischen Dichtungen als die gemeinsame Wurzel der Poesie, der Geschichte und Philosophie. Für die Poesie ist sie der Urstoff, aus dem alles hervorging, der Ocean, um ein Bild der Alten zu gebrauchen, aus dem alle Ströme ausfließen, wie sie alle in ihn zurückkehren."[88]

Für die Analyse dieser ursprünglichen mythologischen Bildung, der apriorischen Ineinsbildung des Gehalts und seiner wesentlichen Form, können die Kategorien des Stoffs und der ästhetischen Form unter dem Aspekt der subjektiven Produktion daher nicht eigentlich in Anschlag gebracht werden. Wie die ‚Ewigkeit' Homers zeigt, müssen sie für die Mythologie immer in ihrer absoluten Einheit gedacht werden und sind für die Immanenz des antiken Horizonts

---

[87] ebd. 415 f.; zu Homer vgl. W. Beierwaltes, Einleitung, a. a. O. S. 42 f., Anm. 80
[88] ebd. 416

nicht anders präsent, als wie sie in der Mythologie selbst in der Geschichte der alten und der neuen Götter symbolisiert werden. Der vorherrschende Charakter der Mythologie muß daher der der absoluten Objektivität sein, welche in der Unmittelbarkeit begründet ist, mit der der mythologische Stoff – als solcher eine Abstraktion – sich der adäquaten Form einprägt und diese gleichsam aus sich entfaltet. Damit kann auch die Form nicht als subjektive Gestalt eines allgemeinen Inhalts aufgefaßt werden, sondern ist in ihrer Schönheit und Universalität selbst objektive Repräsentanz des absoluten Gehalts, der umgekehrt keine andere Realität als die dieser symbolischen Form hat. „Darauf beruht die Unendlichkeit des Sinns in der griechischen Mythologie. Aber das Allgemeine ist nur als Möglichkeit darin. Das An-sich davon ist weder allegorisch noch schematisch, sondern die absolute Indifferenz beider – das Symbolische. Diese Indifferenz war hier das *Erste*. Homeros hat diese Mythen nicht erst unabhängig poetisch und symbolisch gemacht, sie waren dieß gleich im Anfang... So läßt es sich auch, wie ich im Folgenden zeigen werde, hinlänglich evident machen, daß der homerische Mythos, und insofern Homer selbst, in der griechischen Poesie absolut das Erste und der Anfang ist."[89]

In diesem Prozeß der Produktion des Mythos, in welchem das Ideale sich ursprünglich dem Realen einbildet, kann daher keine Individualität und Subjektivität angenommen werden. Reflexion und die Differenz durch das Dazwischentreten der Subjektivität würden die ursprüngliche Einheit des Stoffs und seiner wesentlichen Form zerstören; besser: hätten sie nie entstehen lassen. „Die Mythologie kann weder das Werk des einzelnen Menschen noch des Geschlechts oder der Gattung seyn (sofern diese nur eine Zusammensetzung der Individuen), sondern allein des Geschlechts, sofern es selbst Individuum und einem einzelnen Menschen gleich ist."[90] Ebenso wie hier Stoff und Form in einer ursprünglichen Einheit gedacht werden, kann auch ihre Produktion nur in Wesen gelegt werden, in welchen die Einheit des Besonderen mit dem Allgemeinen ganz ursprünglich vorausgesetzt ist. Das Individuum ist identisch mit der Gattung und diese ist nicht durch Subjektivität differenziert, sondern ganz in der Einheit des Individuums begriffen. In

[89] ebd. 409 f.
[90] ebd. 414

dem ursprünglichen Künstler als dem allgemeinen Produzenten der Mythologie, wie er unter dem Namen Homers vorgestellt wird, verdichtet sich diese Einheit von Gattung und Individuum in ihrerseits gleichsam mythologischer Weise. ‚Homer' stellt zugleich einen individuellen und einen Gattungsnamen dar, ein gleichsam kollektives Wesen, welches in einer Weise mit der gesamten Gattung identisch ist, daß diese sich in ihm wiederum als Individuum spiegelt. Er wird so zu dem überindividuellen und selbst mythischen Medium der Produktion mythologischer Kunst und damit der Mythologie selbst. Wie in der Mythologie die ursprüngliche Einheit von Allgemeinheit und Besonderheit in der Objektivität einer allgemeinen Symbolik gedacht wird, müssen hier auch Produzent und Produkt der Kunst in eine wesentliche und objektive Einheit fallen, für welche Homer selbst das Symbol ist. „Endlich faßt sich alles darin zusammen, daß die Poesie oder der Dichter über allem wie ein höheres, von nichts angerührtes Wesen schwebe."[91] In diesem ‚Schweben' kann Homer als das seinerseits mythologische Prinzip der ewigen und objektiven Produktion der ästhetischen Anschauung und damit als ein Symbol der Phantasie selbst gelten.

„Die Mythologie der Griechen war eine geschlossene Welt von Symbolen der Ideen, welche real nur als Götter angeschaut werden können. Reine Begrenzung von der einen und ungetheilte Absolutheit von der andern Seite ist das bestimmende Gesetz jeder einzelnen Göttergestalt, eben so wie der Götterwelt im Ganzen. Das Unendliche wurde nur im Endlichen angeschaut und auf diese Weise selbst der Endlichkeit untergeordnet."[92] Mit der Darstellung der Ideen in der symbolischen Welt der Mythologie hat die Einbildungskraft ihre wesentliche Bestimmung als das Vermögen der Produktion der ästhetischen Anschauung erfüllt und damit das Postulat der Gegenbildlichkeit der Kunst gegenüber der Philosophie eingelöst. Wie die Ideen als die Produkte der göttlichen Imagination und als Gegenstände der absoluten Reflexion der Vernunft zugleich eine erste Setzung von relativer Endlichkeit und deren Aufhebung in die Unendlichkeit des Absoluten repräsentieren, sind auch die Schöpfungen der mythologischen Einbildungskraft durch diesen Charakter der Vermittlung zwischen Idealität und

[91] ebd. 652
[92] Vorlesungen (VIII), V, 287 f.

193

Realität ausgezeichnet. Während jedoch dort dieser Prozeß in dem Medium der Reflexion realisiert wird, muß er für die Kunst in der Realität der Anschauung dargestellt werden. Die Göttergestalten der Mythologie zeichnen sich dadurch aus, daß sie diese Vereinigung von Idealität und Realität selbst als einen gleichsam aufgehobenen Prozeß in der Präsenz der Anschauung vorstellen. In dieser Qualität können sie als Symbole der Ideen gelten, die sich in ihrer eigenen Welt zur Totalität und Universalität entfalten und darin die intelligible Struktur des Universums für die ästhetische Anschauung widerspiegeln. Dies kann der Einbildungskraft in vollendeter Form nur gelingen, indem sie nicht allegorisierend auf die philosophische Reflexion verweist, sondern in einer autonomen Gesetzlichkeit die absolute Struktur der Ineinsbildung von Realität und Idealität selbst in der Anschauung enfaltet.

Als Symbole sind die mythologischen Anschauungen zugleich ganz in die Grenzen der sinnlichen Anschauung gebunden, innerhalb welcher es der Phantasie jedoch gelingt, in der Entwicklung spezifisch ästhetischer Formen die reflexive Qualität der Ideen selbst zu einer mittelbaren Erscheinung kommen zu lassen. Diesen Aspekt der Kunstanschauung faßt Schelling mit dem Begriff des ‚Durchscheinens‘ des Idealen durch das Reale, und er kann als das eigentliche Kriterium der symbolischen Anschauung gelten.

Unter dem Titel der ‚Mythologie‘ wurde dieses Verhältnis von Anschauung und Bedeutung ganz unter dem Aspekt seiner Objektivität betrachtet, und es wurde am Paradigma der antiken ‚Götterlehre‘ davon ausgegangen, daß die ästhetische Form, in der die transzendierende Leistung der Phantasie sich realisiert, unmittelbar eine Funktion des Stoffs und des absoluten Gehalts der Mythologie sei. Soll nach Schellings Intention die Mythologie nun als das Urbild der Kunst überhaupt gelten und sollen die hier entwickelten Gesetze der Phantasie und der ästhetischen Anschauung als absolute Prinzipien der Kunst im Allgemeinen angesehen werden können, so wird es eine notwendige Aufgabe der Philosophie der Kunst sein, diesen Aspekt der ‚Form der Kunst‘ eigens zu thematisieren und darin nachzuweisen, *daß* die Objektivität der Mythologie wirklich die absolute Basis aller Kunst sei und auch unter dem Aspekt der Individualität und Subjektivität der einzelnen Werke verifiziert werden könne.

V. Die Form der Kunst
und die ästhetische Reflexion

A. Das Problem des Kunstwerks

Mit der Mythologie hat Schelling, wie sich deutlich in seinem Begriff des Symbols zeigt, eine allgemeine Theorie der Kunst entfaltet, die als eine objektive Darstellung der Gesetze der ästhetischen Produktion und der ästhetischen Anschauung gelten kann. Damit ist die Dimension des mythologischen Gehalts als die allgemeine Substanz aller Kunst postuliert, da in ihr allein eine ästhetisch-absolute Anschauung des idealen Universums möglich ist, und die Form der mythologischen Einbildung des Idealen in das Reale hat als die fundamentale Struktur aller vollendeten und mythologischen Kunst zu gelten. Mit diesem absoluten Anspruch impliziert die Mythologie auch den Aspekt der ästhetischen Form, deren Medium gerade das Reale ist, in dem die Phantasie ihre konstitutive Funktion für die Anschauung entfaltet und nach ihren eigenen Gesetzen eine Repräsentation der Ideen leistet.

Als Urbild der Kunst ist die Mythologie immer vollendete Ineinsbildung des Idealen und des Realen und als solche der Inbegriff und die absolute Form der Kunst überhaupt, in deren Bestimmung die Konstruktion der Kunst auf ihrer objektiven Seite als abgeschlossen angesehen werden kann. Schelling kann in dieser Hinsicht sicherlich – versteht man diesen Begriff nicht negativ, sondern im Zusammenhang der Kunsttheorien Winckelmanns, Moritz' und Goethes; und im Gegensatz zur Romantik – als Klassizist angesehen werden, bleibt für ihn die Kategorie der Form doch immer aufs engste an die des Gehalts gebunden. Form als reale ästhetische Form kann so für ihn nie, zum Beispiel in dem romantischen Sinn des Mediums der unendlichen Reflexion der Kunst, zu einer eigenen metaphysischen Kategorie werden; sie ist immer gleichsam eine Funktion des Gehalts, der Idee, und als dessen Repräsentanz ganz von deren Substanz bestimmt. So muß es als konsequent erscheinen, wenn sie in der Mythologie ihren theoretischen Ort gefunden hat, wo sie so unter dem Vorzeichen der Objektivität abgehandelt wurde, daß es schien, als würde hier für das Subjekt und das Kunstwerk als subjektives kein Platz bleiben.

Wie aber auch in der allgemeinen Philosophie die Konstruktion des absoluten Universums erst vollendet war, indem die Ideen nicht nur in ihrer Realität aufgewiesen waren, sondern sie gerade auch in ihrer Funktion als die Medien der absoluten Reflexion verstanden wurden, hat nun auch die Theorie der Kunst den Beweis anzutreten, *daß* die postulierten Formen der ästhetischen Darstellung wirklich eine Anschauung des Absoluten leisten und als solche den Begriff der absoluten Symbolik einzulösen in der Lage sind.

Mit dieser Perspektive wendet die Ästhetik sich dem besonderen Werk und – mittelbar – dem Künstler zu. Der Struktur nach gleicht dieses Unternehmen jener Wendung der Philosophie zur Reflexion, wo sie durch den vermittelnden Begriff der Vernunft die Ideen in ihrer relativen Differenz zum Absoluten auffaßte, um sie so als die Medien des Selbstbeweises ihrer Deduktion zu denken; indem die Ideen aus der Perspektive des endlichen Denkens als die begründenden Prinzipien der endlichen Welt begriffen und damit in der Bestimmung der Reflexion gesetzt wurden, konnten sie nun als die Kategorien der Vermittlung der Differenz des Besonderen mit dem identischen Prinzip aufgefaßt werden. Von ihrem Resultat, dem vermittelten Begriff der Identität her, kann sich diese reflexive Einbildung des Realen in das Ideale als der Nachvollzug der absoluten Reflexion selbst verstehen und somit als die Vollendung der Ineinsbildung des Realen und des Idealen in der absoluten Identität. Wie es diesem dialektischen Status der Ideen und der Vernunft in der Philosophie entspricht, muß auch die in der mythologischen Symbolik postulierte Gegenbildlichkeit der ästhetischen Anschauung von der Struktur der absoluten Ineinsbildung her begriffen werden, und es ist daher, ebenso wie nach ihrer Objektivität, nun auch nach dem Aspekt ihrer subjektiven Realität und den Bedingungen der Möglichkeit der Vermittlung beider zu fragen. „Stoff und Form ist im Absoluten eins, es hat keinen Stoff des Producirens als sich selbst in der Allheit seiner Formen. *Erscheinen* aber kann es nicht, als wenn jede dieser Einheiten als *besondere* Einheit zum Symbol von ihm wird. In der Absolutheit sind diese Einheiten nicht voneinander unterschieden; hier ist bloß Stoff, reine Unendlichkeit und Idee. Sie können als die Urideen objektiv werden nur, inwiefern jede sich selbst *als besondere Einheit* wieder zum Leib, zum Gegenbild nimmt."[1] Unter dem Aspekt seiner idealen und im vermittelten Sinn auch realen Erscheinung, der philosophisch als Offenbarung in der Natur und als Theophanie begriffen wurde, muß das Absolute sich in besonderen Formen darstellen, die damit zum Anlaß der Reflexion aus der relativen Differenz auf die begründende Einheit werden; da das Absolute seinem Wesen nach keine Notwendigkeit der Entäußerung kennt, kann dieser Aspekt der Offenbarung und der Explikation in besondere Formen selbst nur unter der Perspektive der Reflexion verstanden werden, welche in der als Symbol aufgefaßten Endlichkeit deren intelligible Struktur – und damit ihre Begründung in der Teilhabe an der Identität – zu realisieren versucht.

In der Bestimmung der Göttergestalten und ihrer Verhältnisse zueinander als die Formen der Anschauung der Idee sind im Kontext der Mythologie bereits die allgemeinen Gesetze der ästhetischen Darstellung dargelegt worden. Insofern im Begriff des Symbols schon die Indifferenz des Realen und Idealen, des Stoffs und der Form, in der für die Urbildlichkeit der Mythologie charakteristischen Weise vorweggenommen wurde, war dort unter dem Aspekt des Stoffs gleich der vollkommene Begriff der Ineinsbildung des Idealen und des Realen postuliert. Dies war möglich innerhalb des an der antiken Mythologie orientierten allgemeinen Begriffs der Kunst, für welchen die Trennung von Stoff und Form, von Allgemeinem und Besonderem, rein abstrakt gewesen wäre, da sie in der Entstehung des Stoffs selbst schon als überwunden angesehen wurde. Für die antike Welt, wie Schelling sie versteht, repräsentiert die Mythologie als mythologische Kunst in unmittelbarer Weise die Totalität der Kunst, ohne daß die Qualitäten der Individualität oder Subjektivität des Künstlers oder des einzelnen Werks überhaupt schon erscheinen würden. Das mythologische Symbol war aus der Dialektik der Begrenzung des Absoluten und des ‚Durchscheinens‘ der Idee begriffen worden, und die Einbildungskraft hatte sich als das zugleich verendlichende und transzendierende Vermögen der

---

[1] PhdK, 480

ästhetischen Darstellung gezeigt; während jedoch dort dieser transzendierende Effekt ganz unter dem Aspekt der Produktion thematisch war und nur als eine Qualität der objektiven Erscheinung der Kunst analysiert wurde, soll er nun unter dem Aspekt der Reflexion als eigene Qualität und als die reflexive Dimension des Kunstwerks selbst thematisch werden.

Da die Mythologie als vollendete Ineinsbildung angesprochen wurde und gerade ihre wesentliche Qualität in der Autonomie der ästhetischen Gegenbildlichkeit in der Repräsentation des Absoluten lag, kann die geforderte Reflexion sich nicht in einer äußerlichen und abstrakt allegorisierenden Interpretation erfüllen, sondern muß als eine dem Kunstwerk selbst immanente Struktur aufgewiesen werden. Symbolische Kunst als wirkliche Ineinsbildung ist dadurch ausgezeichnet, daß sie Anschauung und Reflexivität, Endlichkeit und Unendlichkeit in vollkommener Einheit repräsentiert, damit selbst dialektisch strukturiert ist und so auch die Möglichkeit der Reflexion impliziert. Die Aufgabe der Reflexion auf diese Reflexivität der Kunst muß es also sein, die Dialektik des Symbols in dem durch die Anschauung gegebenen Rahmen zu entfalten und damit die Form der ästhetischen Erscheinung als den Träger des ideellen Gehalts der Kunst und als jenes Element der Anschauung zu verstehen, welches das transzendierende Moment der Kunst enthält. Die Mythologie hat diesen Prozeß der immanenten Reflexion in der Genealogie der Götter selbst zur Anschauung gebracht, und die Theorie der mythologischen Einbildungskraft hat ihn unter dem Aspekt der Produktion in seiner Objektivität aufgefaßt und analysiert. Mit dieser Perspektive gelangte sie zwar zu dem Begriff der ästhetischen Anschauung als dem Resultat dieser Produktion, nicht aber zu einem Begriff der Subjektivität, mit dem sich diese Anschauung in ihrer besonderen Gestalt thematisieren ließe und durch dessen Vermittlung sie sich in der Aufhebung dieser Besonderheit wiederum als eine wesentlich allgemeine legitimiert würde.

Dieser vermittelnde Begriff zwischen der Besonderheit der realen Erscheinung der Kunst und ihrer durch die Qualität des Symbols geforderten Allgemeinheit bleibt ein Desiderat der Theorie der Mythologie. Soll die Ästhetik dem Anspruch genügen, die dort vorausgesetzte Ineinsbildung des Realen und des Idealen in der ästhetischen Anschauung reflexiv zu verifizieren, so hat sie nun zwei im Kontext der Mythologie nicht thematisch gewordene Aspekte der Kunst zu analysieren; auf der einen Seite ist nach den subjektiven Bedingungen zu fragen, unter denen das einzelne Kunstwerk entstehen kann, auf der anderen Seite ist die ästhetische Form auf die Kategorien hin zu untersuchen, welche es erlauben, das Werk in seiner Einzigartigkeit zu begreifen und zugleich auf den allgemeinen Begriff der Kunst zu beziehen, der es dadurch in seiner Absolutheit und Notwendigkeit begründet. Weder konnte in der Mythologie die besondere Form als solche und in ihrer individuellen ästhetischen Qualität hervortreten, da sie dort immer als die notwendige und selbst objektive Erscheinungsform der Idee angesehen wurde, noch war dort die Seite der Individualität des Kunstwerks und dessen Entstehungsort, das künstlerische Subjekt, in den Blick der Analyse gekommen, da die Mythologie als eine allgemeine, noch vor-subjektive und gleichsam kollektive Hervorbringung galt. „Mit der vollendeten Construktion des Stoffs der Kunst, welcher in der Mythologie liegt, tritt für uns ein neuer Gegensatz ein. Wir begannen von der Construktion der Kunst als *realer* Darstellung des Absoluten. Diese konnte nicht real seyn, ohne jenes durch einzelne endliche Dinge darzustellen. Wir machten die Synthesis des Absoluten mit der Begrenzung; es entstand uns daraus die Ideenwelt der Kunst, aber auch diese ist in Bezug auf die Darstellung selbst wieder nur Stoff oder Allgemeines, dem die Form oder das Besondere entgegensteht."[2]

In der allgemeinen Philosophie hat Schelling die Reflexionsstruktur der Vernunft in ihrer fundamentalen Funktion als Einbildung des Realen in das Ideale, der Form in das Wesen, beschrieben, und gemäß der Gegenbildlichkeit der Kunst ist diese Struktur auch als die absolute Prämisse der Reflexion der Kunst anzusehen. Diese reflexive Ergänzung der ästhetischen Einbildung in der Mythologie erscheint in der *Philosophie der Kunst* unter dem Titel der ‚*Form der Kunst*', wo, ausgehend von der besonderen Form, deren wesentliche Allgemeinheit und Begründung durch den absoluten Begriff der Kunst eruiert werden soll. Unter dem nun intendierten Aspekt der Form muß wiederum die Seite des Stoff als gleichsam abstrakte Einheit gesetzt werden, die es in der Reflexion auf eine höhere Stufe

---

[2] ebd. 458

der Bewußtheit und des Begriffs zu heben gilt; die im Stoff objektiv vollzogene Synthese des Allgemeinen mit dem Besonderen erscheint nun als eine Synthese der ersten Potenz, die, als Besonderes aufgefaßt, dem Allgemeinen eingebildet und so in der Einheit des Realen mit dem Idealen *im* Idealen begriffen werden soll. „Es läßt sich aus dem zu Anfang aufgestellten Princip zum voraus einsehen, daß es auch hier darauf ankommen wird, die beiden Entgegengesetzten absolut zu synthetisiren, Stoff und Form durch eine neue Synthese in Indifferenz darzustellen."[3]

Die Analyse der Form der Kunst wendet sich nun der Seite der Besonderheit und der Subjektivität zu, und ihre Aufgabe wird es sein, diese zu begreifen, indem sie sie wiederum auf das absolute Prinzip der Kunst zurückbezieht und als in diesem begründet zeigt. Hatte die Mythologie den Beweis geliefert, daß das Allgemeine dem Besonderen eingebildet werden könne, ohne dabei seine Absolutheit zu verlieren, so soll nun in der Untersuchung der Form der Kunst der Nachweis geliefert werden, daß die Realität der Kunst wirklich eine Anschauung des Absoluten biete und daß die Form als das Medium der Repräsentation des Wesens gelten könne. „Die besondere Form soll selbst wieder die absolute seyn, nur dann ist sie in der Indifferenz mit dem Wesen, und läßt dieses frei."[4]

Die Titel der ‚Form' und des ‚Stoffs' der Kunst sind daher nicht nur als systematische Begriffe in der Entfaltung der immanenten Dialektik des allgemeinen Begriffs der Kunst zu verstehen, sondern vor allem als die Bezeichnungen für die dieser Dialektik gemäßen und unterschiedlichen Perspektiven, in welchen das identische Phänomen der Kunst durch die Reflexion entfaltet wird.[5] Wie es der Begriff des Stoffs ist, der auf der objektiv-ontologischen Ebene die

---

[3] ebd.
[4] ebd. 475
[5] Schelling knüpft in seiner Terminologie von ‚Stoff' und ‚Form', ohne explizit darauf Bezug zu nehmen, an die von *Aristoteles* entwickelte Dialektik von hyle und eidos an, die als allgemeine Struktur das Verhältnis einer an sich ungeformten Materie zu der notwendigen Form, in der allein sie erscheinen kann, bezeichnet. Unter dem Aspekt der Ästhetik vermag diese allgemeine ontologische Struktur den Aspekt der Poiesis zu beschreiben, welcher die Hervorbringung einer Gestalt durch Formung einer zu Grunde liegenden Materie meint, und hat in dieser Hinsicht eine Analogie zu Schellings absoluter Struktur der ursprünglichen Einbildung des Wesens in die Form und zu der daraus resultierenden untrennbaren Einheit von Form und Gehalt. In der in Aristoteles' Begriff der Materie implizierten Bedeutung des Stoffs als der bloßen

Analogie der Kunst zu der absoluten Produktion der göttlichen Imagination – und darin zugleich ihre wesentliche Autonomie – begründet, so ist es jener der Form der Kunst, welcher diese Qualität der Analogie in der Konstitution einer autonomen Welt verifiziert und die Kunst dadurch als ,Gegenbild' des absoluten Universums erkennen läßt.

Mit der Frage nach der Form ist so nicht eine wesentlich neue Qualität der Kunst intendiert, sondern es ist eine Theorie gefordert, die die endliche Erscheinung der Kunst mit ihrem absoluten Begriff zu vermitteln und so die allgemeinen Qualitäten der Kunst in der Analyse der subjektiven Kunstproduktion und der Individualität der Kunstwerke zu verifizieren vermag. Dazu ist es zunächst notwendig, das allgemeine Gesetz der ästhetischen Anschauung, nach welchem sich das Absolute nur im Besonderen symbolisieren und nur in der Begrenzung und unter den Gesetzen der sinnlichen Realität zu wirklicher Erscheinung kommen kann, ernst zu nehmen und zu versuchen, eine Theorie der Individualität der ästhetischen Erscheinungen auszubilden, denn „das Wesen aller Besonderheit *ist* im Absoluten, dieses Wesen aber erscheint durch das Besondere"[6]. Reflexion aus dem Besonderen auf das Allgemeine erfordert es, soll sie nicht rein schematisches Subsumieren unter allgemeine Kategorien sein, der Individualität des Gegenstandes nachzugehen und differenzierte Kategorien zu entwickeln, nach welchen diese in ihrer spezifischen Gestalt möglichst präzise erfaßt zu werden vermag. Es

---

ungeformten und der nur in der Form zu aktualisierenden Möglichkeit ist dieses Schema jedoch nur bedingt auf die ästhetische Bedeutung von Stoff und Form bei Schelling zu übertragen, da hier auf beiden Seiten bereits eine dialektische Vermittlung von Möglichkeit und Wirklichkeit intendiert ist. Mythologie als die urbildliche Erscheinung der Kunstanschauung meint immer schon eine Einheit des Gehalts mit einer notwendig in ihm selbst liegenden Form und somit als Anschauung immer schon ausgebildete Wirklichkeit; umgekehrt ist unter dem Aspekt der Form das Kunstwerk in seiner individuellen Gestalt gerade in der Hinsicht seiner absoluten Begründung in der idealen Wirklichkeit des Urbildes thematisch, welche nicht reine und unbestimmte Möglichkeit sein kann, sondern ihrerseits nur als höchste Form gedacht werden kann. So scheint für das Verhältnis von Stoff und Form bei Schelling eher die, auch von ihm selbst in der Analyse dieser Sachverhalte häufig angezogene, *platonische* Struktur von Idee und Erscheinung zutreffend, wo auf beiden Seiten ein spezifisches Verhältnis der Vermittlung von Wirklichkeit und Möglichkeit intendiert ist und die Idee selbst als deren höchste und im eigentlichen Sinn wirkliche Realität gilt.
[6] PhdK, 481

kann also kein Widerspruch gegenüber der Grundkonzeption der *Philosophie der Kunst* sein, wenn die Theorie der Individualität gerade nicht im Zusammenhang der Produktion entwickelt wird, da die Gesetze der ästhetischen Anschauung selbst nicht individuell sein können, sondern im Zusammenhang der Reflexion der Kunst, wo nach der Begründung des Besonderen im Allgemeinen und nach der Möglichkeit der begrifflichen Aufhebung der Erscheinung in ihre intelligible Struktur gefragt wird. „Die Absolutheit in der Kunst besteht immer darin, daß das Allgemeine der Kunst und das Besondere, welches sie im Künstler als Individuum annimmt, absolut eins, dieses Besondere das ganze Allgemeine sey und umgekehrt."[7] Unter dieser Voraussetzung können Individualität und Subjektivität des Künstlers jedoch auch nie als in sich absolute Werte intendiert sein, sondern sind es gerade in ihrer Fähigkeit, als Besondere das allgemeine Wesen in perspektivischer Form zu repräsentieren und als solche selbst zu Medien der Erscheinung und relativen Offenbarung des Absoluten zu werden.

B. Das Genie

An der für die Deutung der Mythologie zentralen Gestalt Homers hat sich gezeigt, daß jene zwar immer schon als vollendete Kunst gedacht wurde, in ihrer Universalität und Geschichtslosigkeit jedoch nur als das Produkt gleichsam einer gesamten und darin wie ein Individuum auftretenden Gattung begriffen werden kann. Ihre Hervorbringung ist nicht durch Subjektivität oder Individualität bestimmt, sondern selbst ganz allgemein und kollektiv und nur aus einer naturhaften Identität aller Individuen zu verstehen, welche als solche für das Selbstbewußtsein noch nicht auseinandergetreten sind. Wie dort die Form ganz unter der Dominanz des Stoffs stand und als Form für sich noch nicht hervorgetreten war, konnte auch das Subjekt als Subjekt eines besonderen Werks noch nicht thematisch werden, da es ganz der Objektivität der Gattung gleich war. Soll nun die Kunst systematisch unter dem Aspekt ihrer Form und damit dem ihrer Besonderheit und Individualität analysiert werden,

---

[7] edb. 474

so ist vor allem nach dem Subjekt der Produktion der ästhetischen Anschauung zu fragen, in welchem sich die Realität des einzelnen Kunstwerks begründet, und damit rückt notwendig der Künstler in den Mittelpunkt der Untersuchung. Wie in der Identitätsphilosophie die Potenz des Besonderen und der endlichen Individualität allgemein immer erst im Zusammenhang der Reflexion thematisch wird, da sie nie als eine Notwendigkeit der Selbstentäußerung des absoluten Prinzips, sondern immer nur als eine notwendige Kategorie der reflexiven Vermittlung der Realität mit der Idealität erscheinen kann, ist auch in der Ästhetik das künstlerische Individuum nicht primär als eine Instanz der Offenbarung des Absoluten, welche die Kunst in ihrer Gesamtheit sein soll, angesprochen, sondern vielmehr als ein Postulat der Reflexion auf Kunst, die nachzuweisen hat, daß die besonderen Werke jenem allgemeinen Anspruch genügen.

Diese Fragestellung erfordert daher auch eine neue Fassung der Theorie der ästhetischen Produktion, die, aus der Perspektive der Einbildung des Besonderen in das Allgemeine, vom Werk der Kunst ausgeht und dieses in der Vermittlung durch die Analyse seines Schöpfers in dem absoluten Begriff der Kunst begründet. Diese Instanz der Vermittlung wird das ästhetische Genie sein, in dessen Bestimmung die Einbildungskraft sich von ihrer subjektiven Seite her erschließt und so ihre Funktion in der Reflexion der Kunst erhält. Es geht also in der Theorie des Genies nicht darum, neue Prinzipien der ästhetischen Einbildungskraft zu entwerfen, sondern gerade darum, die in der Mythologie als objektive geforderten in ihrer subjektiven Gültigkeit und damit als Strukturen der subjektiven Kunstproduktion nachzuweisen.

In der Dimension ihrer subjektiven Realität begründet sich so auch keinesfalls eine mögliche Irrationalität der Kunst, sondern es ist gerade die Funktion des Geniebegriffs, diese Subjektivität als eine perspektivische Entfaltung ihres absoluten Begriffs begreiflich zu machen und so das einzelne Werk in seiner ontologischen Dimension zu reflektieren.

1. Die Idee des Menschen in Gott

Die Theorie des Genies in der *Philosophie der Kunst* hat die Aufgabe, die objektive und auf das Werk in seiner Autonomie zielende Kunstproduktion, wie sie in der Mythologie analysiert worden war, unter dem Aspekt ihrer Subjektivität zu entfalten und dadurch zu legitimieren, daß das Kunstwerk auch seiner Entstehung nach als eine Offenbarung des Absoluten gelten könne. Sie geht daher nicht von dem Gehalt des Werks aus, welcher bereits als eine gegenbildliche Darstellung des absoluten Universums bewiesen worden ist, sondern muß bei dessen besonderer Form ansetzen, um diese als eine mittelbare Repräsentation des absoluten Wesens der Kunst zu begreifen. Insofern die Reflexion der Form vom Besonderen ausgeht, um dieses mit dem Allgemeinen zu vermitteln, setzt sie bereits die erste Einbildung des Stoffs und deren Resultat als objektive Ineinsbildung voraus. Hier geht es nun darum, aus dem abstrakten und allgemeinen Stoff das konkrete Kunstwerk in seiner formalen Individualität zu begründen und darin zugleich dessen Allgemeinheitscharakter in Beziehung auf das Absolute zu demonstrieren.

Indem die Reflexion der Form sich in Analogie zur Vernunft als Einbildung des Realen in das Ideale versteht, vollendet sie die Reflexionsstruktur der Kunst und zeigt die konkrete Allgemeinheit des Begriffs der Kunst gerade im Besonderen auf. Subjektivität und Individualität werden im Sinn der Identitätsphilosophie begriffen, indem sie hinsichtlich der Differenziertheit der allgemeinen idealen Strukturen, welche sich in ihnen manifestieren, analysiert und so gleichsam in ihrer Teilhabe an der Idee verstanden werden. Das Besondere ist als solches begriffen, wenn es mit seinem allgemeinen Grund vermittelt ist, und so kann auch der Begriff der Kunst erst als wirklich konkreter angesehen werden, wenn die Besonderheit des Produkts und des Produzenten in eine höhere Einheit von Allgemeinem und Besonderem, von Idealem und Realem aufgehoben ist. Es muß also die Intention der Ästhetik sein, das einzelne Kunstwerk und seinen Produzenten, das Genie, in der Hinsicht zu betrachten, als sich in ihnen die allgemeinen Strukturen der Kunst in je differenzierter Weise aufzeigen lassen. Für die Theorie des Genies bedeutet dies, daß es als Individuum erfaßt, als solches aber in seiner Beziehung auf das Absolute begründet werden muß, denn nur durch das Postulat einer wesentlichen Allgemeinheit der genialen Subjektivität kann sich erklären lassen, wie das aus der individuellen Phantasie entstandene Werk dennoch seinem Gehalt und allgemeinem Wesen nach ein ‚Ausfluß des Absoluten‘ selbst sein könne.

Die allgemeine ontologische Begründung der Kunst hat Schelling mit dem Gedanken der ‚göttlichen Imagination‘ geleistet, welche als das absolute Prinzip der Schöpfung und Selbstoffenbarung des Absoluten bestimmt wurde und als solche sich in der Reflexion der Vernunft realisiert. Damit war der absolute Begriff der Kreativität in seiner metaphysischen Dimension, die die Gesamtheit des Seins als ‚Kunst‘ Gottes begreifen läßt, gegeben; soll nun die endliche Kunst als Abbild jener verstanden werden, so muß auch die subjektive Produktion aus ihrer Gegenbildlichkeit zur ‚göttlichen Imagination‘ und aus ihrer Teilhabe an dieser heraus begriffen werden. Aus der Perspektive der Reflexion kann daher der Begriff des Individuums auch nicht mehr bloß als Privation des absoluten Wesens aufgefaßt werden, sondern muß innerhalb der realen Welt als die exemplarische Form gelten, in der das absolute Wesen sich in der endlichen Existenz ausprägt und durch seine Produktivität ein dem absoluten Universum gegenbildliches Absolutes, die Kunst, zu schaffen vermag. „Das unmittelbar Hervorbringende des Kunstwerks oder des einzelnen wirklichen Dings, durch welches in der idealen Welt das Absolute real-objektiv wird, ist der ewige Begriff oder die Idee des Menschen in Gott, der mit der Seele selbst eins und mit ihr verbunden ist.“[8] Wie sich auch im Zusammenhang der Erörterung der philosophischen Erkenntnis als der reflexiven Vermittlung zwischen Endlichkeit und Unendlichkeit gezeigt hat, ist es, aus der Perspektive des Absoluten gesprochen, nicht möglich, das endliche Individuum als solches, in der Hinsicht seiner intellektuellen Fähigkeit ebensowenig wie in seiner kreativen, unmittelbar aus dem Absoluten selbst zu begründen. Von der Seite des Absoluten her kann nur seine Position innerhalb der idealen Welt, und das heißt seine Idee, als die Voraussetzung einer reflexiven Vermittlung seiner Realität konstruiert werden. So bezieht sich Schelling hier in der Begründung des Begriffs der ‚Idee des Menschen in Gott‘ auf jenen in der allgemeinen ontologischen Begründung der Kunst aufgestell-

---

[8] ebd. 458 f.

ten Satz, „nach welchem die formale oder absolute Ursache aller Kunst Gott ist"[9]. Während dieser Grundsatz der *Philosophie der Kunst* in seinem ursprünglichen Zusammenhang die Gegenbildlichkeit der Kunst und damit die ästhetische Einbildungskraft durch ihr Urbild in der ‚göttlichen Imagination' begründet hat, kann er nun ebenso hier angezogen werden, um unter dem Aspekt der Reflexion das Subjekt der ästhetischen Produktion in seiner wesentlichen Allgemeinheit und seiner Teilhabe an der Identität des Absoluten zu legitimieren. In Hinsicht der Subjektivität der ästhetischen Produktion sind mit diesem Rekurs auf die allgemeine Theorie der Begründung alles realen Seins durch die Idee zwei Aspekte der Kunst angesprochen. Zum einen steht der Begriff der Idee des Menschen dafür, daß auch die Subjektivität in ihrer vor-individuellen und allgemeinen Struktur als eine Idee anzusehen sei, in welcher sie am Absoluten teilhat, zum andern dafür, daß die reale Kunst als Darstellung der Ideen zu verstehen ist, welche als solche nicht eigentlich durch das endliche Individuum, sondern nur durch eine andere Idee und auf derselben Ebene erkannt und begründet werden kann.

„Nun producirt aber Gott unmittelbar und aus sich selbst nur die Ideen der Dinge, wirkliche und besondere Dinge aber nur mittelbar in der reflektirten Welt. Inwiefern also das Princip der göttlichen Ineinsbildung, d. h. Gott selbst, durch besondere Dinge objektiv wird, insofern ist nicht Gott unmittelbar und an sich selbst betrachtet, sondern nur Gott als das Wesen eines Besonderen und in der Beziehung auf ein Besonderes das, was die besonderen Dinge producirt. Nun bezieht sich aber Gott auf das Besondere nur durch das, worin es mit seinem Allgemeinen eins ist, d.h. durch seine Idee oder seinen ewigen Begriff. Diese Idee aber ist in dem vorliegenden Fall die des Absoluten selbst. Diese aber bekommt die unmittelbare Beziehung auf ein Besonderes oder wird objektiv producirt nur in dem Organismus und der Vernunft, beide als eins gedacht... Die Indifferenz des Organismus und der Vernunft aber oder das Eine, in

---

[9] ebd.; vgl.: „Die unmittelbare Ursache aller Kunst ist Gott. – Denn Gott ist durch seine absolute Identität der Quell aller Ineinsbildung des Realen und Idealen, worauf alle Kunst beruht. Oder: Gott ist der Quell der Ideen. Nur in Gott sind ursprünglich die Ideen. Nun ist aber die Kunst Darstellung der Urbilder, also Gott selbst die unmittelbare Ursache, die letzte Möglichkeit aller Kunst, er selbst der Quell aller Schönheit." (PhdK, 386)

welchem auf gleiche Weise real und ideal das Absolute objektiv wird, ist der Mensch."[10] Es zeigt sich hier deutlich jene Schwierigkeit, die sich aus dem Postulat der absoluten Identität als des einzigen Prinzips philosophischer Begründung ergibt, wenn dieses als das vermittelnde Prinzip zwischen unendlicher Einheit und der Differenz der Endlichkeit entfaltet werden soll; diese Vermittlung kann von der Seite des Absoluten her nur bis zu dem Begriff der Idee gehen, der als dessen reine Selbstaffirmation in der Vernunft jedoch zugleich der Umschlagspunkt von Endlichkeit in Unendlichkeit von der Seite der endlichen Reflexion her sein soll, wo diese die besondere Form auf ihre Einheit mit dem Wesen hin transzendiert. Innerhalb der idealen Welt war mit der Vernunft jenes Medium angesprochen, welches eine Vermittlung zwischen Realität und Idealität leistet, da es auf der einen Seite ganz mit dem Absoluten identisch ist, auf der anderen, insofern es in der Selbstexplikation des Absoluten begründet ist, eine Beziehung auf die relative Differenz hat; während diese Realition für die Vernunft jedoch selbst rein ideal war, soll sie in Bezug auf die Kunst, als die reale Darstellung der Ideen, als reale gesetzt werden, und hier wurde der ästhetischen Einbildungskraft das Vermögen zugesprochen, diese ideale Vermittlung von Absolutem und Realität ihrerseits in der Realität darzustellen. In anderer Weise als in der Vernunft muß also in der Begründung der Einbildungskraft der Potenz des Realen innerhalb dieser Vermittlung eine besondere Bedeutung zukommen.

Mit der Einführung des Begriffs des *Organismus*, der selbst als die Indifferenz des Idealen und des Realen in der realen Welt bestimmt wurde, ist nun in der Idee des Menschen gegenüber der reinen Idealität der Vernunft das Prinzip der Realität und der Besonderung ausgesprochen. Während in der Frage nach der Begründung der Philosophie nur die Vernunft als die ideale Potenz des Menschen thematisch war, ist mit diesem Begriff der Idee des Menschen, welcher die Seite der Realität im Begriff des Organismus einbezieht, der Grund für eine Theorie der Besonderheit seiner Existenz und Individualität gelegt. Mit dem Begriff des Organismus faßt Schelling die innerhalb der Natur höchste dynamische Einheit von Form und Wesen, die selbst zwar nicht als eine vollkommene Offenbarung des

---

[10] ebd. 459

Absoluten angesehen werden kann, aus der sich aber im Umschlagen des natürlichen Prozesses der Geist und die Reflexivität des Ich entwickeln. Bis zu dieser Stelle, wo der Geist durch die endliche Ichheit in der Natur erscheint, kann dieser Gedanke als eine genetische Vermittlung von Sein und Reflexion aus der Naturphilosophie entwickelt werden. Aus der identiätsphilosophischen Perspektive der Begründung absoluter Erkenntnis muß er jedoch hier gleichsam abgebrochen werden, da aus der Perspektive der Vernunft keine aktive Vermittlung der endlichen Erkenntnis mit dem Absoluten möglich sein kann. Die Intention der Begründung des Ich wird nun in dem Gedanken der Teilhabe an der Vernunft und der Einbeziehung der endlichen Reflexion in den intelligiblen Kreis der absoluten Reflexion realisiert. Aus dieser Perspektive wiederum kann die organische Natur des Menschen nur als der Index seiner endlichen Individualität und Differenz gegenüber der Vernunft erscheinen. „Das wahre Seyn ist nur in den Ideen, jedes Ding aber, das sich absondert und durch diese Absonderung selbst sich seine Zeit und das zeitliche und empirische Daseyn setzt, ist abgesondert nur für sich selbst und durch sich selbst, und der höchste und allgemeinste Absonderungs- und Uebergangspunkt aus der absoluten Idealität in die Aktualität ist die relative Einheit des Idealen und Realen, die relative Ichheit."[11]

Strukturell entspricht die Frage nach der Individualität des Genies derjenigen, die in dem Zusammenhang der Begründung der endlichen Erkenntnis auf das Ich geführt hatte. Die Identitätsphilosophie hat die transzendentale Problematik mit dem Ziel der ontologischen Begründung durch den Begriff der Teilhabe gelöst, der es der Reflexion erlaubt, ein einzelnes Sein hinsichtlich seines Wesens in der Idee zu begründen, ohne diese dadurch zum aktiven Grund seiner Besonderheit zu machen, welches der Prämisse der Identität widersprechen würde. In dieser Struktur ist auch der Begriff der relativen Ichheit zu verstehen, welche auf der einen und idealen Seite an der Vernunft teilhat und darin in dem Vermögen der Erkenntnis begründet ist, während auf der anderen Seite ihre Besonderung ganz in die empirische Existenz gesetzt ist, die es in der Reflexion auf das intelligible Wesen aufzuheben gilt. „So ist das

---

[11] Fernere Darstellungen, IV, 389

Wesen oder das Ewige der menschlichen Seele ein unmittelbares Abbild der Idee im Absoluten, und diesem Ewigen, welches das Wesen ist – ist die Form des endlichen Daseyns unangemessen, dieselbe aber, wie sie im Absoluten ist, ist ihm angemessen."[12]

Aus derselben Struktur der Teilhabe, in welcher im Zusammenhang der Reflexion das Erkenntnisvermögen des endlichen Ich aus der absoluten Vernunft begründet wurde, ist nun auch im Zusammenhang der Frage nach der Kunst das Vermögen der endlichen und besonderen ästhetischen Produktion zu verstehen. Der Begriff des Genies impliziert jenen Begriff des Ich und deutet ihn gleichsam unter dem Aspekt der Produktivität; damit muß er wiederum nicht in seiner Analogie zur Vernunft, sondern in der zur absoluten Produktion in der ‚göttlichen Imagination' thematisch werden. Mit seiner Definition als der ‚Idee des Menschen in Gott' scheint nun jener Begriff der reflexiven Vermittlung gefunden zu sein, der es erlaubt, das Besondere der Subjektivität als Besonderes aufzufassen und es durch diese Besonderheit hindurch in seiner Teilhabe an der Identität zu begreifen. Die allgemeine Definition des Genies als Idee weist dieses zunächst in seiner unmittelbaren Beziehung zum Absoluten aus und begreift es aus der Struktur der Teilhabe an der absoluten Reflexion, welche das ideale Universum als die Selbstaffirmation Gottes verstanden hat. Wie es das allgemeine Wesen der Idee ist, für die Reflexion ihrerseits als das produktive Prinzip in Bezug auf die reale Welt zu erscheinen, so hat sich dieser Aspekt in besonderer Weise in der Idee des Genies kristallisiert, welches die Kunst in ihrem besonderen Status der Gegenbildlichkeit hervorbringt und darin einen höheren Grad an Identität erreicht, als ihn die Natur repräsentiert. Diese Analogie zur ‚göttlichen Imagination' muß daher Ausgangspunkt auch der Bestimmung des Genies sein. „Es ist demnach die ganze absolute Idee, angeschaut in der Erscheinung oder Beziehung auf Besonders. Es ist ein und dasselbe Verhältniß, durch welches in dem ursprünglichen Erkenntnißakt die Welt an sich, und durch welches in dem Akt des Genies die Kunstwelt, als dieselbe Welt an sich nur in der Erscheinung producirt wird."[13] Wie allgemein diese Beziehung durch den ewigen Begriff

---

[12] ebd. 387 f.
[13] PhdK, 460

der Vernunft geleistet ist, so kann nun das Individuum in Analogie zu diesem verstanden werden durch „den ewigen Begriff des Individuums, der in Gott und mit der Seele ebenso eins ist wie die Seele mit dem Leibe"[14].

Die ästhetische Einbildungskraft kann so auch von der Seite des Genies her als unmittelbare Realisierung des produktiven Prinzips des Absoluten gesehen werden, wie es auf der Seite der realen Welt sich in der Produktivität der Natur gezeigt hat. „Nur durch dieses göttliche Vermögen der Produktion ist man wahrer Mensch, ohne dasselbe nur eine leidlich klug eingerichtete Maschine."[15] Auch wenn die transzendentalphilosophische Implikation dieses Status der Produktion identitätsphilosophisch im Hinblick auf eine eher noch höhere Bewertung der Reflexion zu relativieren ist, behält dieser Satz doch gerade für das ästhetische Genie seine Bedeutung, dessen Absolutheit sich in der produktiven Vermittlung zwischen Idealität und Realität realisiert. „Dieser ewige Begriff des Menschen in Gott als der unmittelbaren Ursache seiner Produktionen ist das, was man Genie, gleichsam den Genius, das inwohnende Göttliche des Menschen, nennt. Er ist sozusagen ein Stück aus der Absolutheit Gottes."[16] Mit dieser Definition wird nun zugleich auf die Bestimmung des Menschen als eines ,ewigen Bruchstücks' der Identität angespielt, welche er als Individuum nie in ihrer Totalität zu realisieren vermag, dabei diese negative Charakteristik aber umgedeutet unter dem positiven Aspekt, daß auch das Individuum in seiner Funktion der Vermittlung zwischen Absolutem und Endlichkeit für sich selbst Absolutheit erreichen könne, indem es als Genie seine Idee in der gegenbildlichen Offenbarung des Absoluten realisiert. Aus der Perspektive der absoluten Reflexion erscheint das Genie in dieser Leistung der gegenbildlichen ästhetischen Anschauung damit auch als ein Medium der Reflexion der Vernunft selbst, welche hier den Aspekt der Produktion innerhalb der Endlichkeit in seiner höchsten Form gespiegelt sieht. In diesem Sinn kann die Kunst als die gegenüber der Natur höhere Form der absoluten Selbstvergewisserung in der Realität gelten und bestätigt darin ihre Ana-

---

[14] Bruno, IV, 229
[15] Vorlesungen (III) IV, 241
[16] PhdK, 460

logie zur Vernunft, indem sie die Endlichkeit in der ästhetischen Anschauung transzendiert und wiederum mit der Idealität vermittelt. Dadurch ist die Einbildungskraft des Genies auch in einer reflexiven Funktion zu verstehen, insofern sie für die absolute Reflexion ein Gegenbild schafft, welches die reale Welt in ihrer immanenten Idealität repräsentiert und darin ihre reflexive Struktur herausstellt. „Die absolute Ineinsbildung der beiden Einheiten im Idealen, so daß der Stoff ganz Form, die Form ganz Stoff ist, ist das Kunstwerk, und jenes im Absoluten verborgene Geheimniß, welches die Wurzel aller Realität ist, tritt hier in der reflektirten Welt selbst in der höchsten Potenz und höchsten Vereinigung Gottes und der Natur als Einbildungskraft hervor."[17]

Für die hier zu analysierende Subjektivität der ästhetischen Einbildungskraft geht es nun zunächst darum zu verstehen, wie jene in der Mythologie entwickelten Gesetze der ästhetischen Darstellung zugleich ganz objektiv im Sinn der Absolutheit der ästhetischen Anschauung sein können, wie sie dabei aber auch als individuelle Formen der Darstellung in einzelnen Werken und durch einzelne Künstler begründet werden können. Das Prinzip des Genies muß also auch die Vermittlung zwischen der Objektivität der Formen der Darstellung und ihrer subjektiven Realisierung leisten. „Das Genie ist autonomisch, nur der fremden Gesetzgebung entzieht es sich, nicht der eignen, denn es ist nur Genie, sofern es die höchste Gesetzmäßigkeit ist; aber eben diese absolute Gesetzgebung erkennt die Philosophie in ihm, welche nicht allein selbst autonomisch ist, sondern auch zum Princip aller Autonomie vordringt. Zu jeder Zeit hat man daher gesehen, daß die wahren Künstler still, einfach, groß und nothwendig sind in ihrer Art."[18] In dieser Anspielung auf Winckelmanns Definition der Qualität vollendeter Kunst zeigt sich, daß es genau diese Eigenschaften der mythologischen Kunst sind, welche unter dem Aspekt des Genies auf der Seite ihrer subjektiven Realität bestätigt werden sollen, und sie werden es sein, die das konkrete Genie in seiner eigenen Notwendigkeit und Absolutheit ausweisen. Wie die Idee in der realen Wirklichkeit in Relationen gesetzt ist, die in der differenzierten Konstruktion des Universums

---

[17] Fernere Darstellungen, IV, 423
[18] Vorlesungen (XIV), V, 349

in dessen identischen Begriff aufgehoben werden sollen, muß die Reflexion auf die Individualität nun auch jene Vermittlung zwischen dem absoluten Begriff des Ich und seiner Erscheinung in der relativen Differenz leisten; die reale Existenz des Menschen wird damit in der aufgehobenen Kontingenz seiner differenten Bestimmungen zu der „Erscheinung deines wahren und ewigen Lebens. Aber nicht nur ist dein Wesen und deine Idea und zwar als deine (weil Gott nicht so arm ist, daß er nach Allgemeinbegriffen schaffte) eine ewige Wahrheit in Gott, sondern auch die Relation selbst, durch welche du wirklich bist, ist (obgleich nichts an sich, nichts Positives, weil sie nur Relation ist, doch) mit der Wesenheit zugleich, also auf ewige Weise, zeitlos in Gott."[19] Diese Bestimmung der Individualität, die, analog zu der theologischen Auffassung der in Gott begründeten Personalität des Menschen, auch die Formen der realen Existenz, wenn auch nur als Relationen im Absoluten, begründet, läßt sich besonders für den Begriff des Genies in Anschlag bringen. Durch seine Fähigkeit, in der Kunst ein reales Abbild der idealen Schöpfung hervorzubringen und dieses nach autonomen Gesetzen zu entfalten, trifft für das Genie in ausgezeichneter Weise zu, daß hier Individualität nicht zunächst als Privation des absoluten Wesens gedacht werden darf, sondern als seine reale Ausprägung im Horizont der endlichen Existenz zu verstehen ist und gerade darin deren transzendierendes Moment begründet. Die ,Göttlichkeit' des Genies ist so nicht nur als eine metaphorische Charakterisierung der absoluten Autonomie der ästhetischen Produktion zu verstehen, sondern auch als eine Bezeichnung des ontologischen Status des Genies, insofern es – als Genie – in einer unmittelbaren Beziehung zum Absoluten steht.

2. Das Genie im *System des transzendentalen Idealismus*

In der *Philosophie der Kunst* hat das Genie die Funktion, die Absolutheit der ästhetischen Anschauung als Gegenbild der Vernunft zu legitimieren und ist darin zunächst als ein Postulat der Reflexion auf Kunst zu verstehen. Mit dieser vom Werk ausgehenden Frage nach dem Produzenten, welche die subjektiven Bedingungen klären soll, unter welchen die absolute Leistung der Kunst

---

[19] Aphorismen I, VII, 190

verstanden werden kann, muß auch diese Theorie des Genies in der Kontinuität des Genie-Begriffs des *Systems des transzendentalen Idealismus* und als dessen metaphysische Transformation gesehen werden. Der Ausgangspunkt der Problemstellung ist für die Ästhetik der Transzendentalphilosophie ein analoger, da auch dort zunächst eine absolute und objektive Funktion der Kunst konstatiert wurde, die in ihrer zwischen Endlichkeit und Unendlichkeit vermittelnden Position reflektiert werden soll. Dem Kunstwerk kommt seine für die Philosophie konstitutive Bedeutung als die Objektivierung der intellektuellen Anschauung zu, von der gefordert war, daß sie die Einheit des Ich in einer innerhalb der Reflexion nicht zu realisierenden Weise vergegenwärtige. Die Definition dieser Einheit als die Identität des bewußten und des bewußtlosen Ich muß nun systematisch zu der Forderung führen, daß, wenn das Kunstprodukt diese Einheit darstelle, sie aus der Analyse der Produktion des Kunstwerks in ihrer Genese zu verstehen sein könne. Damit wendet sich das Interesse der Reflexion dem Produzenten der ästhetischen Anschauung zu, in dessen Produktion nun die systematische Stelle lokalisiert ist, wo die dem reflektierenden Ich transzendental vorgängige Vereinigungen von Bewußtheit und Bewußtlosigkeit ihrerseits zum Gegenstand der Philosophie werden kann. „Bewußte, und bewußtlose Tätigkeit sollen absolut Eins sein im Produkt, gerade wie sie im organischen Produkt auch sind, aber sie sollen auf andere Art Eines sein. Beide sollen Eines sein *für das Ich selbst.* Dies ist aber unmöglich, außer wenn das Ich sich der Produktion bewußt ist. Aber ist das Ich der Produktion sich bewußt, so müssen beide Tätigkeiten getrennt sein, denn dies ist notwendige Bedingung des Bewußtseins der Produktion. Beide Tätigkeiten müssen also Eines sein, denn sonst ist keine Identität, beide müssen getrennt sein, denn sonst ist Identität, aber nicht für das Ich. Wie ist dieser Widerspruch aufzulösen?"[20]

Das Problem, dessen Lösung aus der Analyse des Genies erwartet wird, ist also jenes, wie aus einer Tätigkeit des bewußten Ich, als welche auch die Kunstproduktion erscheinen muß, ein Resultat entstehen könne, welches die Seiten des Bewußten und des Be-

---

[20] System, III, 614; zum Genie-Begriff des *Systems* vgl. D. Jähnig, Die Kunst in der Philosophie, a. a. O. Bd. 1, S. 43 ff.

wußtlosen in der Natur analoger Weise repräsentiere. Obwohl auch die Produktion des Künstlers in der freien und bewußten Subjektivität beginnt, muß sie doch im Verlauf des Produktionsprozesses eine Wandlung erfahren, welche zwar dem Subjekt selbst nicht bewußt wird, aber in der Notwendigkeit und Objektivität des Kunstwerks zum Ausdruck kommt. Die Freiheit muß also im Prozeß des künstlerischen Schaffens in Notwendigkeit umschlagen, und genau dieser Umschlag kann daher als das eigentliche Kriterium des Gelingens der Kunstproduktion gelten. Schelling faßt diese Fähigkeit des Ich, seine Freiheit mit einer der Natur analogen Notwendigkeit in Harmonie zu setzen, als Genie. „Dieses unveränderlich Identische, was zu keinem Bewußtsein gelangen kann, und nur aus dem Produkt widerstrahlt, ist für das Produzierende eben das, was für das Handelnde das Schicksal ist, d.h. eine dunkle unbekannte Gewalt, die zu dem Stückwerk der Freiheit das Vollendete, oder das Objektive hinzubringt; und wie jene Macht, welche durch unser freies Handeln ohne unser Wissen, und selbst wider unsern Willen, nicht vorgestellte Zwecke realisiert, Schicksal genannt wird, so wird das Unbegreifliche, was ohne Zutun der Freiheit, und gewissermaßen der Freiheit entgegen, in welcher ewig sich flieht, was in jener Produktion vereinigt ist, zu dem Bewußten das Objektive hinzubringt, mit dem dunkeln Begriff des Genies bezeichnet."[21]

Was in der Philosophie als intellektuelle Anschauung nur subjektiv postuliert und in der Philosophie der Geschichte durch den Begriff des Schicksals zwar als den Subjekten gegenüberstehende Objektivität erkannt wurde, jedoch in dieser Objektivität nicht in seinem wesentlichen Zusammenhang mit der Subjektivität aufgeklärt werden konnte, ist in der ästhetischen Anschauung nun für die Reflexion gegenständlich geworden. Das Kunstwerk stellt die geforderte Harmonie des Subjektiven und des Objektiven, des Bewußten und des Bewußtlosen in der Anschauung vor, ist als solches jedoch selbst rein objektiv. Mit dem zunächst seinerseits noch dunklen Begriff des Genies nun ist der Ort lokalisiert, wo sich diese Objektivität wiederum mit dem Subjektiven vermitteln lassen müßte, da das Genie in seinem Vermögen der Produktion nach den Kategorien der Subjektivität analysiert werden kann. „So wie die

---

[21] System, III, 615 f.

ästhetische Produktion ausgeht vom Gefühl eines scheinbar unauflöslichen Widerspruchs, ebenso endet sie nach dem Bekenntnis aller Künstler, und aller, die ihre Begeisterung teilen, im Gefühl einer unendlichen Harmonie, und daß dieses Gefühl, was die Vollendung begleitet, zugleich eine Rührung ist, beweist schon, daß der Künstler die vollständige Auflösung des Widerspruchs, die er in seinem Kunstwerk erblickt, nicht [allein] sich selbst, sondern einer freiwilligen Gunst seiner Natur zuschreibt, die, so unerbittlich sie ihn in Widerspruch mit sich selbst setzte, ebenso gnädig den Schmerz dieses Widerspruchs von ihm hinwegnimmt; ... so scheint der Künstler, so absichtsvoll er ist, doch in Ansehung dessen, was das eigentlich Objektive in seiner Hervorbringung ist, unter der Einwirkung einer Macht zu stehen, die ihn von allen andern Menschen absondert, und ihn Dinge auszusprechen oder darzustellen zwingt, die er selbst nicht vollständig durchsieht, und deren Sinn unendlich ist."[22] Was sich subjektiv auf der Ebene der Reflexion als jene dem Schicksal analoge Macht darstellt und von dem Künstler selbst nicht begriffen zu werden vermag, ist jener Umschlag der bewußten Seite der Produktion in ihre unbewußte Notwendigkeit, die im Produkt die Harmonie zu erzeugen vermag, welche die ästhetische Anschauung zur Offenbarung der intellektuellen Anschauung werden läßt.

Diese absolute Vermittlung des endlichen Ich mit seinem unendlichen Prinzip kristallisiert sich in dem Begriff des *Genieprodukts*. In der Analyse der genialen Einbildungskraft erweist sich die Einheit des bewußtlosen und die Natur hervorbringenden Prinzips des Ich mit dem Selbstbewußtsein, das von der Objektivität ausgehend, deren Übereinstimmung mit den Strukturen des Ich zu eruieren sucht. Ästhetische und organische Welt werden als Produkte desselben Prinzips erkannt. Das Ich versteht sich in seinem Verhältnis zur Welt als gleichsam bewußtloser Künstler, und in der spezifisch ästhetischen Tätigkeit des Genies wird es sich dieser allgemeinen Produktivität bewußt. Damit ist zunächst eine Analogie zwischen dem bewußtlosen Produzieren des Ich im Hinblick auf dessen konstitutive Funktion für die Wirklichkeit überhaupt und der Produktion des Genies angenommen. Genie ist also auch im

[22] ebd. 617

Transzendentalsystem wesentlich als eine objektive Struktur der Subjektivität gefaßt, die nicht der freien Reflexion entspringt, noch durch Willkür zu erzeugen ist, sondern durch jene ‚Gunst der Natur‘ entsteht, die der absoluten Qualität der ästhetischen Anschauung entspricht, durch welche jene als das ‚Wunder‘ der Kunst erscheinen kann. Durch das Genie hat der Künstler Anteil an der Einheit des Bewußtlosen und Bewußten, welche der Charakter des ursprünglichen Ich vor der Reflexion ist und mit dem Begriff des ‚Urselbst‘ als das absolute Prinzip des Seins und seiner Erkenntnis postuliert wurde. Im Genie scheint jene sich zu offenbaren, indem sie die widerstrebenden Pole des Ich, aus deren Differenz auch die Kunstproduktion beginnt, im vollendeten Kunstwerk zur Harmonie bringt und als Auflösung des ewigen Widerspruchs der Reflexion darstellt. „Es ist gleichsam, als ob in den seltenen Menschen, welche vor andern Künstler sind im höchsten Sinne des Worts, jenes unveränderliche Identische, auf welches alles Dasein aufgetragen ist, seine Hülle, mit der es sich in andern umgibt, abgelegt habe, und so wie es unmittelbar von den Dingen affiziert wird, ebenso auch unmittelbar auf alles zurückwirke.“[23]

Im Genie, wird es als Gesamtheit betrachtet, hat so weder der bewußte, noch der unbewußte Pol des Ich den Vorrang, sondern beide sind, wie sich in der Einheit der Begriffe von Poesie und Kunst zeigen wird, in vollkommenem Gleichgewicht, so daß daraus ein Bild jener höheren Harmonie entstehen kann, als deren objektives Dokument das Kunstwerk anzusehen ist. Damit repräsentiert jener Umschlag des Bewußten in das Unbewußte der Produktion genau jenen ‚Einschlag‘ des Absoluten, dem das Kunstwerk seine Qualität verdankt, und das Genie erhält für die Analyse der Kunst somit genau die Bedeutung, welche dem absoluten Ich für die Philosophie zukommt. „Es erhellt nun aber auch von selbst, daß ebensowenig als Poesie und Kunst einzeln für sich, ebensowenig auch eine abgesonderte Existenz beider das Vollendete hervorbringen könne, daß also, weil die Identität beider nur ursprünglich sein kann und durch Freiheit schlechthin unmöglich und unerreichbar ist, das Vollendete nur durch das Genie möglich sei, welches eben deswegen für die Ästhetik dasselbe ist, was das Ich für die Philosophie, nämlich das

[23] ebd. 616

Höchste absolut Reelle, was selbst nie objektiv wird, aber Ursache alles Objektiven ist."[24]

Es war die ästhetische Anschauung gewesen, die im *System* das Problem der Philosophie gelöst hat, jene Identität des Ich, die sich der Reflexion notwendig entzieht, da sie deren eigene transzendentale Voraussetzung ist, gegenständlich werden zu lassen. Insofern nun das Genie als diejenige Instanz erkannt ist, welche die ästhetische Anschauung produziert, wird es gleichsam zu der – innerhalb der Subjektivität – objektiven Repräsentanz des absoluten Ich und löst so die Aporie der Reflexion auf, die in der Unmöglichkeit der Vergegenwärtigung der Identität des Ich gelegen hatte. Mit seiner Bestimmung als Genieprodukt erhält das Kunstwerk damit eine über die durch die subjektive Reflexion gesetzten Grenzen hinausweisende ontologische Dignität, in welcher es nicht mehr als das Produkt eines endlichen Ich gilt, sondern als das Produkt gleichsam jener Identität des absoluten Ich selbst, die sich gegenüber dem Ich als schicksalhafte Macht manifestiert. Durch diese Qualität kann das Kunstwerk zu jener ‚einzigen und ewigen Offenbarung‘ werden, in welcher, durch das Genie vermittelt, die absolute Identität selbst erscheint und die philosophische Reflexion in ihrer Intention der Begründung einer absoluten Einheit von Sein und Denken legitimiert. In der Anschauung des Kunstwerks und in der Spiegelung der Tätigkeit des allgemeinen Ich in der Produktion des Genies, vermag das Ich daher zu der vollendeten Selbstanschauung zu gelangen, in der es sich selbst auf die absolute Identität hin transzendiert und darin sich seiner absoluten Einheit mit dem ‚Urselbst‘ und Absoluten bewußt wird. In der so vollendeten Reflexion des *Systems*, die die Kunst und die Produktion der Realität überhaupt aus demselben Prinzip heraus begriffen hat, zeigt es sich, daß diese Beziehung von Ich und Genie mehr ist, als nur eine strukturelle Analogie, sondern in einer wirklichen Identität in dem Begriff des absoluten Ich gründet, die selbst nicht mehr transzendentalphilosophisch eingeholt werden kann, sondern bereits auf eine metaphysische Konzeption der Philosophie verweist.

---

[24] ebd. 619

3. Die Dialektik der subjektiven Einbildungskraft und die ästhetischen Reflexionskategorien

Die identitätsphilosophische *Philosophie der Kunst* hat diese Bestimmung des Verhältnisses von Kunst und Philosophie in den Begriff der ,Gegenbildlichkeit' transformiert. Soll die Kunst eine der Philosophie analoge Repräsentation des Absoluten leisten, so muß die ästhetische Einbildungskraft aus ihrer Analogie zur Vernunft heraus begriffen werden und ist daher mit dieser gemeinsam in der göttlichen Imagination begründet. In Hinsicht der Objektivität der Kunst leistet diese Begründung eine Rechtfertigung der ontologischen Qualität des Kunstwerks; unter dem Aspekt der Reflexion und des Genies betrachtet, garantiert sie die ontologische Dimension der Subjektivität, die es in der Reflexion zu aktualisieren gilt. Obwohl die Frage nach dem Genie in der *Philosophie der Kunst* unter dem dem *System* analogen Gesichtspunkt der Reflexion auf den Produzenten der ästhetischen Anschauung gestellt wird, ist die eigentliche Intention dieser Frage doch eine verschiedene. Im *System* ist das Problem gelöst, wenn das Genie hinsichtlich seines spezifischen Vermögens der Produktion erkannt ist und darin als ein Analogon des absoluten Ich und dessen Produktion hinsichtlich der Realität gelten kann. Dieser Aspekt, der in der *Philosophie der Kunst* auf die analoge Antwort der Begründung des Genies in der ,Idee des Menschen in Gott' geführt hat, ist hier jedoch selbst nur die Voraussetzung einer Theorie der Vermittlung der Individualität der Kunstformen mit ihrem allgemeinen Gehalt. Während also im *System* die Kunst nur unter dem Aspekt *eines* Inhalts, der ästhetischen Anschauung der intellektuellen, thematisch war und zu dessen Erklärung das Genie postuliert wurde, ist die Frage des Gehalts in der *Philosophie der Kunst* selbst bereits in der Mythologie gelöst worden und nun von der allgemeinen Idee des Genies gleichsam nur bestätigt. Weiterhin aussteht aber noch eine Antwort auf das Problem, wie dieser objektive Prozeß der Kunstproduktion durch die ästhetische Einbildungskraft sich mit den unterschiedlichen Medien ihres Vollzugs, den verschiedenen Gestalten, die das Genie in den einzelnen Künstlern annimmt, vermitteln lasse.

Der allgemeine Begriff der ,Idee des Menschen in Gott' legitimiert zwar die Gegenbildlichkeit der Kunst von der Seite ihrer Produktion her, er muß aber noch in Hinsicht seiner individuellen Realität entfaltet werden, um dieses Postulat als die wirkliche Begründung auch der einzelnen Werke nachweisbar zu machen. Was also unter der Perspektive der Absolutheit als Teilhabe verstanden wurde, soll nun in der Perspektive der Reflexion auf das teilhabende Individuum in eine intelligible Struktur entfaltet werden, die den Aspekt der Besonderheit weiter in den Blick faßt und differenziertere Kategorien entwickelt, um ihn mit dem allgemeinen Begriff zu vermitteln. Dies bedeutet, daß innerhalb der allgemeinen Teilhabe des Genies an der göttlichen Imagination nun eine graduelle Differenzierung, die zugleich eine Wertung impliziert, vorzunehmen ist, die das einzelne Genie nach der Intensität seiner Teilhabe befragt und aus dieser die Formen seiner Besonderheit entwickelt, welche als Besonderheit immer nur durch Mangel und Negativität zu charakterisieren sind. „Jeder Künstler kann daher auch nur so viel produciren, als mit dem ewigen Begriff seines eignen Wesens in Gott verbunden ist. Je mehr nun in diesem für sich schon das Universum angeschaut wird, je organischer er ist, je mehr er die Endlichkeit der Unendlichkeit verknüpft, desto produktiver."[25] In diesem Horizont der Analogie der ästhetischen Produktion und der göttlichen Imagination zeigt sich erneut das alte Problem, das auch im Zusammenhang der absoluten Produktion auf die Erkenntnis der Unmöglichkeit geführt hat, die Besonderheit ihrem Sein nach unmittelbar aus dem Absoluten zu begründen. So unmöglich es war, das Aus-sich-Herausgehen des Absoluten in die erscheinende Welt aus dessen innerer Notwendigkeit heraus zu erklären, so unmöglich wird es sein, die reale Besonderheit und Differenz der Kunstwerke aus der ‚Idee‘ des Genies selbst zu begründen. Insofern das Genie seinem absoluten Begriff nach ganz mit dem Absoluten identisch ist, enthält es auch das gesamte Universum in sich und es kann daher eigentlich kein Grund der Entäußerung in seinem Wesen angelegt sein. Wie schon in der philosophischen Frage nach der Vermittlung der erscheinenden Welt mit der Vernunft festgestellt wurde, können die Gründe der Besonderung der Endlichkeit nur in dieser selbst, nicht aber in ihrem Prinzip liegen; sie sind also nicht aus diesem zu deduzieren, sondern können nur unter der Perspektive der reflexiven Einbildung des

---

[25] PhdK, 460

Besonderen in das Allgemeine thematisiert werden. „Daß nun aber das Produciren Gottes, d.h. die Idee als die Idee, auch in der erscheinenden Welt hervortrete, dieß hängt von Bedingungen ab, die in dieser liegen, und die uns insofern als zufällig erscheinen, obgleich, von einem höheren Gesichtspunkt aus betrachtet, auch die Erscheinung des Genies immer wieder eine nothwendige ist."[26] Es ist nun also die Aufgabe der Kunst-Reflexion unter dem Aspekt der Individualität, aus der Realität der Kunst und der Besonderheit der Werke Kategorien zu entwickeln, welche diese als solche begreifen lassen, darin aber wiederum mit dem allgemeinen Begriff der Reflexion und ihrer Struktur übereinstimmen und sie so als Notwendigkeit – nicht des Absoluten, aber der Vernunft – verstehen.

Da der Gehalt der Kunst als Darstellung der Ideen unmittelbar, wie sich in der Mythologie gezeigt hat, an das Absolute gebunden war, muß also die Form der Kunst jenes Medium sein, welches die Möglichkeit von deren Besonderheit impliziert, und damit auch die Möglichkeit der reflexiven Vermittlung. Wie jede Besonderheit in die Potenz der Form fällt und als solche nur durch kontingente und empirische Bedingungen bestimmt ist, muß so auch die Individualität des Genies und seiner Produkte unter diesem Gesichtspunkt untersucht werden. Schelling hat im Zusammenhang der philosophischen Vermittlung des endlichen Seins mit seiner in den Ideen begründeten Struktur diese Seite der Besonderheit mit dem Terminus der quantitativen Differenz gefaßt und diesen in seiner Relation zum Wesen zu dem leitenden Begriff der Vermittlung von Individualität und Allgemeinheit gemacht. Als quantitative Differenz geht die Besonderheit in die Reflexion ein als ein Mangel der Erscheinung gegenüber der Idee und soll als solcher in der Vermittlung durch das System der Potenzen in den Begriff, dessen Maßgabe die Identität des Besonderen im Allgemeinen ist, aufgehoben werden.

In dieser Hinsicht nun ist mit dem Begriff des Genies als der ‚Idee des Menschen in Gott' nur erst die allgemeine Prämisse formuliert, welche sich unter dem Aspekt der Form und im Sinne quantitativer Differenzen weiter entfalten lassen soll. Quantitative Differenz kann nun gerade nicht der Index der Irrationalität des Genies sein, da

---

[26] ebd.

sie selbst als ein systematischer Reflexionsbegriff aufgefaßt ist, der es erlauben wird, eine immanente Dialektik der genialen Subjektivität zu entwickeln und darin die Kategorien der Individualität zu fassen, die dessen Vermittlung mit der rationalen Struktur der Kunst im Ganzen ermöglichen. Diese Perspektive der Betrachtung, welche das Genie in Hinsicht seiner Individualität als ein komplexes und in sich dialektisches Phänomen auffassen will, entspricht nun jener Funktion der Idee, in der sie für die endliche Reflexion erschienen war und hier das allgemeine Prinzip der Einheit der Gegensätze des Realen im Idealen vertreten hatte. Die Konstruktion der Philosophie hatte diesen Aspekt in einer umfassenden Dialektik des Idealen und des Realen, des Allgemeinen und des Besonderen entfaltet und beansprucht, das Besondere in seiner Teilhabe an der Idee erfassen und die Identität in der stufenweisen Aufhebung aller realen Gegensätze denken zu können. „Diese Gegensätze gehören alle zu einer und derselben Familie und gehen sämmtlich aus dem ersten Verhältniß der Kunst als absoluter Form zu der besondern Form hervor, die durch die Individuen gesetzt ist, durch welche sie sich äußert. Sie mußten daher gerade hier hervortreten."[27]

In der Intention der konstruktiven Vermittlung der endlichen Subjektivität mit ihrem allgemeinen Grund kann diese postulierte Dialektik der Individualität auch als eine Fortführung der transzendentalphilosophischen Reflexion auf das Genie verstanden werden, welche die Absicht verfolgt hat, die bewußte subjektive ästhetische Produktion mit ihrer objektiven Funktion als Manifestation der Identität des absoluten Ich zu vermitteln und darin die Absolutheit des Kunstwerks aufzuklären.

Die nun geforderte quantitative Differenzierung der genialen Produktion führt Schelling nach dem allgemeinen Schema des Idealen und des Realen und – darin an die Unterscheidung der bewußten und der bewußtlosen Komponente des künstlerischen Schaffens aus dem *Transzendentalsystem* anknüpfend – mit den Begriffen der ‚Poesie' und der ‚Kunst' ein. „Das Absolute bezieht sich... auf das hervorbringende Individuum durch den ewigen Begriff, der von ihm im Absoluten ist. Dieser ewige Begriff, das An-Sich der Seele, zerlegt sich in der Erscheinung in Poesie und Kunst und die

---

[27] ebd. 478

übrigen Gegensätze, oder vielmehr er ist der absolute Identitätspunkt dieser Gegensätze, die es nur für die Reflexion sind."[28]

In der Unterscheidung von Poesie und Kunst ist damit die Grundstruktur der immanenten Dialektik des Genies angesprochen, die auf der Seite der Subjektivität der allgemeinen Dialektik von Stoff und Form korrespondiert und daher als die gleichsam individuelle Realität der zwei Potenzen der Einbildungskraft zu verstehen ist. Als Poesie auf der realen Seite wird, mit Blick auf den Stoff, die Einbildung des Unendlichen in das Endliche bestimmt, die bereits in der Mythologie demonstrierte notwendige ästhetische Form des Stoffs; als Kunst erscheint auf der idealen Seite die Einbildung des Endlichen in das Unendliche, somit die formale Seite des Kunstwerks im engeren Sinn. „Die reale Seite des Genies oder diejenige Einheit, welche Einbildung des Unendlichen ins Endliche ist, kann im engern Sinn die *Poesie*, die ideale Seite oder diejenige Einheit, welche Einbildung des Endlichen ins Unendliche ist, kann die *Kunst* in der Kunst heißen."[29]

Mit dem Begriff der Poesie wird also unter dem Aspekt der individuellen Produktion diejenige Seite der ästhetischen Einbildungskraft gefaßt, welche die eigentlich produktive ist, indem sie Ideen begrenzt und damit in das Medium der endlichen Anschauung transponiert. Sie wird als „das unmittelbare Hervorbringen oder Schaffen eines Realen verstanden, die *Invention* an und für sich selbst. Alles unmittelbare Hervorbringen oder Schaffen ist aber immer und nothwendig Darstellung eines Unendlichen, eines Begriffs in einem Endlichen oder Realen."[30] Damit entspricht die Poesie ihrer subjektiven Funktion nach jenem Prozeß der symbolischen Einbildung, der in der Mythologie unter dem objektiven Aspekt einer Logik der Phantasie abgehandelt worden war, und reflektiert diesen unter dem Vorzeichen der Individualität, welche dort unter der implizit antiken Perspektive der kollektiven Mythologie nicht thematisch geworden war. Wenn hier der Prozeß der Produktion der Mythologie, die das Urbild der Kunst überhaupt darstellt, als ein subjektives Vermögen der Einbildungskraft ver-

---

[28] ebd. 479
[29] ebd. 461
[30] ebd.

222

standen wird, so ist die Kategorie der Poesie damit auch als jene Struktur der Subjektivität bestimmt, welche das Phänomen der Teilhabe des genialen Subjekts an jener gleichsam unmittelbaren Produktion der Kunst, in der das Absolute sich selbst in der gegenbildlichen Offenbarung symbolisch darstellt, begreiflich macht. Unter der Perspektive der Poesie kann es daher für die Reflexion der Kunst verständlich werden, wie jene in der Mythologie aus der absoluten Phantasie entfalteten Gesetze der ästhetischen Anschauung in einzelnen Kunstwerken und durch einzelne Künstler realisiert zu werden vermögen und gleichwohl als Verwirklichungen des absoluten Anspruchs der mythologischen Kunst verstanden werden können. In dieser Hinsicht entspricht der Poesie-Begriff der *Philosophie der Kunst* auch jenem der Transzendentalphilosophie, der die Differenzierung von Poesie und Kunst auf der Basis der Dialektik des bewußten und des bewußtlosen Pols des Ich durchgeführt und darin der Poesie die bewußtlose Komponente der Produktion zugesprochen hat, auf der sich die schicksalhafte und objektive Vollendung der Kunst als unmittelbarer ‚Einschlag‘ des Absoluten realisiert. „Wenn wir in der einen jener beiden Tätigkeiten, der bewußten nämlich, das suchen müssen, was insgemein *Kunst* genannt wird, aber was nur der eine Teil derselben ist, nämlich dasjenige an ihr, was mit Bewußtsein, Überlegung und Reflexion ausgeübt wird, was auch gelehrt und gelernt, durch Überlieferung und durch eigne Übung erreicht werden kann, so werden wir dagegen in dem Bewußtlosen, was in die Kunst mit eingeht, dasjenige suchen müssen, was an ihr nicht gelernt, nicht durch Übung, noch auf andere Art erlangt werden, sondern allein durch freie Gunst der Natur angeboren sein kann, und welches dasjenige ist, was wir mit Einem Wort die *Poesie* in der Kunst nennen können.“[31] Auch unter diesen transzendentalphilosophischen Prämissen ist es die Poesie, welche die zentrale Qualität der ästhethischen Darstellung bezeichnet, die nicht der Reflexion, sondern jener ‚Gunst der Natur‘ entspringt, die das ‚Urselbst‘ als das eigentliche Subjekt der Kunstproduktion ausweist und damit der ontologische Grund der Absolutheit der Kunstanschauung ist.[32]

---

[31] System, III, 618
[32] vgl. D. Jähnig, Die Kunst in der Philosophie, a. a. O. Bd. 1, S. 77 f.

a. Poesie: naiv und sentimental

Dieser Aspekt der Dialektik des bewußten und des bewußtlosen Anteils an der subjektiven Produktion wird nun in der *Philosophie der Kunst* explizit thematisiert in einer weiteren Differenzierung der Poesie, welche diese nach einer naiven und einer sentimentalen Seite hin unterscheidet, womit nun wirklich allgemeine Kategorien der künstlerischen Individualität intendiert sind. Auch hier wird nach der Dialektik der Einbildungskraft eine reale Potenz postuliert, die, wie die Poesie selbst, Einbildung des Idealen in das Reale ist und damit die absolute Funktion der ästhetischen Einbildung repräsentiert, und dagegen eine ideale gesetzt, die als Einbildung des Realen in das Ideale jedoch unter dem Aspekt der Produktion nur deren defizienten Modus bezeichnen kann. „Nun ist aber der Fall eben der, daß die erste Einheit, die, in welcher das Unendliche ins Endliche eingebildet ist, immer und nothwendig als die vollendete erscheint, daß hier der Ausgangspunkt und der der Vollendung in eins zusammenfallen, daß dagegen für das andere Glied des Gegensatzes sehr wohl der absolute Ausdruck fehlen kann, eben deßwegen, weil es nur in der Nicht-Absolutheit als Entgegengesetztes erscheint. Dieß ist der Fall z. B. mit dem Sentimentalen und Naiven. Das Poetische und Genialische ist immer und nothwendig naiv; das Sentimentale ist also das Entgegengesetzte nur in seiner Unvollkommenheit."[33]

Schelling bezieht sich in dieser Unterscheidung des Naiven und des Sentimentalen auf Schillers Abhandlung *Über naive und sentimentalische Dichtung* von 1795/96[34], radikalisiert dessen eher typologische Unterscheidung eines realistischen und eines idealistischen Genies in ihrem unterschiedlichen Verhältnis zu Natur und Geist jedoch zu einer eindeutigen Wertung, die unter dem Aspekt der Produktion und der Objektivität des Gehalts dem Naiven den Vorzug gibt. Insofern in der naiven Form der Produktion das Subjekt ganz aus sich herausgeht und sich im Werk aufhebt, dominiert hier die objektive Seite der ‚Idee' des Künstlers, welche die der Mythologie adäquate Allgemeinheit der symbolischen Anschauung

---

[33] PhdK, 470
[34] vgl. ebd. 471

realiert, deren Präsenz nicht durch die Reflexion vermittelt, sondern von naturhafter Unmittelbarkeit zu sein scheint. „Man kann den ganzen Unterschied des naiven und sentimentalen Dichters darin zusammenfassen, daß bei jenem nur das *Objekt* waltet, bei diesem das Subjekt als Subjekt hervortritt, daß jener über sein Objekt bewußtlos *scheint*, dieser es mit seinem Bewußtseyn beständig begleitet und dieses Bewußtseyn zu erkennen gibt."[35] Während das naive Genie die Einheit des Subjektiven und Objektiven unmittelbar und gleichsam natürlich zu realisieren befähigt scheint, geht das sentimentale Bewußtsein von deren Differenz aus. Analog zum Verfahren der Allegorie auf der Seite des Stoffs, versucht der sentimentale Künstler, das Allgemeine durch Reflexion vom Besonderen her und aus der Subjektivität heraus darzustellen und muß damit, unfähig, die Innerlichkeit der Reflexion zu überwinden, die reale Anschauung der symbolischen Kunst notwendig verfehlen. „Ganz anders ist der sentimentale Dichter daran, welcher reflektirt, und nur rührt und selbst gerührt wird, inwiefern er reflektirt... Der sentimentale Dichter strebt nach dem Unendlichen, das, weil es in dieser Richtung nicht zu erreichen ist, auch nie zur Anschauung kommt."[36]

Die Unterscheidung zwischen Poesie und Kunst korrespondiert jener Dialektik der ästhetischen Einbildungskraft, die im Zusammenhang der Produktion der Mythologie in der Differenzierung von Phantasie und Einbildungskraft gemacht wurde.[37] Als die eigentlich objektive Potenz der Produktion erscheint also mit dem Begriff der Poesie auch jener Begriff der Einbildungskraft weiter erläutert, der dort als das den Ideen unmittelbar zugewendete Vermögen der innerlichen Auffassung und Ausbildung der mythologischen Vorstellungen bestimmt worden war. Innerhalb der Differenzierung der Poesie ist es wiederum die Seite der Naivität, wo sich das objektiv-produktive Prinzip ausspricht. Was im Kontext der Analyse der Einbildungskraft als deren eigene und wesentlich ästhetische Logik in der Darstellung der Ideen in sinnlicher Anschauung beschrieben wurde, kann nun von der Seite der Subjektivität her als deren gleichsam unbewußter Aspekt angesehen

---

[35] ebd. 471 f.
[36] ebd. 473
[37] vgl. oben S. 150 ff.

werden; damit ist bestätigt, daß die die Mythologie konstituierende Logik der Phantasie auch in der Hinsicht ihrer subjektiven Realisierung nicht individuell ist, sondern eine gleichsam transzendentale Objektivität der künstlerischen Genialität im Sinn eines allgemeinen ,Naturgesetzes' der Kunst darstellt. Demgegenüber faßt der Begriff des Sentimentalen die subjektive Seite der Genie-Produktion, insofern sie diese Objektivität nicht erreicht und daher auf einer reflektierenden und in Hinsicht der ästhetischen Anschauung abstrakten Stufe stehen bleibt. Aus dem Begriff des Naiven ist so auch innerhalb der *Philosophie der Kunst* der Stellenwert des Unbewußten als eines notwendigen Elements der ästhetischen Produktion zu verstehen, welches der Künstler in nicht reflektierter Weise und in unmittelbarer Teilhabe an der Idee realisiert. „Obgleich er es aber nicht erkennt, übt er es doch von Natur aus, und offenbart, ohne es zu wissen, denen, die es verstehen, die verborgensten aller Geheimnisse, die Einheit des göttlichen und natürlichen Wesens und das Innere jener allerseligsten Natur, in welcher kein Gegensatz ist; daher die Dichter schon im höchsten Alterthum als die Ausleger der Götter und von ihnen getriebene und begeisterte Menschen verehrt worden sind."[38] In diesem Zusammenhang des Unbewußten in der Kunst hat hier auch der antike Gedanke des künstlerischen Enthusiasmus seinen Platz, wo er nicht die Irrationalität des Genies bezeichnen soll, sondern einen Zustand der Teilhabe und der absoluten Hingabe an die Idee, „welcher den Künstler beseelt, und der in einer gottähnlichen Freiheit zugleich die reinste und höchste Nothwendigkeit ist"[39].

b. Kunst: Manier und Stil

Wie in der Dialektik der Einbildungskraft die Phantasie das Vermögen der äußeren Darstellung des Stoffs war, welches das Werk in seiner bestimmten Gestalt vollendete, ist es nun für die Analyse der Form der Begriff der ,Kunst', der das Besondere als Besonderes und Individuelles erfassen und darin für die Reflexion als konkrete Erscheinung des absoluten Begriffs erweisen soll. „Die Idee der Kunst

---

[38] Bruno, IV, 231
[39] Vorlesungen (XIV), V, 349

beziehen wir alle mehr auf die entgegengesetzte Einheit, die der Einbildung des Besonderen ins Allgemeine. In der Invention expandirt oder ergießt sich das Genie in das Besondere; in der Form nimmt es das Besondere zurück in das Unendliche."[40] ‚Kunst‘ als ein Vermögen des Genies aufgefaßt, bezeichnet somit nicht dessen unmittelbare Produktivität, sondern die in dieser sich äußernde und sie leitende Reflexivität. Da die hier betrachtete Dialektik des Genies allgemein unter dem Aspekt der Form der Kunst und damit der Reflexion auf die ästhetische Produktion zu verstehen ist, muß nun unter dem Aspekt der ‚Kunst‘ erneut gefragt werden, wie die in der ‚Poesie‘ behauptete Objektivität des Genies in der Entäußerung der Individualität und damit als eine Struktur der einzelnen Werke verifiziert werden könne.

Für die Reflexion hat damit die ‚Kunst‘ innerhalb der Analyse des Genies dieselbe Funktion, welche die Form der Kunst innerhalb des allgemeinen Begriffs der Kunst hatte, und ist wie jene durch die Struktur der Einbildung des Besonderen in das Allgemeine, des Realen in das Ideale ausgezeichnet. Sie vertritt damit jenen Aspekt der Gegenbildlichkeit der ästhetischen Anschauung, nach welcher das Einzelne reflexiv mit dem Absoluten vermittelt und in seiner besonderen Qualität als Ausdruck der Identität seines Ursprungs verstanden werden kann.

Es entspricht der allgemeinen Grundstruktur der Entfaltung der *Philosophie der Kunst*, daß in der Dialektik des Realen und des Idealen der Aspekt der Objektivität des Produkts und damit auch die Allgemeinheit und Objektivität der Produktion immer auf die Seite des Realen fällt, während auf der Seite des Idealen, wo nach der reflexiven Begründung der Objektivität gefragt ist, der Aspekt der Individualität thematisiert wird. So kann es nicht als Widerspruch erscheinen, wenn hier als ‚Kunst‘ die individuelle Form des Werks intendiert, als solche aber gerade immer unter dem idealen Aspekt der Vermittlung mit dem absoluten Begriff der Kunst thematisch ist.

„Nur in der vollendeten Einbildung des Unendlichen in das Endliche wird dieses etwas für sich Bestehendes, ein Wesen an sich selbst, das nicht bloß ein anderes bedeutet. So gibt das Absolute den Ideen der Dinge, die in ihm sind, ein unabhängiges Leben, indem es sie in

---

[40] PhdK, 461

die Endlichkeit auf ewige Weise einbildet; dadurch bekommen sie ein Leben in sich selbst, und nur sofern in sich absolut, sind sie im Absoluten. Poesie und Kunst also sind wie die zwei Einheiten: Poesie das, wodurch ein Ding Leben und Realität in sich selbst hat, Kunst das, wodurch es in dem Hervorbringenden ist."[41]

Der Begriff des Symbols hatte gefordert, daß diese Beziehung des Besonderen auf das Allgemeine nicht die einer abstrakten Bedeutung sein solle, sondern reale Anschauung. In den Göttergestalten der Mythologie war diese symbolische Beziehung unter dem Aspekt der Realität und des Stoffs gedacht worden; in der Einheit der Form, welche sich nun als die Einheit von ‚Kunst' und ‚Poesie' verstehen läßt, wird die Idealität dieser Verweisung und Transzendierung des Endlichen auf das Unendliche selbst zur Anschauung. Soll die Theorie des Genies eine Theorie der Reflexion auf die Produktion mit dem Ziel sein, das Besondere als solches zu erfassen und auf seine Allgemeinheit hin zu transzendieren, so hat sie bei der ‚Kunst' als der Potenz der Selbstreflexion des Künstlers ihren Ausgang zu nehmen. Da hier gleichsam die bewußte Seite der genialen Produktion angesprochen ist, wird nun zu fragen sein, wie sich auf der Ebene der gestalteten Form die transzendierende und damit reflexive Qualität des Symbols verstehen lasse – jedoch nicht als intellektuelle Allegorie, sondern als eine Struktur der Form des Werks selbst.

Innerhalb der reinen Form, der Kunst im Sinne der Reflexivität des Genies, manifestiert sich die Dialektik des Idealen und Realen, der subjektiven und der objektiven Form, in dem Gegensatz von *Manier* und *Stil*. „Der Gegensatz der beiden Einheiten in der Kunst für sich betrachtet kann sich nur als Styl und Manier ausdrücken."[42]

---

[41] ebd.

[42] ebd. 474; Schelling bezieht sich in dieser Terminologie, ohne dies jedoch explizit zu erwähnen, auf Goethes Aufsatz *Einfache Nachahmung der Natur, Manir, Styl* von 1789. Goethe stellt mit diesen drei „Arten, Kunstwerke hervorzubringen" (Werke in 14 Bänden, hrsg. von E. Trunz, Hamburg 1950-1968, Bd. 12, S. 32) die zentralen Kategorien der Kunstkritik auf; sie stehen in einem genetischen Verhältnis zueinander und implizieren eine Typologie der künstlerischen Individualität. Gegenüber der ganz an der äußeren Natur orientierten Nachahmung und in der ästhetischen Entwicklung auf diese folgend, stellt die Manier die subjektive Form der Darstellung dar, wo um den Preis der Abstraktheit der eigene, individuelle Ausdruck gesucht wird. Stil schließlich bezeichnet den „höchsten Grad ..., welchen die Kunst je erreicht hat und je erreichen kann" (ebd. S. 34). In der durch die Erkenntnis des Wesens der Natur gewonnenen Freiheit und Objektivität ist die Gegenstandsgebundenheit der einfa-

Diese Kategorien bezeichnen so zunächst unterschiedliche Qualitäten der Form der Werke, insofern sie durch unterschiedliche Weisen der Produktion entstanden sind. Damit ermöglichen sie eine Typologie des Genies mit dem Blick auf dessen Bewältigung des Problems der Form und auf die immanente Reflexivität der Werke. Da diese Reflexion im Sinne des Symbols selbst Anschauung und nicht abstrakte allegorische Verweisung sein soll, muß diejenige Seite der Form die vollendete sein, welche die Beziehung des Besonderen auf das Allgemeine selbst im Werk zur Anschauung werden läßt. „Von den beiden Entgegengesetzten ist Styl das Absolute, Manier das Nicht-Absolute, insoweit Verwerfliche... Die Absolutheit in der Kunst besteht immer darin, daß das Allgemeine der Kunst und das Besondere, welches sie im Künstler als Individuum annimmt, absolut eins, dieses Besondere das ganze Allgemeine sey und umgekehrt."[43]

Stil ist somit als die Reflexion voraussetzende, aber im Werk ganz in die Anschauung aufgegangene Fähigkeit des Genies zu verstehen, die Besonderheit seiner Individualität ganz in die Allgemeinheit des absoluten Begriffs der Kunst einzubilden und in dem subjektiven Medium der Form die Objektivität des Symbols herzustellen. Obwohl der Begriff des Stils gerade jene Leistung des Genies bezeichnet, seine Subjektivität in die Allgemeinheit der absoluten Kunstdarstellung aufzuheben und damit als solche in der Objektivität des Werks verschwinden zu lassen, muß er doch als eine Kategorie der Reflexion gedacht werden, die gerade jenes Phänomen der symbolischen Transzendenz des Werks aus der subjektiven Selbsttranszendierung des individuellen Genies auf seine Einheit in der ‚Idee des Menschen in Gott' erklärt. Im Begriff des Stils ist die Realisierung der ästhetischen Anschauung als diejenige Leistung des Subjekts aufgefaßt, in welcher es sich selbst ganz seiner Teilhabe an der Idee vergewissert und dadurch für sich die Allgemeinheit er-

---

chen Nachahmung ebenso aufgehoben wie der Individualismus der Manier: aus einem organischen Verstehen der Natur erreicht die Kunst die Dimension des Symbolischen. „Wie die einfache Nachahmung auf dem ruhigen Dasein und einer liebevollen Gegenwart beruht, die Manier eine Erscheinung mit einem leichten fähigen Gemüth ergreift, so ruht Stil auf den tiefsten Grundfesten der Erkenntnis, auf dem Wesen der Dinge, in so fern uns erlaubt ist, es in sichtbaren und greiflichen Gestalten zu erkennen." (Ebd. S. 32)

[43] ebd.

reicht hat, die dem Postulat der mythologischen und symbolischen Kunst gerecht wird.

Im Gegensatz zum Stil ist es die Manier, die diese Aufgabe der Objektivität der ästhetischen Anschauung nur unvollkommen und nicht-absolut löst; in ihrer Negativität erscheint sie als der Gegensatz des Stils, insofern sie „der nicht-absolute, der verfehlte, nichterlangte Styl"[44] ist. Indem sie, als solche genommen, nur die Besonderheit und Subjektivität zum Maßstab der Form macht, welches zu schwächlicher Schönheit und Eleganz oder zu Übertriebenheit, Forciertheit und Eigensinn führt[45], zerstört sie die notwendige Allgemeinheit der Form und hebt damit zugleich auch das Wesen der Kunst selbst auf. Als Manieriertheit bleibt sie ganz ihrem Ausgangspunkt, der Individualität verhaftet und verfehlt ihren Zweck, indem sie diese nicht auf ihre Allgemeinheit, wie sie im Begriff des Genies eigentlich postuliert ist, transzendiert. Unter dem Aspekt der Genese der Produktion verstanden, bildet Manier gleichwohl deren notwendigen Anfang, da sie das ideale und reflexive Moment der Subjektivität (Einbildung des Realen in das Ideale) repräsentiert, das sich dann in der transzendierenden Qualität der Form manifestiert. Aber wie diese in ihrer Vollendung ganz in die Realität der Anschauung des Werks eingehen soll, kann auch Manier, indem sie die reine Subjektivität der Produktion im Werk überwindet, in objektive Anschauung und in die Qualität des Stils umschlagen. So kann dieser als das Resultat der Einbildung des Individuellen in das Allgemeine verstanden werden, sofern es der Phantasie gelingt, auf der Ebene der Form beide Pole als Indifferenz erscheinen zu lassen, „und der in dieser Richtung erreichte Styl die *absolute Manier* heißen kann. Styl wird in diesem Sinn eine absolute (zur Absolutheit erhobene) Besonderheit."[46] Aus der Perspektive der Reflexion, deren Anfang in der Subjektivität liegen muß, bezeichnet Stil also das Resultat der „Hineinbildung der besonderen Form in die allgemeine"[47], insofern das Subjekt seine Besonderheit, soweit sie nicht Ausdruck des Absoluten sein kann, überwunden und sich dessen Allgemeinheit ganz versöhnt hat. Die absolute Manier wird darin

---

[44] ebd.
[45] vgl. ebd. 476 f.
[46] ebd. 475
[47] ebd.

230

zum Stil, daß sie das Individuelle in seiner Negativität und Differenz zum Absoluten vernichtet und nur insofern bewahrt, als es die aller Kunstanschauung notwendige Grenze repräsentiert und als diese selbst zur Anschauung kommt. „Styl also schließt nicht die Besonderheit von sich aus, sondern ist vielmehr die Indifferenz der allgemeinen und absoluten Kunstform mit der besondern Form des Künstlers, und ist Styl so nothwendig, als daß die Kunst nur im Individuum sich äußern kann."[48]

Im Gegensatz zu der Dialektik des Naiven und des Sentimentalischen ist mit den Kategorien von Stil und Manier nun nicht mehr unmittelbar eine Dualität der genialen Subjektivität gemeint, sondern eine der Form der Werke. Damit hat sich in der Entwicklung der Reflexion bestätigt, was ursprünglich für eine Theorie des Genies im Kontext der ‚Form der Kunst' postuliert worden war. Aus der Analyse des Genies sollte sich die Dimension des Werks für die Reflexion erschließen, indem aus einer differenzierten Betrachtung der Produktion das Werk in seinem konkreten Wesen der Vermittlung zwischen Endlichkeit und Unendlichkeit, Subjektivität und Objektivität, verständlich wird. Die genannten Kategorien sind begründet durch jenes quantitativ verschiedene Maß, in welchem der absolute Begriff dem Individuum eingeprägt ist. Sie beschreiben dieses, insofern es von den Bedingungen der Endlichkeit eingeschränkt ist, und das Werk, insofern sich in ihm diese Relativität der Subjektivität manifestiert. Es ist ein durchgängiges Merkmal der jeweils besonderen und subjektiven Pole jener Kategorien, daß sie als solche abgewertet und vom absoluten Begriff der Kunst ausgeschlossen werden. Überall, wo die Einbildungskraft als rein subjektives Vermögen hervortritt und nicht vollständig im Produkt sich objektiviert, ist sie dem Verdacht der Manier und des Sentimentalischen ausgesetzt.

Diese prinzipielle Wertung des Objektiven und des Subjektiven in der *Philosophie der Kunst* zeigte sich bereits in den unterschiedlichen Funktionen des ‚Stoffs' und der ‚Form' der Kunst und gilt ganz allgemein auch für den Begriff des Genies, insofern er hinsichtlich der Individualität des Künstlers aufgefaßt werden soll. Genie wird hier als eine notwendige Bedingung der Produktion der

---

[48] ebd.

Kunst gefordert, wenn sie unter dem Aspekt der einzelnen Werke thematisiert wird, wird aber gerade in dieser Perspektive nur in seiner wesentlichen Allgemeinheit aufgefaßt, da es zugleich die Legitimation für die reflexive Rückbindung der besonderen Erscheinung an die begründende Idee bieten soll.

Für die Analyse des Werks ebenso wie des Produzenten stellt sich im Ganzen nun die Frage, wie diese Besonderheit wieder in das Allgemeine, wie die Form in das Wesen aufgehoben werden könne. Die reale Einbildung des Stoffs in der Mythologie beschreibt unmittelbar die Entstehung der ästhetischen Anschauung und damit den absoluten Begriff der Kunst als solchen; die Analyse der Form der Kunst beschreitet nun den umgekehrten Weg, indem sie diese Einbildung vom Produkt und den Bedingungen seiner Produktion her reflexiv nachvollzieht. „Die bisherige Untersuchung war also bloß beschäftigt, das Genie als die absolute Indifferenz aller möglichen Gegensätze zwischen dem Allgemeinen und Besondern, die sich in der Beziehung der Idee oder des ewigen Begriffs auf ein Individuum hervorthun können, darzustellen. Das Genie ist eben selbst schon das, worin das Allgemeine der Idee und das Besondere des Individuums wieder gleichgesetzt wird."[49] Gegenüber der Transzendentalphilosophie zeigt sich hier deutlich die Verlagerung des Interesses von einer Philosophie des Subjekts auf eine allgemeine Metaphysik, welche Kunst nicht aus dem Subjekt als der obersten Kategorie der Begründung versteht, sondern beide, wie auch die notwendige Dialektik der Reflexion, aus der Struktur der Idee im Absoluten begreift.

Vom Resultat dieser Reflexion her gesehen, wo das Besondere mit dem allgemeinen Wesen versöhnt ist, hat der Begriff des Genies daher die Funktion, den allgemeinen und absoluten Ursprungsort der Kunst zu bezeichnen. In ihm, der als ‚Idee des Menschen' durch den ewigen Begriff des Absoluten begründet ist, fallen alle Gegensätze der Reflexion in absolute Identität zusammen und erweisen erst aus dieser heraus ihre diskursive Funktion für die Reflexion. „Es war nicht um diese Gegensätze als solche zu thun, sondern um die Erkenntniß des Genies. Das, wovon alle diese Gegensätze nur entweder die einseitigen Erscheinungsweisen oder Bestimmungen

---

[49] ebd. 479

sind, ist das absolute Princip der Kunst, das dem Künstler eingebildete Göttliche oder An-sich. In dem Kunstwerk an und für sich sollen diese Entgegensetzungen nie als solche hervortreten, in diesem soll immer nur das Absolute objektiv werden."[50] Damit ist die Aufgabe der Reflexion der Kunst in ihrer allgemeinen Struktur als Vermittlung des Besonderen mit dem Allgemeinen und als Aufhebung der erscheinenden Differenzen in die Identität des absoluten Begriffs der Kunst bestimmt. Was objektiv in der Mythologie und in der Qualität des Symbols als absolute Ineinsbildung des Idealen und des Realen gefordert worden war, kann nun verifiziert werden als die Übereinstimmung der subjektiven Reflexionsformen der Kunstwerke mit dem Begriff ihres idealen Produzenten, der im Genie repräsentierten absoluten Idee der ästhetischen Produktivität.

C. Die Kritik der Kunst

1. Die Reflexion der Form

Schelling entwickelt in der *Philosophie der Kunst* keinen expliziten Begriff der Kunstkritik, jedoch ist die gesamte Struktur der Reflexion der Kunst im Sinne einer Entfaltung der wesentlichen Kategorien zu verstehen, die es erlauben sollen, die endliche Realität der Kunst – im Medium der Form – als einen Reflex der ontologischen Dimension der Kunst und sie darin als das Medium der Offenbarung des Absoluten zu begreifen.[51] In diesem Zusammenhang ist das Postulat der Gegenbildlichkeit von Kunst und Philosophie nun auch als der allgemeine Horizont der Kritik der Kunst zu verstehen, da hier unter dem Aspekt der einzelnen Werke demonstriert werden soll, wie die Kunst „auf eine unveränderliche Weise in Ideen ausspricht, was der wahre Kunstsinn im Concreten anschaut, und wodurch das ächte Urtheil bestimmt wird"[52]. Die gesamte Philosophie der Kunst ist mit dem Programm aufgetreten, ‚durch die Reflexion die versiegten Urquellen der Kunst wieder zu

---

[50] ebd.
[51] vgl. W. Beierwaltes, Einleitung, a. a. O. S. 16
[52] PhdK, 361

öffnen`⁵³`; dies kann unter dem Aspekt des Werks nur geschehen, indem sie durch die Vermittlung des Begriffs des Genies bei deren formalen Strukturen ansetzt, da sich hier die immanente Reflexivität der Kunst repräsentiert, und diese aus ihrer individuellen Bedingtheit auf den allgemeinen Begriff der Kunst hin transzendiert.

Damit ist das prinzipielle Programm einer Kunstkritik, wie sie im Zusammenhang der Ästhetik Schellings gedacht werden kann, angezeigt. Gerade für die Reflexion auf die Form der Kunst ist das Werk keineswegs nur gleichsam als ein Durchgangsmedium der Reflexion zu sehen, sondern zunächst ganz in dem Sinn der klassischen Kunst als in sich abgeschlossenes und vollendetes Gebilde. In dieser formalen Qualität ist es Gegenbild des Begriffs, Repräsentation des Absoluten – und darin Gegenstand der Kritik. Wie aber die Absolutheit der ästhetischen Anschauung auch als das Resultat der genialen Ineinsbildung aufgefaßt werden kann, so gilt es nun für die Kritik, in der Durchdringung der formalen Struktur des Werks zu erweisen, daß es das ästhetische Postulat der Begrenzung des Absoluten ohne Aufhebung seiner Absolutheit erfülle. Als Symbol verweist das Werk aus der Geschlossenheit seiner Form auf die Unendlichkeit der mythologischen Welt und darin perspektivisch auf die Totalität der Ideen, die eine Substanz der Kunst.

Der entfaltete Begriff der Einbildungskraft erweist sich so als die verpflichtende Struktur auch der Kritik der Kunst, insofern deren produktive Seite, die als das Vermögen der sinnlichen Darstellung der Ideen verstanden wurde, eine Theorie der Rezeption der Kunst fordert, welche die Qualität der ästhetischen Anschauung in ihrer differenzierten Gestalt auffaßt, darin aber als eine perspektivische Erscheinung des absoluten Gehalts der Kunst im allgemeinen versteht und auf deren absolute Substanz hin transzendiert. „Dieß ist der Grund, daß in das Innere der Kunst wissenschaftlich kein Sinn tiefer eindringen kann, als der der Philosophie, ja daß der Philosoph in das Wesen der Kunst so gar klarer als der Künstler selbst zu sehen vermag. Insofern das Ideelle immer ein höherer Reflex des Reellen ist, insofern ist in dem Philosophen nothwendig auch noch ein höherer ideeller Reflex von dem, was in dem Künstler reell ist."`⁵⁴`

`⁵³` ebd.
`⁵⁴` Vorlesungen (XIV), V, 348

Dies kann nun nicht heißen, daß die Kritik damit die ästhetische Gestalt des einzelnen Kunstwerks nach dem Schema einer abstrakten Bedeutung nivelliere, sondern gerade, daß sie den in der Logik der Phantasie postulierten Prozeß der ästhetischen Gestaltung nachzuvollziehen und in seiner subjektiven Realität aufzufassen habe. Darin bleibt der Begriff des Genies eine entscheidende Maßgabe der Kritik, da er gewährleistet, daß die Besonderheit der Werke von der Seite ihrer Produktion her als solche thematisiert werden kann und dabei doch auf die begründende Funktion der Idee bezogen bleibt.

Die Analyse des Genies steht unter dem Titel der Form der Kunst, der Einbildung des Besonderen in das Allgemeine und ist so das ästhetische und reale Pendant jener idealen Einbildung des Realen in das Ideale, welches die Potenz der Philosophie war. Der Struktur nach ist dies die Form der Reflexion, welche in der Kunst bei dem Besonderen als dem Resultat der Einbildung des Stoffes ansetzt und es im Begriff auf seine Allgemeinheit zurückwendet.

Indem sie in ihrer Vollendung die Differenz des Idealen und des Realen überwindet, transzendiert sie die Individualität des Künstlers und erweist das Genie als das Medium der realen Selbstoffenbarung des Absoluten, wie sie in ihrer höchsten und idealen Potenz von der Vernunft selbst repräsentiert wird. Die im Zusammenhang der Analyse des Genies entwickelten Form-Kategorien der Kunst, wie sie in den Begriffen des Naiven und des Sentimentalen, des Stils und der Manier, angesprochen waren, sind daher als Kategorien der Kritik in der Funktion zu realisieren, als sie das besondere Werk mit seinem allgemeinen Begriff vermitteln und sich so in der vollendeten Kritik als identisch mit jenen im Kontext des Stoffs bestimmten Qualitäten des Schönen und des Erhabenen, der Allegorie und des Symbols, erweisen. Ziel dieser Analyse ist damit nicht die Subjektivität der Werke als solche, sondern jene allgemeine Objektivität der Kunst, die sich in ihrer Realität in dem Verhältnis spiegelt, in welchem die besondere Vermittlung von Form und Stoff im einzelnen Werk zu jener in der Mythologie postulierten Ineinsbildung des Idealen und des Realen steht, in welche sie zurückgeführt werden soll.

„Man könnte also die Aufgabe der Philosophie der Kunst zum voraus schon so bestimmen: das Reale, welches die Kunst ist, im

Idealen darzustellen."[55] Mit dieser Maxime steht der von der Idee geleitete Begriff der Kunstkritik immer schon im Horizont der Philosophie; sie entspricht ihrer allgemeinen Struktur nach deren Wesen und Intention überhaupt, das Seiende in seiner Endlichkeit aus der intelligiblen Struktur heraus zu begreifen, in welcher es im Absoluten begründet ist, und diese Struktur der Begründung durch das Medium der Vernunft als den Prozeß einer absoluten reflexiven Vermittlung des Realen mit dem Idealen zu verstehen. In der Idee, die zugleich das Ideal der Anschauung und der leitende Begriff der Reflexion ist, hat die Kritik der Kunst ihren gemeinsamen Bezugspunkt mit der Philosophie. Indem sie, geleitet durch das Postulat der Gegenbildlichkeit, diese Beziehung als die immanente geistige Struktur der ästhetischen Anschauung erweist, verifiziert sie zugleich jene Funktion der Idee als die Garantie der Substantialität der Kunst und der Reflexion über sie. „Dadurch, daß die Wahrheit der Vernunft so wie die Schönheit nur Eine ist, ist Kritik als objektive Beurtheilung überhaupt möglich, und es folgt von selbst, daß sie nur für diejenigen einen Sinn habe, in welchen die Idee der Einen und selben Philosophie vorhanden ist; ebenso nur solche Werke betreffen kann, in welchen diese Idee als mehr oder weniger deutlich ausgesprochen zu erkennen ist. Das Geschäft der Kritik ist für diejenigen und an denjenigen Werken durchaus verloren, welche jener Idee entbehren sollten. Mit diesem Mangel der Idee kommt die Kritik am meisten in Verlegenheit, denn wenn alle Kritik Subsumption unter die Idee ist, so hört da, wo diese fehlt, nothwendig alle Kritik auf, und diese kann sich kein anderes unmittelbares Verhältniß geben als das der Verwerfung."[56] Wie die Philosophie in dieser ihrer absoluten Bestimmung wesentlich nur Eine sein kann, insofern sie die Einheit des Seins und Denkens aus einem identischen Prinzip heraus begreift, kann auch die Kritik der Kunst sich nur im Horizont dieses philosophischen Identitätspostulats definieren und tendiert so dem höchsten Begriff ihrer Wahrheit nach zur Aufhebung ihrer selbst in die allgemeine Philosophie der Identität, welche Kunst und Philosophie in ihrer gemeinsamen Absolutheit begründet und reflektiert. „Da die philosophische Kritik sich von der

---

[55] PhdK, 364
[56] Kritik, V, 5

Kunstkritik nicht durch Beurtheilung des Vermögens zur Objektivität, das in einem Werke sich ausdrückt, sondern nur durch den Gegenstand oder die Idee selbst unterscheidet, welche diesem zu Grunde liegt, und welche keine andere als die der Philosophie selbst seyn kann, so müßte (da, was das erste betrifft, die philosophische Kritik mit der Kunstkritik gleiche Ansprüche auf allgemeine Gültigkeit hat), wer derselben gleichwohl Objektivität des Urtheils absprechen wollte, nicht die Möglichkeit bloß verschiedener Formen der einen und selben Idee, sondern die Möglichkeit wesentlich verschiedener und doch gleich wahrer Philosophien behaupten, – eine Vorstellung, auf welche, so großen Trost sie enthalten mag, eigentlich keine Rücksicht zu nehmen ist."[57]

Das Paradigma der Kritik muß also der absolute Begriff der Vernunft sein, die das „Auflösende aller besonderen Formen" in der endlichen Erscheinung ist, insofern diese sich im Medium der Reflexion „selbst wieder in Totalität und absolute Einheit der Formen verklärte"[58] und sich darin in ihrer urbildlichen Einheit und Totalität des absoluten Universums wiederherstellen. Indem die Kritik so den absoluten Begriff der Idee zur Maßgabe der reflexiven Vermittlung des Besonderen mit dem Allgemeinen macht, entgeht sie der Gefahr, auf die Subjektivität der Werke konzentriert zu bleiben und dadurch in Relativismus hinsichtlich der absoluten Substanz der Kunst zu verfallen, sondern bleibt immer der durch die Idee geforderten Objektivität der ästhetischen Anschauung verpflichtet. „Die Kritik, in welchem Theil der Kunst oder Wissenschaft sie ausgeübt werde, fordert einen Maßstab, der von dem Beurtheilenden ebenso unabhängig als von dem Beurtheilten, nicht von der einzelnen Erscheinung, noch der Besonderheit des Subjekts, sondern von dem ewigen und unwandelbaren Urbild der Sache selbst hergenommen sey."[59]

Das allgemeine Konzept der Konstruktion der Kunst kann daher auch in der Absicht interpretiert werden, in den Strukturen der

---

[57] ebd. 3 f.
[58] PhdK, 379; vgl.: Kritik, V, 3; „Wie die Idee schöner Kunst durch die Kunstkritik nicht erst geschaffen oder erfunden, sondern schlechthin vorausgesetzt wird, ebenso ist in der philosophischen Kritik die Idee der Philosophie selbst die Bedingung und Voraussetzung, ohne welche jene in alle Ewigkeiten nur Subjektivitäten gegen Subjektivitäten, niemals das Absolute gegen das Bedingte zu setzen hätte."
[59] Kritik, V, 3

Konstruktion des Besonderen in seinem Allgemeinen eine Systematik der Kritik zu sehen, denn es muß eine identische Struktur sein, welche die Kunst im Absoluten begründet und welche in der philosophischen Reflexion deren Wesen in der absoluten Vernunft realisiert. „Wer sich also nicht zur Idee des Ganzen erhebt, ist gänzlich unfähig, ein Werk zu beurtheilen."[60] Diese Idee des Ganzen der Kunst ist nun jenes Resultat, das sich aus der differenzierten Konstruktion der Kunst in ihren besonderen Formen ergeben soll und das in einem dialektisch-hermeneutischen Sinn wiederum zur Grundlage der kritischen Betrachtung der einzelnen Werke gemacht werden muß. Wird die höchste Intention der philosophischen Reflexion in ihrer Vollendung als intellektuelle Anschauung verstanden, so ist auch die Kritik ihrer absoluten Intention nach als die für die Philosophie der Kunst geforderte intellektuelle Anschauung der Kunst zu verstehen, und es ist damit zugleich legitimiert, wie die ‚Anstrengung des Begriffs' eine Voraussetzung dieses vollendeten Verstehens der Kunst ist; wie „nöthig gerade eine streng wissenschaftliche Ansicht der Kunst zur Ausbildung des intellektuellen Anschauens der Kunstwerke sowie vorzüglich zur Bildung des Urtheils über dieselbe sey"[61].

Es kann hier aufschlußreich sein, diesen an der intellektuellen Anschauung der Kunst orientierten Begriff der Kunstkritik in Analogie zu sehen mit jenem, den Walter Benjamin als den Begriff der Kunstkritik der deutschen Frühromantik entwickelt hat.[62] Auch für Benjamins Interpretation der Fragmente des Novalis und Friedrich Schlegels sind die Begriffe der Form der Kunst und, damit aufs engste verbunden, der ihrer immanenten Reflexivität die Angelpunkte seiner Theorie der Kritik. „Die Form ist also der gegenständliche Ausdruck der dem Werke eigenen Reflexion, welche sein We-

---

[60] PhdK, 359
[61] ebd.
[62] Walter Benjamin, Der Begriff der Kunstkritik in der deutschen Romantik, hrsg. v. H. Schweppenhäuser, Frankfurt a. M 1973. Von dieser Analogie zwischen einem aus Schellings Ästhetik zu begründenden Begriff der Kunstkritik und jenem von Benjamin entwickelten ist allerdings nur unter durchaus entscheidenden Einschränkungen zu sprechen, die vor allem dessen Verständnis der Reflexion des Absoluten selbst und seinen damit verbundenen Begriff der Idee der Kunst als eines Kontinuums der Formen betreffen. Es soll hier auch nicht danach gefragt werden, inwieweit die metaphysischen Implikationen von Benjamins Theorie der Kritik dem Horizont des Denkens von Novalis und Schlegel tatsächlich entsprechen.

sen bildet. Sie ist die Möglichkeit der Reflexion in dem Werke, sie liegt ihm also a priori als ein Daseinsprinzip zugrunde; durch seine Form ist das Kunstwerk ein lebendiges Zentrum der Reflexion."[63] Kritik muß somit als dasjenige philosophische Unternehmen verstanden werden, das durch Reflexion auf die Form der Kunst deren eigene reflexive und transzendierende Qualitäten herausarbeitet und das einzelne Werk so auf den allgemeinen Begriff der Idee der Kunst bezieht. Es kann so auch als ein entscheidendes Verdienst dieses Verständnisses von Kritik gelten, in der Absolutheit der Form die absolute Autonomie des Kunstwerks postuliert zu haben; einer Form, die gerade in der kritischen Entfaltung ihrer Substanzialität Absolutheit gewinnt. Kritik ist also in einem ganz positiven Sinn zu verstehen,[64] indem sie das endliche Kunstwerk auf den unendlichen Begriff der Kunst bezieht und damit jene Totalität realisiert, die es zum Reflexionsmedium des Absoluten macht. „Ihre Aufgabe erfüllt die Kritik, indem sie, je geschlossener die Reflexion, je strenger die Form des Werkes ist, desto vielfacher und intensiver diese aus sich heraustreibt, die ursprüngliche Reflexion in einer höheren auflöst und so fortfährt. In dieser Arbeit beruht sie auf den Keimzellen der Reflexion, den positiv formalen Momenten des Werkes, die sie zu universal formalen auflöst. So stellt sie die Beziehung des einzelnen Werkes auf die Idee der Kunst und damit die Idee des einzelnen Werkes selbst dar."[65]

Kritik verifiziert die Idee der Kunst als die begründende Dimension des Werks und zeigt, wie das Besondere als eine perspektivische Repräsentanz der einen Substanz der Kunst und damit des Absoluten gelten könne. Für Schelling heißt dies, daß die ästhetische Anschauung das Gegenbild der intellektuellen sei. Anschauung bleibt für ihn auch in diesem Kontext die entscheidende Kategorie, welche die substanzielle Realität der Reflexion verbürgt, und so dem romantischen Begriff der Reflexion entgegensteht. Das einzelne Werk, die ästhetische Anschauung in der besonderen Form, ist nach dem Paradigma der antiken Kunst der Kristallisationspunkt, an dem sich die Qualitäten der Schönheit und des Symbols realisie-

---

[63] ebd. S. 67
[64] vgl. ebd. S. 62
[65] ebd. S. 68

ren. Im entscheidenden Gegensatz zu der romantischen Auffassung ist für Schelling nicht die Kunst selbst das Subjekt dieser Reflexion und Reflexion auch nicht die substanzielle Erfüllung des Absoluten. Zumindest in der *Philosophie der Kunst* ist sie mit dem Begriff des Gegenbildes in einem präzisen Verhältnis zur Philosophie definiert. Kritik kann so auch nicht mit dem Anspruch auftreten, die Kunst als solche in einem metaphysischen Sinn zu vollenden, sondern versteht sich als die philosophische Vermittlung dessen, was das Werk in der ihm eigenen Absolutheit repräsentiert. Kritische Reflexion im Sinne Schellings zielt nicht, wie dies dem romantischen Konzept einer Transzendentalpoesie entspräche, auf einen metaphysischen Begriff universeller Reflexion, sondern darauf, jene immanente Transzendenz der Werke, wie sie im Zusammenhang der Mythologie als ‚Durchschimmern' angedeutet wurde, aus der Struktur der Form zu entwickeln und darin den perspektivischen Gehalt des Werks mit dem absoluten der Kunst begrifflich zu vermitteln.

2. Die Dialektik des Symbols und die Realisierung des Bildes

So, wie der Begriff der Idee der Kristallisationspunkt aller Reflexion auf die ästhetische Anschauung ist, muß diese Funktion für die immanente Betrachtung der Kunst dem Begriff der Mythologie – und dem Symbol im Besonderen – als der allgemeinen Form der Anschauung der Ideen in der Kunst zukommen. Aus der Perspektive der Kritik soll sich erweisen, daß die Mythologie und die dort entwickelten ästhetischen Prinzipien wirklich die Basis aller Kunst sind; es muß der Reflexion auf die Form der Kunst gelingen, die Logik der Phantasie in ihrer substantiellen Identität mit der Logik der Vernunft und der philosophischen Konstruktion der Ideenwelt zu demonstrieren. Durch diese Orientierung Schellings an der Mythologie als der absoluten und vollendeten Form der ästhetischen Darstellung wird der Begriff des Symbols zu dem bestimmenden Ideal aller Kunstkritik. Als Funktion der mythologischen Einbildungskraft war das Symbol als die absolute Form der Einbildung der Idee in die endliche Anschauung definiert worden, wo sich die Idee gleichsam ohne Verlust ihrer Substanz in der Anschauung darstellt und in der sinnlichen Objektivität des Kunstwerks ihre

Transzendenz in dem ‚Durchschimmern' des Idealen durch das Reale dokumentiert.[66] Da das symbolische Kunstwerk sich in dieser Identität des Besonderen und des Allgemeinen nicht nach der abstrakten Struktur der allegorischen Bedeutung hin auflösen läßt, muß die Kritik hier den in den Kategorien des Genies entfalteten Stufen der Vermittlung folgen, um so das Phänomen der Ineinsbildung von der Seite seiner Genese her verstehen zu können. Durch die Dialektik der genialen Einbildungskraft eröffnet sich die Identität des Symbols in seiner immanenten Dialektik, die in ihrer objektiven Erscheinung als die Dialektik des ästhetischen Scheins verstanden wurde. Indem die Reflexion sich so in der Spannung von Identität und Differenz der ästhetischen Erscheinung hält, kann sie von dem ursprünglichen und identischen Begriff der Kunst zu dessen einzelnen Realisierungen fortschreiten, um diese in ihrer spezifischen Form als Realisierung der ästhetischen Anschauung zu begreifen und in der Erkenntnis ihrer wesentlichen Allgemeinheit zu dem allgemeinen Wesen der Kunst als der Offenbarung des Absoluten zurückzukehren.

Aus dieser Dialektik des Scheins ergibt sich die *unendliche Auslegbarkeit* des Kunstwerks. Insofern in jedem vollendeten Kunstwerk die Idee – und damit das ganze Absolute in perspektivischer Ansicht – erscheint, eröffnet sich der Reflexion auf die Kunstanschauung ein unendlicher Horizont der Verweisungen. „Diese Unendlichkeit muß sich gegenüber von dem Verstand dadurch ausdrücken, daß kein Verstand fähig ist, sie ganz zu entwikkeln, daß in ihm selbst eine unendliche Möglichkeit liegt, immer neue Beziehungen zu bilden."[67] Die Anschauung verweist auf die Idee, diese jedoch impliziert selbst ihrer produktiven und formalen Seite nach eine Unendlichkeit von Möglichkeiten der Realität. Sie in dem von dem jeweiligen Kunstwerk vorgegebenen Rahmen von Schein und Bedeutung zu aktualisieren, begründet die legitime Freiheit und innovatorische Potenz jeder Interpretation.

[66] vgl. oben S. 195, 239 f., 257 f.

[67] PhdK, 414; vgl. im *System*: „So ist es mit jedem wahren Kunstwerk, indem jedes, als ob eine Unendlichkeit von Absichten darin wäre, einer unendlichen Auslegung fähig ist, wobei man doch nie sagen kann, ob diese Unendlichkeit im Künstler selbst gelegen habe, oder aber bloß im Kunstwerk liege." (System, III, 620); vgl. oben S. 13f., und zu der Quelle dieses Gedankens in Kants *Kritik der Urteilskraft* oben S. 125 f.; vgl. auch W. Beierwaltes, Einleitung, a. a. O. S. 15.

Der wesentliche Index der Einheit aller dieser möglichen Auslegungen des Kunstwerks muß auf der Seite des Gehalts die Idee und deren absolute Beziehung auf die Identität im Absoluten sein; diese Struktur der Vermittlung des Realen mit dem Idealen reflektiert sich in der Potenz der Form der Kunst in der allgemeinen Qualität der Schönheit, welche ebenfalls als Einbildung des Besonderen in das Allgemeine definiert ist, und damit in der Dimension der Anschauung das transzendierende Element des Symbols repräsentiert.

Für die Reflexion auf die absolute Qualität der Kunst muß daher die Schönheit, welche in sich die explizite Dialektik der Erscheinung des Erhabenen aufhebt und die Ineinsbildung des Idealen und des Realen in ihrer absoluten Form verkörpert, das zentrale Thema sein. Hier manifestiert sich der ideale Zug der Kunst als eine Qualität der Anschauung selbst, die aus der Realität auf die Idealität als auf die bestimmende Struktur der Erscheinung der Kunst verweist und diese darin auch in der Potenz der Form als das ‚Scheinen der Idee‘ ausweist.[68]

Gleichsam den negativen Reflex dieser Unendlichkeit der ästhetischen Anschauung bildet ihr gegenüber dem absoluten Begriff der Kunst notwendig fragmentarischer Charakter.[69] Da das einzelne Kunstwerk nie eine vollkommene und absolute Darstellung der Unendlichkeit geben kann, muß es dieser gegenüber defizient bleiben; dieser Mangel an Idealität ist jedoch zugleich die notwendige Bedingung der ästhetischen Darstellung, in welcher Funktion er sich als das konstitutive Prinzip der Logik der Phantasie erwiesen hat, und definiert damit auch die spezifische Qualität der Kunst gegenüber der Philosophie. Für die ideelle Intention der Kritik, welche die reale Erscheinung ihrem idealen Urbild einbilden soll, muß das einzelne Kunstwerk als Fragment des absoluten Begriffs der Kunst gerade zum Anstoß dafür werden, dessen Grenzen auf seinen unendlichen Horizont im idealen Universum zu übersteigen. In dieser Hinsicht kann die Kritik der Kunst als das Medium der Vollendung des einzelnen Werks verstanden werden, insofern sie in dessen Strukturen seine über die Erscheinung hinausweisende Un-

[68] zum Begriff der Schönheit vgl. oben S. 81–87, 142, 235 f.
[69] vgl. W. Beierwaltes, Einleitung, a. a. O. S. 9, und W. Benjamin, Der Begriff der Kunstkritik, a. a. O. S. 64

endlichkeit entfaltet, es gerade darin aber als deren symbolische Repräsentation legitimiert. Hierin zeigt sich Schellings Gegensatz zu dem romantischen Begriff der Kunstkritik, welche fordert, das einzelne Werk in einer unendlichen Bewegung der Reflexion aufzuheben, und zugleich diesen Horizont der unendlichen Reflexion der Werke als deren einzige Realität zuläßt. Schellings dagegen eher klassische Haltung setzt die Kritik nicht als Negation der Anschauung, sondern als deren Fortsetzung in einem anderen Medium, dem der Philosophie. Die philosophisch-kritische Reflexion auf Kunst beläßt diese nicht nur in ihrer eigenen Qualität als symbolische Anschauung der Ideen, sondern bestätigt sie auch in dieser Autonomie, insofern sie sie als eine ontologisch begründete Funktion des Absoluten selbst ausweist. In dieser Hinsicht kann Schellings Begriff der Kritik, welche die Kunst in ihrer Bedeutung als ‚Enthüllerin der Ideen‘ realisiert, durchaus als eine Aktualisierung des metaphysischen Gedankens der anagogischen Funktion der Kunst und der ‚Realisierung des Bildes‘ in seiner ästhetischen Dimension verstanden werden.[70]

Das Bild hat seine Realität immer als Bild eines Ur-Bildes; diesem zugleich ähnlich und unähnlich. In dieser eigentümlichen Realität liegt aber die Autentizität des Bildes der Kunst. Differenz zur Idee ist in seinem Fall nicht Index der Nicht-Wesentlichkeit, sondern der seines eigenen Seins: der Identität des Gegenbildes. Grenze, Bestimmung, Gestalt – und damit der Horizont der Schönheit – sind die Kategorien, innerhalb derer die Realität des ästhetischen Bildes und sein Verhältnis zum Ur-Bild zu denken sind. Realisierung des Bildes meint so ein dialektisches Unterfangen: Denken dessen, was das Sein des Bildes ist, und Reflexion auf das, was das Bild zum Bild

---

[70] Die Formulierung ‚Realisierung des Bildes‘ ist dem gleichlautenden Aufsatz von W. Beierwaltes (in: Ders., Denken des Einen, a. a. O. S. 73–113) entlehnt. Unter dieser Maxime wird dort eine Gesamtperspektive der Interpretation neuplatonischen Denkens entfaltet. Wird Wirklichkeit universal als Bild verstanden, so ist es die Aufgabe der philosophischen Reflexion, diese Wirklichkeit in der Analyse ihrer differenzierten Struktur auf das Urbild hin zurückzudenken und darin die Vermittlung beider Pole zu leisten. „Realisierung des Bildes heißt demnach: Bewußtmachen der Bildhaftigkeit von Wirklichkeit, damit aber zugleich deren denkende Überwindung und Aufhebung." (Ebd. S. 78) In Analogie hierzu scheint mir, wird dabei nur die Selbständigkeit des ästhetischen Bildes nicht nivelliert, eine Theorie der Kunstkritik denkbar.

macht. Aus dem Verstehen der immanenten Struktur des Bildes – und nur von hier – soll sich jene Beziehung entfalten, die das ästhetische Gebilde an das Ur-Bild bindet. Voraussetzung hierfür ist, daß sich das Denken dem in sich appellativen Charakter des Bildes öffnet; in dem spezifisch ästhetischen ‚Durchschimmern' der Idee entdeckt es die transzendierende Struktur des Werks. Darin, hierfür die ästhetische Theorie bereitzustellen, liegt die Bedeutung der Mythologie für eine substanzielle Kritik der Kunst.

Realisierung des Bildes kann für Schelling so nichts anderes heißen als die Demonstration der Übereinstimmung der Qualität des Werks mit jenem höchsten ästhethischen Postulat, das Begrenzung des Absoluten ohne Aufhebung seiner Absolutheit forderte; oder, deutlicher als eine Leistung der Kritik der Form gewendet: Darstellung dessen, was Schönheit für das besondere Werk meint. Schönheit ist zu verstehen – wie dies in Winckelmanns klassischer Formulierung anklang – als der Index der Vermittlung von Grenze und Transzendenz in ihrem Gelingen; jener Qualität, die das Bild zum Bild macht. Leistet es die Kritik, das Wesen der Schönheit im einzelnen Werk und als dessen immanentes Gesetz zu demonstrieren, so hat sie dieses in seiner ästhetischen Allgemeinheit, die nicht unmittelbar jene des Begriffs ist, erwiesen: als Bild des Absoluten in der Realität. Die kritische Reflexion verifiziert so zugleich die Form als eine Qualität des Gehalts, wie sie umgekehrt diesen ästhethisch nur als das Gesetz der Form in Anschlag bringen kann. Die Einheit beider – und das meint ‚Stil' – fordert im höchsten Maße die Anstrengung des Begriffs – um ihn vor das zu stellen, was ästhetische Anschauung ist.

Literaturverzeichnis

Schelling

Die Werke Schellings werden zitiert nach:

F. W. J. Schelling, Sämtliche Werke, hrsg. v. K. F. A. Schelling, 14 Bde.,
Stuttgart/Augsburg: Cotta, 1856-1861 *
F. W. J. Schelling, System des transzendentalen Idealismus. Mit einer Ein-
leitung von W. Schulz, hrsg. v. R.- E. Schulz, Hamburg 1957
Das Älteste Systemprogramm, hrsg. v. G. v. Einem u. K. Düsing, in: Studien
zur Frühgeschichte des Deutschen Idealismus, hrsg. v. R. Bubner, Bonn
1973 (Hegel-Studien, Beiheft 9), S. 263-265
F. W. J. Schelling, Briefe und Dokumente, hrsg. v. H. Fuhrmans, Bd. 1,
Bonn 1962
Aus Schellings Leben. In Briefen, hrsg. v. G. L. Plitt, Bd. 1, Leipzig 1869

In den Anmerkungen werden folgende Kurztitel gebraucht:

Abhandlungen – Abhandlungen zur Erläuterung des Idealismus der
Wissenschaftslehre (1796/97)
Aphorismen I – Aphorismen zur Einleitung in die Naturphilosophie (1806)
Aphorismen II – Aphorismen über die Naturphilosophie (1806)
Bruno – Bruno oder über das göttliche und natürliche Princip der Dinge.
Ein Gespräch (1802)
Dante – Über Dante in philosophischer Beziehung (1802)
Darstellung – Darstellung meines Systems der Philosophie (1801)
Darstellungen – Fernere Darstellungen aus dem System der Philosophie
(1802)
Gesamte Philosophie – System der gesammten Philosophie und der Natur-
philosophie insbesondere. Erster Theil (1804)
Ideen – Ideen zu einer Philosophie der Natur (1798)
Kritik – Über das Wesen der philosophischen Kritik überhaupt, und ihr
Verhältniß zum gegenwärtigen Zustand der Philosophie insbesondere
(1802)
PhdK – Philosophie der Kunst (1801/05)

---

* Wo nicht anders vermerkt, werden die Werke nach dieser Ausgabe zitiert mit Kurztitel der Schrift, Band- und Seitenzahl.

Philosophie und Religion – Philosophie und Religion (1804)
Rede – Über das Verhältnis der bildenden Künste zur Natur. Eine Rede zur
Feier des 12ten Oktobers als des allerhöchsten Namensfestes Seiner
Königlichen Majestät von Baiern, gehalten in der öffentlichen Versamm-
lung der Königlichen Akademie der Wissenschaften zu München (1807)
System – System des transzendentalen Idealismus (1800)
Vorlesungen über die Methode des akademischen Studiums (1802)

Texte

Adorno, Th.W.: Ästhetische Theorie, Gesammelte Schriften, hrsg. v. G.
Adorno u. R. Tiedemann, Bd. 7, Frankfurt a. M. 1970
Baumgarten, A. G.: Theoretische Ästhetik. Die grundlegenden Abschnitte
aus der ,aesthetica', übersetzt und herausgegeben von H. R. Schweizer,
Hamburg 1983
Bodmer, J. J. und Breitinger, J. J.: Von dem Einfluß und Gebrauche der
Einbildungs-Krafft; Zur Ausbesserung des Geschmackes: Oder genaue
Untersuchung Aller Arten Beschreibungen, Worinne die Außerlesenste
Stellen der berühmtesten Poeten dieser Zeit mit gründtlicher Freyheit
beurtheilt werden. Frankfurt und Leipzig (tatsächlich Zürich) 1727
Breitinger, J. J.: Critische Abhandlung von der Natur, den Absichten und
dem Gebrauche der Gleichnisse. Mit Beyspielen aus den Schriften der
berühmtesten alten und neuen Scribenten erläutert. Durch Johann Jacob
Bodmer besorget und zum Drucke befördert, Zürich 1740 (Nachdruck:
Stuttgart 1967)
– : Critische Dichtkunst Worinnen die Poetische Mahlerey in Absicht auf
die Erfindung untersuchet und mit Beyspielen aus den berümtesten Al-
ten und Neuern erläutert wird. Mit einer Vorrede eingeführt von
Johann Jacob Bodmer, Zürich/Leipzig 1740 (Nachdruck: Stuttgart
1966)
Eriugena, J. S.: Periphyseon, hrsg. v. I. P. Sheldon-Williams, Dublin
1968/72
– : Johannis Scoti Opera, hrsg. v. H. J. Floss, Paris 1853, Patrologia Latina
Bd. 122
Fichte, J. G.: Gesamtausgabe der Bayerischen Akademie der Wissenschaf-
ten, hrsg. von R. Lauth und H. Jacob, Stuttgart-Bad Cannstatt 1962–
1989
Goethe, J. W.: Werke in 14 Bänden, hrsg. v. E. Trunz, Hamburg 1950–
1968
Hegel, G.W. F.: Werke in 20 Bänden, hrsg. v. E. Mollenhauer und K. M.
Michel, Frankfurt a. M. 1970
Humboldt, W. v.: Gesammelte Schriften, hrsg. von der Preußischen Akade-
mie der Wissenschaften, Berlin 1903–1908
Kant, I.: Anthropologie in pragmatischer Hinsicht, Kants Gesammelte
Schriften, hrsg. v. d. Königlich Preußischen Akademie der Wissenschaf-
ten, Bd.7, Berlin 1908-13

– : Kritik der reinen Vernunft, nach der ersten und zweiten Original-Ausgabe neu herausgegeben v. R. Schmidt, Hamburg 1956
– : Kritik der Urteilskraft, Kants Gesammelte Schriften, hrsg. v. d. Königlich Preußischen Akademie der Wissenschaften, Bd. 5, Berlin 1908–13
Moritz, K. Ph.: Götterlehre oder Mythologische Dichtungen der Alten, Berlin/München/Wien o. J.
– : Werke in 2 Bänden, ausgewählt und eingeleitet v. J. Jahn, Berlin/Weimar ²1976
Winckelmann, J. J.: Kleine Schriften, Vorreden, Entwürfe, hrsg. v. W. Rehm, Berlin 1968
– : Kunsttheoretische Schriften, Faksimiledruck d. 1. Aufl., Dresden 1794, Baden-Baden/Strasbourg 1962–1971
– : Werke, hrsg. v. C. L. Fernow, Dresden 1808
– : Werke in einem Band, ausgewählt und eingeleitet v. H. Hotzhauer, Berlin/Weimar ²1976

Sekundärliteratur

Balthasar, H. U. v.: Herrlichkeit. Eine theologische Ästhetik, Einsiedeln 1965 – 1969
Baumgartner, H. M. (Hrsg.): Schelling. Einführung in seine Philosophie, Freiburg/München 1975
Behler, E.: Schellings Ästhetik in der Überlieferung von Henry Crabb Robinson, in: Philosophisches Jahrbuch 83 (1976) S. 133-183
Beierwaltes, W.: Aequalitas numerosa. Zu Augustins Begriff des Schönen, in: Wissenschaft und Weisheit 38 (1975) S. 140-157
– : Augustins Interpretation von Sapientia 11, 21, in: Revue des Études Augustiniennes 15 (1969) S. 51-61
– : Denken des Einen. Studien zur neuplatonischen Philosophie und ihrer Wirkungsgeschichte, Frankfurt a. M. 1985
– : Einleitung zu: F. W. J. Schelling, Texte zur Philosophie der Kunst, ausgewählt und eingeleitet von W. Beierwaltes, Stuttgart 1982
– : Identität und Differenz, Frankfurt a. M. 1980
– : Marsilio Ficinos Theorie des Schönen im Kontext des Platonismus, in: Sitzungsberichte der Heidelberger Akademie der Wissenschaften, Philosophisch-Historische Klasse (1980) Abh. 11
– : Die Metaphysik des Lichtes in der Philosophie Plotins, in: Zeitschrift für philosophische Forschung XV/3 (1961) S. 334-362
– : Negati Affirmatio. Oder: Welt als Metapher. Zur Grundlegung einer mittelalterlichen Ästhetik bei Johannes Scotus Eriugena, in: Philosophisches Jahrbuch 83 (1976) S. 237-265
– : Platonismus und Idealismus, Frankfurt a. M. 1972
– : (Hrsg.): Platonismus in der Philosophie des Mittelalters, Darmstadt 1969
Benjamin, W.: Der Begriff der Kunstkritik in der deutschen Romantik, hrsg. v. H. Schweppenhäuser, Frankfurt a. M. 1973

Biemel, W.: Die Bedeutung von Kants Begründung der Ästhetik für die Philosophie der Kunst, in: Kantstudien, Ergänzungshefte 77 (1959)

Blumenberg, H.: Wirklichkeiten, in denen wir leben, Stuttgart 1981

Bormann, A. v. (Hrsg.): Vom Laienurteil zum Kunstgefühl. Texte zur deutschen Geschmacksdebatte im 18. Jahrhundert, ausgewählt und mit einer Einleitung versehen von A. v. Bormann, Tübingen 1974

Bubner, R. (Hrsg.): Studien zur Frühgeschichte des Deutschen Idealismus (Hegel-Studien, Beiheft 9), Bonn 1973

Dittmann, L.: Schellings Philosophie der bildenden Kunst, in: Kunstgeschichte und Kunsttheorie im 19. Jahrhundert, hrsg. v. H. Baur, L. Dittmann u. A., Berlin 1963, S. 38-82

Fischer, K.: Schellings Leben, Werke und Lehre, Heidelberg 1902

Frank, M. u. Kurz, G. (Hrsg.): Materialien zu Schellings philosophischen Anfängen, Frankfurt a. M. 1975

Franke, U.: Kunst als Erkenntnis, Wiesbaden 1972

Gadamer, H.-G.: Wahrheit und Methode, Tübingen ⁴1975

Gregory, T.: Vom Einen zum Vielen (Zur Metaphysik des Johannes Scotus Eriugena), in: W. Beierwaltes (Hrsg.): Platonismus in der Philosophie des Mittelalters, Darmstadt 1969, S. 343-365

Habermas, J.: Das Absolute und die Geschichte. Von der Zwiespältigkeit in Schellings Denken, Diss. Bonn 1954

Hablützel, R.: Dialektik und Einbildungskraft. F. W. J. Schellings Lehre von der menschlichen Erkenntnis, Diss. Basel 1954

Hennigfeld, J.: Mythos und Poesie. Interpretationen zu Schellings ‚Philosophie der Kunst‘ und ‚Philosophie der Mythologie‘, Meisenheim a. G. 1973

Henrich, D.: Kunst und Natur in der idealistischen Ästhetik, in: H. R. Jauß (Hrsg.): Nachahmung und Illusion, München 1964, S. 128-134

Hermann, H. P.: Naturnachahmung und Einbildungskraft. Zu der Entwicklung der deutschen Poetik von 1670-1740, Homburg/Berlin/Zürich 1970

Homann, K.: Artikel: Einbildung, Einbildungskraft, in: Historisches Wörterbuch der Philosophie, hrsg. v. J. Ritter, Bd. 2, Basel 1972, Sp. 346-358

Jähnig, D.: Schelling. Die Kunst in der Philosophie, Bd. 1: Schellings Begründung von Natur und Geschichte, Bd. 2: Die Wahrheitsfunktion der Kunst, Pfullingen 1966/69

Jauß, H. R.: Ästhetische Normen und geschichtliche Reflexion in der ‚Querelle des Anciens et des Modernes‘, in: Charles Perrault, Parallèle des Anciens et des Modernes..., Nachdruck, München 1964

– : Literarische Tradition und gegenwärtiges Bewußtsein der Modernität. Wortgeschichtliche Betrachtungen, in: H. Steffen (Hrsg.): Aspekte der Modernität, Göttingen 1965

– : Literaturgeschichte als Provokation, Frankfurt a. M. 1974

Kaiser, G.: Benjamin. Adorno. Zwei Studien, Frankfurt a. M. 1974

– : Aufklärung, Empfindsamkeit, Sturm und Drang, München 1976

Knittermeyer, H.: Schelling und die romantische Schule, München 1929

Koller, H.: Die Mimesis in der Antike. Nachahmung, Darstellung, Ausdruck, Bern 1954

Kroner, R.: Von Kant bis Hegel, Tübingen 1924

Küster, B.: Transzendentale Einbildungskraft und ästhetische Phantasie, Königsstein/Ts. 1979

Kuhn, H.: Schriften zur Ästhetik, hrsg. v. W. Henckmann, München 1966

Lotze, H.: Geschichte der Aesthetik in Deutschland, München 1868

Marquardt, O.: Zur Bedeutung der Theorie des Unbewußten für eine Theorie der nicht mehr schönen Kunst, in: H. R. Jauß (Hrsg.): Die nicht-mehr schönen Künste, München 1968, S. 375-392

Markwardt, B.: Geschichte der deutschen Poetik, Bd. 2, Berlin 1956

Mörchen, H.: Die Einbildungskraft bei Kant, Tübingen 1970

Müller-Vollmer, K.: Poesie und Einbildungskraft. Zur Dichtungstheorie von Wilhelm von Humboldt, Stuttgart 1967

Panofsky, E.: Abbot Suger. On the Abbey Church of St. Denis and its Treasures, Princeton 1946

– : Idea. Ein Beitrag zur Begriffsgeschichte der älteren Kunsttheorie, Berlin 1960

– : Zur Philosophie des Abtes Suger von St. Denis, in: W. Beierwaltes (Hrsg.): Platonismus in der Philosophie des Mittelalters, Darmstadt 1969

Plessner, H.: Das Identitätssystem, in: Studia Philosophica. Jahrbuch der schweizerischen Philosophischen Gesellschaft. Sep. Vol. XIV (Basel 1954)

Pöggeler, O.: Die Frage nach der Kunst. Von Hegel bis Heidegger, Freiburg/München 1984

Ritter, J.: Landschaft. Zur Funktion des Ästhetischen in der modernen Gesellschaft, Münster 1963

Sandkühler, H. J.: Schelling, Stuttgart 1970

Schneeberger, G.: F. W. J. Schelling. Eine Bibliographie, Bern 1954

Schweizer, H. R.: Ästhetik als Philosophie der sinnlichen Erkenntnis. Eine Interpretation der ‚aesthetica' Baumgartens mit teilweiser Wiedergabe des lateinischen Textes und deutscher Übersetzung, Basel/Stuttgart 1973

Simson, O. v.: Die gotische Kathedrale, Darmstadt ⁴1972

Sziborsky, L.: Einleitung zu: F. W. J. Schelling, Über das Verhältnis der bildenden Künste zu der Natur, eingeleitet und herausgegeben von Lucia Sziborsky, Hamburg 1983

Szondi, P.: Poetik und Geschichtsphilosophie, Bd. 1: Antike und Moderne in der Ästhetik der Goethezeit. Hegels Lehre von der Dichtung (hrsg. v. S. Metz u. H.-H. Hildebrandt); Bd. 2: Von der normativen zur spekulativen Gattungspoetik. Schellings Gattungspoetik (hrsg. v. W. Tietkau), Frankfurt a. M. 1974

Tilliette, X.: Schelling. Une philosophie en devenir, 2. Bde., Paris 1970

– : Schelling als Philosoph der Kunst, in: Philosophisches Jahrbuch 83 (1973) S. 30-41

249

– : Schelling als Verfasser des Systemprogramms?, in: M. Frank u. G. Kurz (Hrsg.): Materialien zu Schellings philosophischen Anfängen, Frankfurt a. M. 1975, S. 193-211

– : (Hrsg.): Schelling im Spiegel seiner Zeitgenossen, Turin 1974

Volkmann-Schluck, K.-H.: Mythos und Logos, Berlin 1969

Zeltner, H.: Schellings philosophische Idee und das Identitätssystem, Heidelberg 1931

– : Schelling, Stuttgart 1954

– : Schelling-Forschung seit 1954, Darmstadt 1975

Personenregister

Sachregister

253

»Symposion«